D0985989

Éditions Druide
1435, rue Saint-Alexandre, bureau 1040
Montréal (Québec) H3A 2G4

www.editionsdruide.com

RELIEFS

Collection dirigée par
Anne-Marie Villeneuve

DE LA MÊME AUTEURE

Romans

Les chroniques de Gervais d'Anceny – L'affaire Guillot, Druide, 2016.

Les chroniques de Gervais d'Anceny – Voleurs d'enfants, Druide, 2015.

Les chroniques de Gervais d'Anceny – Meurtre à l'hôtel Despréaux, Druide, 2014.

Les Pavés de Carcassonne. Tome 2 : juillet 1966 – juillet 1967 – De retour à *Montréal,* Québec Amérique, 2013.

Les Pavés de Carcassonne. Tome 1 : mai 1963 – janvier 1964, Québec Amérique, 2012.

Les arbres bleus de Charlevoix, Druide, 2012.

Une jeune femme en guerre. Tome 4 : automne 1945 – été 1949, Québec Amérique, 2010.

Une jeune femme en guerre. Tome 3 : Jacques ou Les Échos d'une voix, Québec Amérique, 2009 ; Québec Loisirs, 2010.

Une jeune femme en guerre. Tome 2 : printemps 1944 – été 1945, Québec Amérique, 2008 ; Québec Loisirs, 2009.

Une jeune femme en guerre. Tome 1 : été 1943 – printemps 1944, Québec Amérique, 2007 ; Québec Loisirs, 2008.
Finaliste du Grand Prix littéraire Archambault.

Les Jardins d'Auralie, Québec Amérique, 2005.

Au nom de Compostelle, Québec Amérique, 2003 [rééd. dans la collection « QA compact » en 2011].
Prix Saint-Pacôme du roman policier

Mary l'Irlandaise, Québec Amérique, 2001 ; France Loisirs, 2001 [rééd. dans la collection « QA compact » en 2004].

Les Bourgeois de Minerve, Québec Amérique, 1999 ; France Loisirs, 1999.

Guilhèm ou les Enfances d'un chevalier, Québec Amérique, 1997.

Azalaïs ou la Vie courtoise, Québec Amérique, 1995 ; De Fallois, 1996 ; Québec Loisirs, 1996 [rééd. dans la collection « QA compact » en 2002]. Finaliste du Prix Desjardins et du Grand Prix des lectrices et des lecteurs du *Journal de Montréal.*

Nouvelles

« Le secret du tome trois », dans Richard Migneault, *Crimes à la bibliothèque*, Druide, 2015.

« Le fablier », dans Jacques Allard, *Histoires de livres*, Hurtubise, 2010.

« Le permis », *Arcade*, n° 47 « Le mythe du deuxième sexe », 1999.

LA MORT EN BLEU PASTEL

Catalogage avant publication de Bibliothèque et Archives nationales du Québec et Bibliothèque et Archives Canada

Rouy, Maryse, 1951-
La mort en bleu pastel : les chroniques de Gervais d'Anceny : roman
(Reliefs)

ISBN 978-2-89711-383-4
I. Titre. II. Collection : Reliefs.
PS8585.O892M67 2017 C843'.54 C2017-941093-8
PS9585.O892M67 2017

Direction littéraire : Anne-Marie Villeneuve
Édition : Luc Roberge et Anne-Marie Villeneuve
Assistance à l'édition : Elisanne Crevier
Révision linguistique : Isabelle Chartrand-Delorme et Marie-Eve Laroche
Assistance à la révision linguistique : Antidote 9
Maquette intérieure : Anne Tremblay
Mise en pages et versions numériques : Studio C1C4
Conception graphique de la couverture : Anne Tremblay
Photographie de l'auteure : Maxyme G. Delisle
Cartographie : François Goulet
Diffusion : Druide informatique

Les Éditions Druide remercient le Conseil des arts du Canada et la SODEC de leur soutien.

Gouvernement du Québec — Programme de crédit d'impôt pour l'édition de livres — Gestion SODEC.
Ce projet a été rendu possible en partie grâce au gouvernement du Canada.

Canada

ISBN PAPIER : 978-2-89711-383-4
ISBN EPUB : 978-2-89711-384-1
ISBN PDF : 978-2-89711-385-8

Éditions Druide inc.
1435, rue Saint-Alexandre, bureau 1040
Montréal (Québec) H3A 2G4
Téléphone : 514-484-4998

Dépôt légal : 4e trimestre 2017
Bibliothèque nationale du Québec
Bibliothèque nationale du Canada

www.editionsdruide.com

Imprimé au Canada

Maryse Rouy

LA MORT EN BLEU PASTEL

Les chroniques de Gervais d'Anceny

Roman

Druide

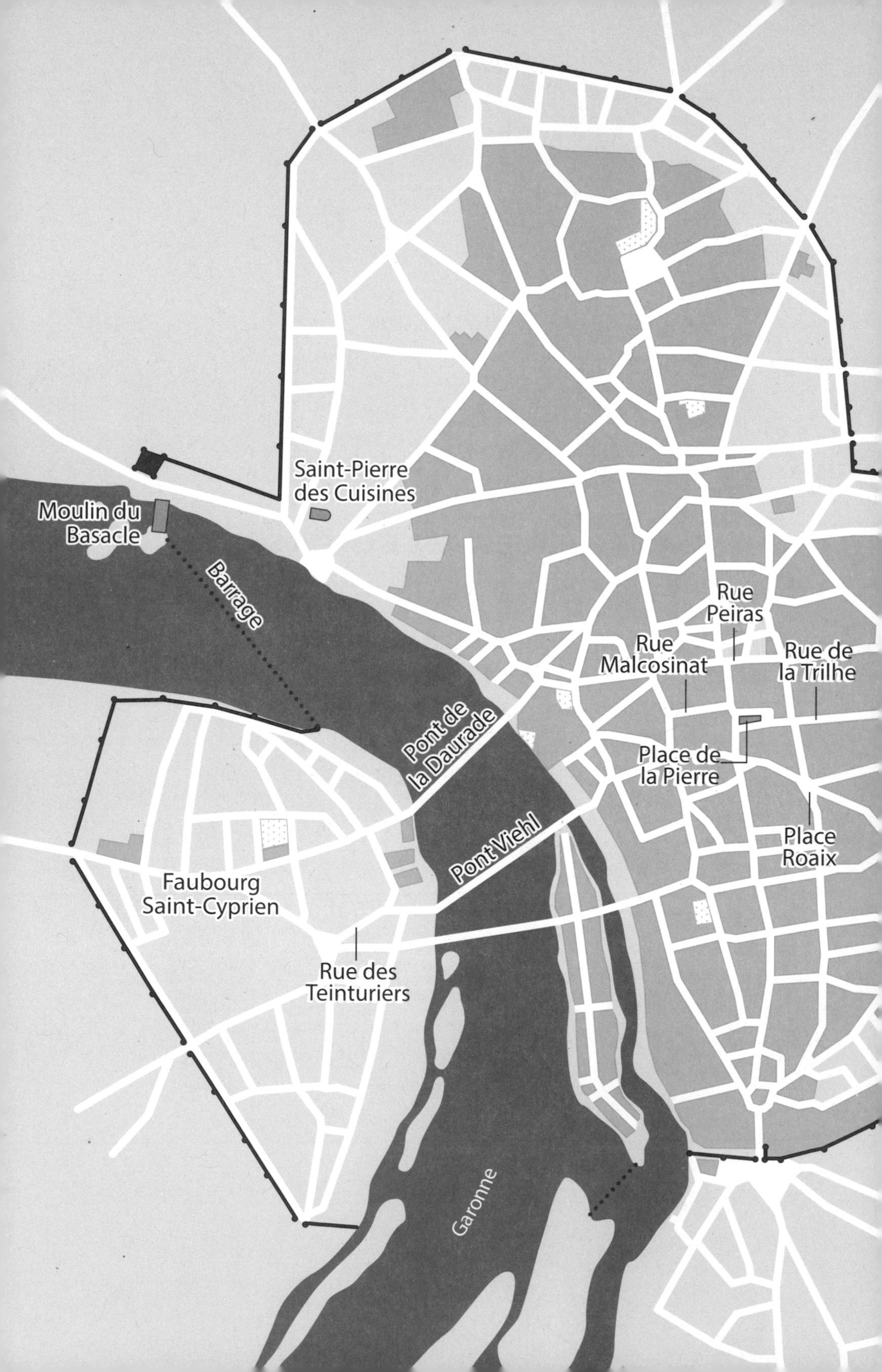
Saint-Pierre
des Cuisines
Moulin du
Basacle
Barrage
Rue
Peiras
Rue
Malcosinat
Rue de
la Trilhe
Pont de
la Daurade
Place de
la Pierre
Place
Roaix
Pont Viehl
Faubourg
Saint-Cyprien
Rue des
Teinturiers
Garonne

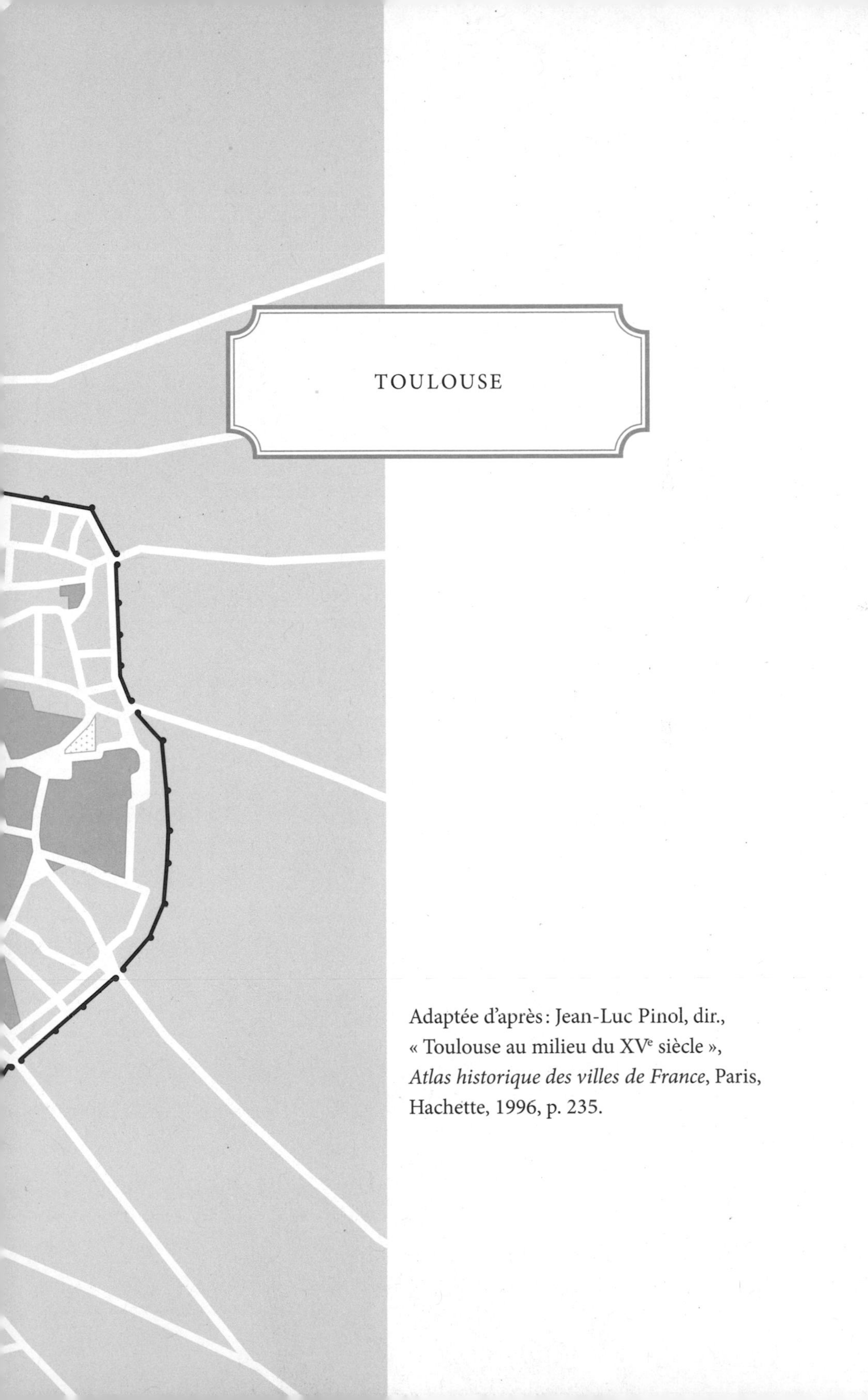

TOULOUSE

Adaptée d'après : Jean-Luc Pinol, dir., « Toulouse au milieu du XVe siècle », *Atlas historique des villes de France*, Paris, Hachette, 1996, p. 235.

LES PERSONNAGES

Prieuré de Neubourg

Gervais d'Anceny, *oblat*
Abbé Giraud, *supérieur de l'abbaye de Nocé dont dépend le prieuré de Neubourg*
Frère Antoine, *copiste*
Frère Godefroi, *copiste ami de Gervais, décédé*
Père Alain, *prieur*
Père Joachim, *bibliothécaire*
Père Joseph, *infirmier*

Abbaye de Saint-Évroult

Abbé Crispin, *supérieur de l'abbaye de Saint-Évroult*
Père Côme, *son assistant*
Père Jude, *infirmier*
Père Frémont, *bibliothécaire*
Père Damien, *copiste*
Frère Benoît, *responsable de l'exploitation du ruisseau*
Frère Lucas, *cuisinier*
Frère Augustin, *copiste*
Frère Jérôme, *secrétaire de l'abbé Crispin*
Père Léonce, *théologien inquisiteur*
Frère Janin, *son serviteur*
Frère Paul, *médecin inquisiteur*

Maison d'Anceny

MAÎTRES :

Raoul d'Anceny, *père de Gervais*
Clémence, *mère de Gervais*
François, *frère aîné de Gervais*
Gildas, *deuxième frère de Gervais*

PERSONNEL :

Perrin, *commis*
Augustin, *employé de l'échoppe*

Maison Dutech

MAÎTRES :

Émile Dutech, *drapier*
Robine, *épouse d'Émile*
Émilien Dutech, *fils aîné d'Émile et Robine, facteur*
Marie, *épouse d'Émilien*
Étiennette et Martin, *enfants d'Émilien et Marie*
Jaufré Dutech, *deuxième fils d'Émile et Robine, gérant de la plantation de pastel de Gardouch*
Blanca, *épouse de Jaufré*
Augustine, *fille d'Émile et Robine*
Arnaut Lapeyre, *époux d'Augustine, gérant du domaine qui fait l'élevage des ovins en Haut Comminges*

PERSONNEL :

À TOULOUSE :

Hervise, *cuisinière*
Marinette, *chambrière et aide en cuisine*
Ramone, *fille de cuisine*
Peirol, *homme à tout faire*
Castagnon, Lasserre, Samaran et Fréchou, *employés à l'échoppe*

À GARDOUCH :

Giraud Davezac, *bayle*
Perrine, *épouse de Giraud*
Froucard, *homme à tout faire*
La Froucarde, *cuisinière et servante*

Autres personnages

Maître Andrieu, *libraire*
Bertrande, épouse *de maître Andrieu*
Mélie, *fille de maître Andrieu et Bertrande*
Sénarens, *ami de Fréchou*
Marion, *sœur de Sénarens*
Berthe, *deuxième sœur de Sénarens*
Simone, *amie de Marion*
Marthe, *servante de taverne*

Maître Gardelle, *teinturier*
Maître Boyer, *teinturier*
Daran, *contremaître de maître Boyer*
Béranger, *fils de drapier, ami de Gervais*
Thibout, *frère aîné de Béranger*

Prévôté de Paris
Guillebert Coudrier, *prévôt*

I

Gervais était en train de relire les premiers feuillets de sa chronique rédigés sur du parchemin quelques mois plus tôt. Le récit commençait à son arrivée à Toulouse au printemps de l'an 1342.

Chez Dutech, le drapier à qui Raoul d'Anceny demandait d'accueillir son benjamin et de le former, Gervais n'avait pas trouvé l'atmosphère sereine annoncée par Émilien, le fils aîné. Les nouveaux venus s'étaient heurtés à des visages défaits aux yeux rougis. On y pleurait une jeune morte. La colère s'ajoutait à la tristesse, car elle n'avait succombé ni à la fatalité de la maladie ni à celle d'un accident, mais à la folie d'un monstre. Marinette, qui avait à peine douze ans, avait été violentée et étranglée. Gervais tarda un peu à comprendre qui était la victime. Émilien lui avait parlé de sa famille, mais n'avait pas mentionné cette jeune fille. Il finit par saisir qu'il s'agissait d'une orpheline recueillie par dame Robine Dutech dans son enfance. Vive et souriante, elle ne rechignait jamais à rendre service: damoiselle de compagnie, chambrière au besoin, aide à la cuisine, prompte à se proposer pour courir au marché s'il manquait quelque chose, elle chantonnait dès que levée, répandant la joie autour d'elle.

Une joie qui avait déserté la demeure à l'annonce du drame quelques heures plus tôt.

Le crépitement répétitif et obsédant de la crécelle fracassa la paix du prieuré de Neubourg, résonnant sur les voûtes de pierre qui l'amplifiaient de manière sinistre. La surprise figea un instant les habitants du lieu, puis ils se mirent en branle, convergeant vers la salle du chapitre, car ce signal les appelait à s'y réunir. Où qu'elle retentît, la crécelle était de mauvais augure. Sur les chemins, elle invitait les voyageurs à s'écarter pour éviter ceux que nul ne voulait croiser : pestiférés, lépreux ou autres damnés. Au monastère, elle annonçait une mort, advenue ou imminente. Personne, pourtant, n'était gravement malade.

Lorsque l'appel l'avait interrompu, Gervais d'Anceny considérait avec circonspection la feuille de papier posée devant lui. Sa première feuille de papier. Que ce soit à titre de copiste ou dans ses activités de marchand, il n'avait jamais utilisé que du parchemin, et il n'était pas certain d'avoir été bien inspiré en décidant de changer. Saurait-il se servir de ce support nouveau pour lui ? Le papier était plus fragile que les peaux auxquelles il était accoutumé. Il était friable et pouvait se percer si l'on tentait d'effacer une erreur. Ce choix, fait à Paris, était une sorte de suite logique à ses réflexions. Pendant qu'il cheminait vers la capitale, dans le but de détourner son esprit de la rancune qu'il éprouvait à l'égard de Coudrier, un sentiment bien peu chrétien, mais dont il parvenait mal à se défendre, il avait peaufiné mentalement son plaidoyer pour l'implantation de moulins à papier sur les terrains de son ordre, une initiative qu'il jugeait propre à générer des revenus appréciables. Il lui avait semblé qu'il serait plus persuasif s'il en utilisait lui-même. Non que le papier soit inconnu des monastères qui en privilégiaient de plus en plus l'usage pour les écrits vulgaires, mais ce n'était pas le cas de Neubourg, et son prieur était le premier à convaincre.

Avant de quitter la capitale, il s'était procuré plusieurs mains de papier qu'il avait payées sur les fonds de la prévôté. Son contentieux avec le prévôt ne remettait pas en question le projet de chronique : il s'était engagé à faire le récit des crimes languedociens et s'en acquitterait. Seulement, au lieu de franchir la porte d'un parcheminier comme la fois précédente, il avait pénétré chez l'un de ces vendeurs de papier de plus en plus nombreux dans le quartier des écoles.

Décidé à sacrifier une première feuille pour s'entraîner, il se préparait à tremper la plume dans l'encre, entouré de ses confrères copistes qui profitaient de l'absence inexpliquée du père Joachim pour observer une pratique que plusieurs brûlaient d'expérimenter à leur tour. En présence du bibliothécaire qui désapprouvait toute innovation, ils ne s'y seraient pas risqués. C'est alors que la crécelle les avait jetés hors du scriptorium, saisis d'inquiétude.

Après s'être assuré qu'ils étaient tous là, le prieur leur annonça que le père Joachim avait eu une attaque et n'avait pas repris connaissance. La stupéfaction s'afficha sur le visage des moines qui l'avaient vu à tierce* dans son état normal. Afin de couper court aux commentaires que la nouvelle n'aurait pas manqué de susciter, le père Alain commença aussitôt de réciter la prière pour les malades que l'assistance fut contrainte d'enchaîner tout en se rendant en procession au chevet du grabataire. À l'infirmerie, devant le corps inanimé du bibliothécaire, le supérieur du monastère prononça les trois oraisons prévues par la règle, puis il interrogea du regard le père infirmier. Celui-ci lui répondit d'un hochement de tête qu'ils surent tous interpréter : sauf miracle, l'âme du père Joachim était entrée dans ce que l'on appelait le travail de la dissolution du corps. Les trois oraisons suivantes étaient destinées à signifier au mourant qu'il était temps de remettre son âme entre les mains du Seigneur. S'il eût été lucide, le père Joachim ainsi averti aurait récité le *Confiteor**, mais son inconscience le coupait du monde des vivants et le prieur s'en chargea

---

* Les termes accompagnés d'une étoile sont définis dans le glossaire à la fin du livre.

à sa place. Puis les frères Antoine et Paul, les deux plus anciens copistes, étendirent un suaire sur le sol, le père Alain y traça une croix de cendre et deux robustes convers* prirent le bibliothécaire, l'un aux épaules l'autre aux chevilles, pour le déposer sur le linge dans lequel il serait enseveli quand tout serait consommé.

Depuis trois jours, Neubourg priait sans relâche. Dans l'église où les moines avaient coutume de se réunir jour et nuit à intervalles réguliers, la proximité de la mort semblait d'autant moins réelle que l'agonisant était resté à l'infirmerie, et les orants* en venaient à oublier la raison pour laquelle ils priaient. Leur pensée divaguait parfois sous l'effet stupéfiant de la répétition à haute voix. Qui aurait pu imaginer que le père Joachim serait candidat à une attaque? se disait Gervais qui, à titre de cuisinier occasionnel, savait mieux que personne le mépris du bibliothécaire pour les besoins du corps. D'un glouton on ne s'en fut point étonné: il y avait eu maints exemples de moines replets terrassés un jour de ripaille. Le père Joachim, si sobre que pour lui la sévérité du carême était insuffisante, aurait dû se trouver à l'abri d'une telle infortune. Dieu en avait décidé autrement. S'il s'en remettait, le bibliothécaire serait mortifié de l'apprendre, mais le temps passant sans qu'il recouvre la conscience n'incitait pas à l'espoir. Tant qu'il serait vivant, tout le monastère continuerait de prier, à l'exception de ceux qui nourrissaient les corps des hommes et des bêtes et qui s'absentaient afin d'accomplir leur besogne. Les repas n'échappaient pas à l'esprit de pénitence destiné à accompagner le mourant en faisant de petits sacrifices, et Gervais, uniquement chargé des menus festifs, n'était pas requis aux feux pour préparer cette triste pitance.

Rentré depuis peu d'Avignon, il était encore tout imprégné de la vie agitée du siècle*, ce qui lui valait de coupables impatiences. Après avoir aspiré pendant des semaines à la tranquillité du cloître, il la trouvait pesante. Dans des circonstances normales, il s'y serait réhabitué plus facilement, car il aurait écrit, bougé, cuisiné, mais dans cette immobilité forcée, c'était difficile, et il se surprenait souvent à avoir des pensées fort éloignées de la prière. Il s'interrogeait par exemple sur la succession du père Joachim. S'il mourait, serait-il remplacé par l'un des copistes ? C'était peu probable, aucun d'eux n'ayant l'envergure nécessaire. Alors, qui leur enverrait-on ? Pour lui, ce serait peut-être un problème. Malgré, ou plutôt, grâce à la rigidité du père Joachim, il avait eu toute liberté de se consacrer à ses écrits profanes. Le bibliothécaire pratiquait l'obéissance comme une vertu cardinale et il n'aurait jamais contrevenu aux directives du prieur qui avait soustrait l'oblat à son autorité ; avec le nouveau, ce serait peut-être différent. Si Gervais avait encore été à rédiger son rapport sur les moulins à papier, c'eût été moins hasardeux, mais il l'avait terminé la veille et remis à son supérieur. La chronique de sa jeunesse risquait à l'avenir d'être mal vue, voire interdite. Soutenu par le père Alain, il lui resterait la possibilité d'écrire dans sa cellule, mais l'atmosphère sereine et appliquée du scriptorium et les vastes proportions de la salle avec ses hautes ouvertures lui manqueraient beaucoup. Ses confrères copistes également, surtout frère Antoine avec qui il faisait de petites pauses bavardes tandis qu'ils réchauffaient leurs mains au-dessus des flammes sous l'œil courroucé du père Joachim. Le bibliothécaire était hostile à tout ce qui pouvait apporter un plaisir, aussi futile et ténu soit-il, à tel point qu'il avait voulu empêcher frère Antoine de mettre des miettes de pain sur la fenêtre pour les mésanges que tous étaient contents de voir et d'entendre pépier. Le copiste avait répliqué avec les petits oiseaux de l'Évangile, rappelant qu'ils étaient les protégés du Père céleste qui pourvoit à leur nourriture bien qu'ils ne sèment ni moissonnent ni amassent rien dans les greniers. Pour cela, avait-il ajouté avec cautèle, quand il n'y a plus rien dans les champs, il attend des hommes qu'ils s'en chargent. Le père Joachim n'avait pas insisté même s'il était clair que l'argument lui paraissait spécieux.

La cloche du repas tira les moines de l'hébétude engendrée par l'inlassable rabâchage. Afin que la prière ne s'arrête jamais, la communauté s'était partagée en deux groupes, et celui qui devait manger au premier service quitta la chapelle. Quelques soupirs s'élevèrent parmi les affamés encore obligés d'attendre, mais le rythme de la récitation ne fléchit pas. Si Gervais, dont l'estomac vide se contractait, regarda s'éloigner ses compagnons avec envie, il les oublia aussitôt pour replonger dans ses souvenirs vieux de quatre décennies. La relation des événements en était à ses débuts, mais à la faveur de l'inactivité forcée ils s'imposaient à sa mémoire.

Tomber dans une maisonnée en deuil avait curieusement facilité son entrée dans la famille Dutech, car on l'avait à peine remarqué. Émilien avait remis à son père la lettre de Raoul d'Anceny que lui avait confiée Augustin avant de retourner à Paris. Le patriarche l'avait lue et lui avait souhaité la bienvenue. Sans s'enquérir de sa santé ni de son voyage, il l'avait conduit à son épouse en disant:

— Voici Gervais, le fils d'un ami parisien qui vient faire son apprentissage chez nous.

Elle s'était contentée de le confier à une servante, car sa douleur était trop forte pour qu'elle soit en mesure d'offrir à un étranger mieux qu'un accueil poli. Ainsi, transparent et anonyme, il avait pu se faire une idée de chacun.

Les dîneurs revinrent du réfectoire et les autres se levèrent pour aller manger à leur tour. Cela faisait du bien de se dégourdir les jambes même si ce n'était que pour franchir quelques corridors. Tant que le père Joachim n'aurait pas rejoint son créateur, le prieuré se contenterait à chaque repas d'un brouet*, de pain et de fromage. Dieu soit loué, frère Bertrand n'avait pas été un mauvais élève. S'il était dépourvu d'imagination, il reproduisait au moins ce qu'il avait appris et la soupe de pois parfumée au thym était bonne, même si elle manquait cruellement de lard. À la place d'un chapitre de la règle de saint Benoît, le lecteur continuait la litanie des prières et les commensaux étaient censés l'accompagner mentalement. Gervais, que la soupe avait conduit de la cuisine au potager, du jardin au père Joseph et de l'infirmier à la chronique qu'il avait prévu de lui lire comme il l'avait fait avec les précédentes, se reprochait d'en être incapable. Plongé dans l'évocation du passé, il ne parvenait pas à s'en extraire.

C'est de frère Godefroi qu'il se souvint, son ami mort depuis deux ans déjà, lorsque ce fut à son tour de lire les Passions du Christ au chevet du moribond. Frère Amédée lui remit le livre en lui désignant de l'index la ligne où il en était. Il prit sa place sur le tabouret disposé à la tête du lit et commença à psalmodier le texte d'une voix monocorde tandis qu'une fois de plus son esprit divaguait.

Godefroi n'était pas issu d'une famille riche, ni même aisée comme celle de Gervais. Il avait été le protégé du curé de la paroisse qui avait distingué son intelligence et sa sensibilité. Ses parents n'ayant pas les moyens de l'aider, il pourvoyait à ses besoins en accomplissant de petites besognes. C'était lui par exemple qui prenait note des explications du maître dans une écriture abrégée pour ensuite les recopier *in extenso* au bénéfice de ses camarades. Il s'acquittait sans rechigner de cette tâche rétribuée, content d'étudier au lieu de faire un travail manuel. Godefroi était l'ami de Gervais depuis toujours, comme Perrin. Et comme Guillebert. La rancune que Gervais éprouvait à son égard s'émoussait, car Guillebert Coudrier, il devait bien l'admettre, avait des circonstances atténuantes. Même s'il n'avait aucun scrupule à aménager la vérité pour parvenir à ses fins ou se dédouaner, il devait y avoir du vrai dans l'affirmation du prévôt qui prétendait avoir ignoré le rôle d'appât réservé à Gervais en Avignon. Celui-ci connaissait assez les milieux ecclésiastiques pour savoir que le secret et la manipulation étaient les bases de leur diplomatie. Et puis, il ne pouvait jamais en vouloir très longtemps à Guillebert.

Gervais perçut une modification dans l'aspect du corps qui gisait devant lui et il interrompit sa litanie pour l'observer. Le drap dont l'infime mouvement avait prouvé que le moribond respirait encore était désormais inerte. Le père Joseph, alerté par le silence du récitant, s'approcha. Il toucha le cou du père Joachim, attendit un instant, puis annonça que le bibliothécaire avait quitté la vie. Ce fut Gervais qui alla en informer le prieur. Le père Alain se dirigea aussitôt vers l'infirmerie tandis que la crécelle retentissait dans le monastère afin d'avertir les orants qu'ils devaient passer des prières pour les mourants aux prières des morts. De retour à son poste, Gervais reçut de l'infirmier le livre ouvert à la nouvelle page et se rencogna près de la fenêtre pour continuer de lire sans gêner les allées et venues nécessitées par la toilette mortuaire. La tradition exigeait qu'elle soit accomplie par des religieux de même rang que le défunt. C'était donc aux deux seuls pères du monastère de s'en charger, le prieur et l'infirmier. Des convers les aidèrent à déplacer le corps qu'il fallait poser sur une pierre pour le laver à l'eau chaude. Ils dévêtirent le cadavre à l'exception des parties honteuses qui restèrent dissimulées sous une chemise. Les mains furent jointes sous la cuculle* blanche qui servirait de suaire et que le père Joseph cousit tandis que le prieur rabattait le capuchon sur le visage et s'assurait que les pieds chaussés de sandales neuves étaient bien recouverts par le vêtement dans lequel le corps serait entièrement enveloppé. Quand ils eurent terminé, ils l'encensèrent et l'aspergèrent d'eau bénite, puis les convers les aidèrent à placer la dépouille sur une litière qu'ils poussèrent jusqu'à la chapelle où elle fut déposée sur une planche. Deux candélabres furent allumés, un à la tête, l'autre aux pieds, et les moines, en cercle autour du corps de celui qui avait été leur compagnon, entreprirent une veillée funèbre qui durerait trois jours. Le prieur et l'infirmier les quittèrent le temps de procéder aux ablutions purificatrices, un rituel qui leur rendrait le droit de célébrer la messe.

Le père Joachim fut inhumé dans le cimetière du monastère. Le prieur jeta les trois premières pelletées de terre, suivi par le reste de la communauté, toujours priant et chantant des psaumes, jusqu'à ce que le cercueil soit enterré. Puis les cloches cessèrent de sonner et ils allèrent dans leurs cellules ôter les vêtements blancs de cérémonie. Ce n'était pas terminé pour autant : il fallut jeûner sept jours au pain et à l'eau et chanter en commun l'office des morts trente jours durant. Pendant toute cette période, les pauvres, portiers du ciel, reçurent la provende du mort et chaque prêtre célébra quotidiennement sept messes consécutives alors que ceux qui n'étaient pas ordonnés récitaient trente psautiers. Après seulement la vie reprit son cours, sauf pour Gervais.

II

À la fin de cette interminable période de deuil, l'oblat de Neubourg avait réintégré le scriptorium avec la hâte de retrouver sa chronique et d'expérimenter enfin l'écriture sur papier. En attendant que le supérieur de leur maison-mère nomme le successeur du père Joachim, le père Alain avait chargé frère Antoine d'assurer l'intérim. Un choix destiné à ne froisser personne, car nul ne pouvait imaginer que cette affectation puisse devenir définitive, le copiste ne possédant ni le désir d'exercer un pouvoir ni les qualités exigées par ce poste. Trop paresseux, trop mou, trop conciliant, frère Antoine préférait se prélasser et bavarder auprès de la cheminée plutôt que rester enchaîné à son pupitre. De surcroît, il n'était pas plus doté que ses confrères de l'écriture parfaite qui lui permettrait de terminer le travail inachevé du précédent bibliothécaire. C'était donc dans une atmosphère légère que le scriptorium n'avait jamais connue que Gervais, entouré des copistes au grand complet, trempa sa plume dans l'encre et traça un premier mot. Ce ne fut pas une réussite : la pointe de la plume accrocha une fibre du papier et un gros pâté s'étala sur la page. Lorsqu'il l'effaça, la pierre ponce, appliquée avec la même vigueur que sur du parchemin, troua le papier. La matinée passa à faire des taches et des trous sous l'œil des scribes qui ne se lassaient pas du spectacle. Après bien des tentatives, Gervais apprit à traiter le papier comme le matériau fragile qu'il était. Quand il eut acquis un semblant de dextérité, tous ses compagnons voulurent essayer et le scriptorium bruissa de rires comme une cour de récréation de petite école. Gervais pensa irrévérencieusement que le père Joachim devait frémir dans sa tombe.

Cette joyeuse séance fut interrompue par l'arrivée d'un novice que le prieur avait envoyé quérir son oblat. Tandis qu'avec un soupir déçu chacun retournait à sa tâche, laissée en plan des semaines plus tôt par le fatal accident de santé du bibliothécaire, Gervais se dirigea vers le bureau du père Alain, curieux de découvrir l'opinion de son supérieur au sujet du mémoire sur la fabrication du papier. Il n'avait pas imaginé qu'il puisse souhaiter lui parler d'un sujet différent, et effectivement, le parchemin sur lequel il avait rédigé ses réflexions était posé sur sa table. Le père Alain, qui l'avait lu avec intérêt, l'avait trouvé assez convaincant pour le soumettre au supérieur de l'abbaye dont Neubourg dépendait.

— Ici, nous ne sommes pas concernés puisque l'eau vive nous manque, mais il se peut qu'il soit possible d'implanter un moulin dans un autre monastère mieux pourvu dans ce domaine. L'abbé Giraud, avec qui j'ai eu un échange de courrier à ce sujet, souhaite que ce mémoire soit remis au père Crispin, l'abbé de Saint-Évroult, qui le considérera avec toute l'attention qu'il mérite. Dès que l'état des chemins le permettra, vous irez le lui apporter. Ainsi, il pourra vous demander tous les éclaircissements qui lui paraîtront nécessaires.

Gervais s'y était attendu et n'en fut pas contrarié, car ce serait un déplacement de courte durée qui ne perturberait pas longtemps ses habitudes. Il se préparait à prendre congé lorsque le père Alain ajouta :

— Mais ce n'est pas le plus important. J'ai une seconde mission à vous confier. Vous le savez, c'est un père qui doit annoncer la mort d'un autre père aux maisons de l'ordre et, à part moi qui ne puis quitter Neubourg, nous n'avons que le père Joseph. Cependant, il est bien vieux et je serais inquiet de l'envoyer seul sur les chemins. Votre expérience des voyages vous désigne comme l'accompagnateur idéal.

Gervais sortit un peu sonné du bureau du prieur. Il n'avait pas eu le loisir de se réinstaller que déjà il devait repartir. Le temps ne s'y prêterait certes pas tout de suite, mais la boue finirait par sécher. L'idée de cette errance de monastère en monastère l'irritait. Une fois de plus, il allait devoir remettre la rédaction de sa chronique et quitter cette vie de contemplation qu'il avait choisie pour terminer ses jours. De plus, il aurait la responsabilité d'un vieillard fragile. Le seul aspect plaisant de l'affaire était l'identité de son compagnon de voyage. Le père Joseph était le moine auquel Gervais était le plus attaché à Neubourg et ils avaient coutume de partager quotidiennement un moment d'intimité. Son inquiétude était que le père infirmier soit incapable de supporter la fatigue engendrée par les chevauchées, le séjour en des lieux souvent inconfortables et la rencontre de gens nouveaux face auxquels il faudrait faire bonne figure.

Le père Joseph aborda le sujet lors de sa visite de l'après-midi en savourant leur traditionnel thym miellé.

— Je sais, mon ami, que vous aspirez à la paix du monastère et que vous souffrez d'en être sans cesse éloigné. De plus, vous allez devoir jouer les nourrices d'un vieillard cacochyme.

Gervais amorça un geste de dénégation que son vis-à-vis interrompit.

— Ne prétendez pas le contraire, nous n'ignorons ni l'un ni l'autre que ce serait faux.

— Je n'essaierai pas de nier que vous êtes âgé, mais votre santé est bonne, il suffira de vous ménager.

— Ce qui rendra le périple interminable. Pour ma part, je n'ai rien à y redire : c'est la règle et je dois la respecter. C'est pour vous que je me désole.

— Vous avez tort. Avec la vie conventuelle, j'ai fait le choix d'obéir et je m'y soumettrai sans murmurer. Cela me sera d'autant plus facile que votre compagnie est toujours un plaisir.

— S'il en est ainsi, nous nous mettrons entre les mains du Seigneur, il veillera à nous protéger.

— Et pour l'y aider, nous allons nous préparer au voyage. Dites-moi : depuis combien de temps n'avez-vous pas chevauché ?

Le père Joseph éclata de rire.

— Je reconnais bien là votre pragmatisme. En effet, vous devinez juste : je n'ai pas approché une mule depuis des années.

— La première chose à faire est donc de vous réaccoutumer à monter un peu chaque jour.

— Je m'en remets à vous.

— Bien. S'il ne pleut pas, nous commencerons demain par une petite promenade dans l'enceinte du monastère.

— En attendant, dites-moi si vous avez repris ce matin la rédaction de votre chronique.

— Pas encore. J'ai choisi d'écrire sur du papier et ce n'est pas facile.

Il lui fit le récit de ses maladroites tentatives pratiquées sous l'œil passionné de ses confrères.

— Ils étaient autour de vous à regarder et commenter ?

— Mieux que cela : ils ont tous essayé.

— Eh bien, il y a du changement au scriptorium !

— Le moins que l'on puisse dire est que l'atmosphère est plus détendue. Et il y avait même grand feu dans la cheminée.

— À la bonne heure. Je partirai sans remords : ils n'auront plus besoin de se réfugier à l'infirmerie pour soigner leurs catarrhes et réchauffer leurs doigts gourds.

Gervais et frère Albert, le palefrenier, hissèrent le père Joseph sur Musarde, la mule la plus apathique de l'écurie. Ce ne fut pas aisé. Un animal un tant soit peu ombrageux se serait rebellé, mais

Musarde ne broncha pas et le futur voyageur finit par se retrouver juché sur sa monture.

— Mon vieux corps est rouillé, gémit-il, je ne survivrai pas une semaine.

Bien qu'il partageât son avis, Gervais se récria :

— Il suffit d'un peu d'entraînement. Allons faire le tour de la clôture.

Renonçant à son intention de seller Fiérote, il prit la bride de la mule pour cheminer à ses côtés le long du mur qui entourait le verger du monastère.

— Au moins, elle est confortable, se consola le père Joseph qui ne se plaignait jamais longtemps. Si j'oublie que je suis sur son dos, ce sera plus facile. Racontez-moi en marchant ce que vous aviez prévu de me lire avant le deuil. Vous en aviez une page ou deux si je ne m'abuse.

— Mais je ne les ai pas sur moi, je ne puis vous les lire.

— Je serais surpris que vous ne les ayez pas en mémoire.

— Lire et raconter sont deux choses différentes. S'il est écrit sur mon feuillet : *Gervais a fait ceci* ou *Gervais a fait cela*, je peux faire abstraction du fait que c'est moi et le prononcer sans gêne, mais en l'absence de parchemin…

— C'est pareil, trancha l'infirmier. Je vous écoute. Sinon, je vais me laisser gagner par l'appréhension, ce qui me ferait risquer la chute.

— Puisque je n'ai pas le choix…

Tout en conduisant la mule avec prudence, il éclaircit sa voix et commença :

Gervais n'avait pas trouvé à Toulouse l'atmosphère sereine annoncée par Émilien Dutech, son compagnon de route. Chez le drapier à qui Raoul d'Anceny avait demandé d'accueillir son fils et de le former, les nouveaux venus s'étaient heurtés à des visages défaits aux yeux rougis. On y pleurait une jeune morte…

Le tour de la clôture s'étant effectué sans encombre, Gervais afficha un certain optimisme. Le père Joseph, en revanche, n'avait aucune illusion.

— Demain, prédit-il, je serai tellement courbaturé qu'il me faudra une canne pour me déplacer. Mais revenons à votre récit : vous parlez de votre arrivée à Toulouse, et ensuite vous faites allusion à Godefroi que vous fréquentiez au Collège. Je ne comprends pas comment vous avez pu vous retrouver en apprentissage dans le sud du royaume alors que vous étiez en train d'étudier la théologie à Paris. Que s'est-il passé ?

— Il faudrait retourner quelques semaines en arrière.

— Eh bien, faites-le. J'y compte pour demain.

III

L'infirmier avait vu juste: le lendemain, il était trop endolori pour envisager de monter la mule. Ils s'installèrent donc sur des tabourets placés près de la cheminée pour deviser en savourant leur infusion dans la tiédeur du feu.

— Avez-vous continué votre rédaction sur du papier? s'informa le père Joseph.

— Oui. J'ai décidé que ce serait le support de cette chronique et je m'y tiendrai.

Il ajouta avec une grimace:

— Quel qu'en soit le désagrément.

— C'est difficile à ce point?

— Je m'y ferai, mais j'en suis persuadé, cela ne me procurera jamais le même plaisir que celui que l'on éprouve lorsque la plume court sur un beau parchemin bien tanné et bien lisse.

— À cause des aspérités?

— En réalité, il n'y en pas tellement. C'est autre chose. De quelle manière vous expliquer ce que je ressens? C'est comme si je n'avais pas confiance dans ce matériau. J'ai l'impression qu'il va absorber l'encre de mon texte et faire disparaître ce que j'ai écrit.

— Comme par magie?

— C'est stupide, j'en conviens, mais je sens que cette défiance que rien ne justifie mettra longtemps à me quitter.

— L'administration de la papauté ne se ferait pas sur papier s'il n'était pas fiable.

— Certes. C'est seulement que je suis un vieil homme rétif au changement.

Le père Joseph eut un de ses petits rires joyeux et enfantins que Gervais avait également entendus chez le père Bartolomé, son défunt ami avignonnais, et il éprouva un élan de tendresse pour ce moine âgé ayant su garder tant de fraîcheur d'âme.

— Vieil homme rétif au changement ! s'ébaudit l'infirmier. Les deux propositions sont aussi éloignées l'une que l'autre à dépeindre votre personne. Cette description aurait étonné feu le père Joachim. Je suis certain qu'il pensait l'inverse.

— Il est vrai que je suis encore vif malgré les années et que je suis curieux de nouveautés. Il n'en reste pas moins que le papier…

— Va vous demander un temps d'adaptation. Donc, ce matin, vous avez écrit et votre récit est couché sur ce rouleau que vous avez déposé sur ma table en entrant.

— C'est bien cela.

— Alors, faites-moi plaisir : lisez.

Il ferma les yeux et joignit ses doigts dans une attitude d'attente et de concentration. Gervais déroula son folio et commença :

Quand il avait vu le commis de l'hôtel d'Anceny se présenter à la porte de la salle où il écoutait dévotieusement le maître à l'instar de ses camarades, Gervais avait immédiatement compris qu'il lui apportait une nouvelle destinée à le bouleverser. Si on l'envoyait chercher, le motif ne pouvait être anodin, car on n'interrompait pas une leçon en dehors d'une situation d'urgence. Du reste, c'était lui qui rendait visite à sa famille, et non l'inverse. Depuis qu'il avait quitté les siens pour le Collège, cela n'était jamais arrivé. Perrin s'excusa et annonça qu'il venait quérir Gervais d'Anceny sur ordre de son père. Sans même savoir ce qui justifiait cette démarche, le jeune garçon eut l'intuition qu'elle était la prémisse à une rupture *dans sa vie. Il embrassa la classe d'un coup d'œil avec le sentiment que cette image se graverait dans sa mémoire, et c'était bien ce qui s'était produit puisque des décennies plus tard, elle lui revenait avec la précision des tableaux vivants que les comédiens présentent sur les places publiques pour Pâques ou la Nativité. En revanche, il ne s'était jamais souvenu du texte qui était glosé ce jour-là. Était-ce le* Didascalicon*? Ou bien le* De sacramentis fidei christianae*? Ou encore le* De Trinitate*? Il ne l'avait pas retenu, comme s'il avait compris tout de suite qu'étudier la théologie ne le concernerait plus. La haute cathèdre du maître était juchée sur l'estrade et celui-ci, vêtu de la cape professorale noire à rabats de soie rouge et coiffé de la barrette* carrée, rouge elle aussi, commentait le livre déposé sur son lutrin. Le bedeau se tenait debout à ses côtés, la verge prête à frapper l'étudiant inattentif sur un signe de la main gantée du maître où le grenat de l'anneau jetait des éclats au moindre geste. Les garçons observaient Gervais qui réunissait ses affaires. Avant de sortir, il avait croisé le regard de Godefroi empreint d'une sympathie apitoyée. Lui aussi avait compris que son ami ne reviendrait pas.*

— Voilà, je n'en ai pas écrit davantage. La nécessité de veiller à ne pas trouer le papier me ralentit et me distrait. C'est assez déplaisant, mais je suppose que vous avez raison : je finirai par m'y habituer.

— C'est tout nouveau, il suffit d'un peu de patience.

— Hélas, la patience est la vertu qui me fait le plus défaut.

— Connaître ses faiblesses aide à les corriger. Voulez-vous un autre gobelet de tisane ?

— Bien volontiers.

Le père Joseph posa la casserole sur le trépied pour réchauffer l'eau et se rassit. Perdus dans leurs réflexions, ils savourèrent leur infusion en silence. Depuis qu'il avait commencé ce nouveau récit, celles de Gervais le portaient sans cesse vers le passé, qu'il soit en train de prier ou de manger, de chercher le sommeil ou de tenir les comptes de la communauté. Alangui dans la douceur du foyer, il pensa à la suite de ce qu'il écrirait le lendemain. Ainsi, quand il prit la plume le matin venu, sachant déjà ce qu'il voulait raconter, il put se concentrer sur la calligraphie et la nécessité de ménager son support ; de ce fait sa rédaction avança mieux que la veille.

Perrin était le plus jeune des employés de la draperie. Il était aussi son ami, même s'ils ne se voyaient plus guère depuis que Gervais résidait au Collège. Raoul, le patriarche d'Anceny, s'était chargé du garçon à la mort de son père qui avait été l'homme de peine de la maison. Cette générosité était d'autant plus louable que Perrin était né contrefait. Alors que bien des gens l'auraient abandonné à un sort qui l'aurait fatalement conduit à mendier sur le parvis d'une église tant les infirmités inspiraient de la répulsion, Raoul d'Anceny l'avait pris chez lui et logé au galetas du personnel. Quand il avait été évident que l'intelligence du garçon était supérieure à la moyenne, il l'avait envoyé à l'école avec ses fils. Les autres élèves se moquaient de son dos bossu et l'auraient volontiers maltraité, mais il était le protégé des trois frères d'Anceny, et ils ne s'y risquaient pas. Lorsqu'il avait maîtrisé l'écriture et le calcul, c'est à l'échoppe que Perrin avait été affecté, et non à l'office, comme son père. Raoul était persuadé qu'il deviendrait avec le temps un homme utile au négoce. Les deux aînés d'Anceny faisaient leur apprentissage de marchands : François secondait son père dans l'île de la Cité, rue de la Vieille Draperie, et Gildas, toujours par les chemins, était déjà considéré comme un facteur compétent. Quant à Gervais, le dernier de la fratrie, il aimait l'étude et la vie monastique l'attirait. Raoul ne l'avait pas contrarié : il prierait pour le reste de la famille.*

Perrin entraînait son ami vers le Châtelet du Petit Pont qui commandait l'entrée de la Cité sur la rive gauche du fleuve. Il n'avait rien dit, attendant que Gervais le questionne, et celui-ci n'avait tout d'abord rien demandé, prolongeant le délai de grâce, mais leur destination approchait et il avait fini par risquer :

— Il est arrivé quelque chose ?

— Oui.

— À qui ?

— Gildas.

— Gildas ? Un accident ?

Perrin avait hoché la tête.

— C'est grave ?

— …

— Il n'est pas… ?

— Si.

Mort, Gildas? Ce n'était pas possible, Gildas était indestructible. C'était le plus vivant des frères d'Anceny, celui dont les fredaines fâchaient le père qui le tançait à la table familiale tandis que chacun baissait le chef sur son écuelle. Il avait fait quantité de sottises jusqu'à ce que la fête se termine en ce jour mémorable où Raoul, honteux, avait dû le récupérer à la prévôté. Gildas y avait été conduit avec les mauvais sujets qu'il fréquentait parce qu'ils avaient accroché un vieux chaudron à la queue du chien d'un magistrat acrimonieux. Un manque de jugement flagrant qui avait été l'écart de trop, même si, à y bien penser, le délit était bénin. Le père avait retiré son puîné de l'école pour l'envoyer à sa première foire avec le plus austère des facteurs de la maison. Depuis, Gildas devait encore se dissiper – qui pourrait imaginer le contraire? –, mais son père affectait de l'ignorer d'autant qu'il accomplissait bien son métier.

— Comment… ?

— Une chute de cheval.

— Une chute de cheval ? Mais il montait si bien !

— Un chien a traversé brusquement, le cheval s'est cabré, Gildas est tombé et sa tête a frappé une auge de pierre.

Les marchands chevauchaient des mules, pas Gildas. Il avait supplié jusqu'à obtenir un cheval, soutenu par leur mère qui avait un faible pour le trublion. Clémence d'Anceny devait être dévastée. La douleur de sa mère serra le cœur de Gervais avant même que sa propre peine ait pu se faire une place. Il eut voulu que le trajet soit sans fin, mais hélas ils furent vite rue de la Vieille Draperie.

L'hôtel d'Anceny était en apparat de deuil. Les tentures noires qui pendaient à l'étal annonçaient à tous que la maison avait perdu l'un des siens. Gervais avait assez traîné à l'échoppe dans son enfance pour reconnaître la qualité d'une étoffe au premier regard : Raoul avait fait mettre les plus belles, celles que seuls les puissants de ce monde pouvaient se payer, et cette ostentation, qui tranchait si fort avec l'habituelle retenue du marchand, proclamait l'amour qu'il avait eu pour ce fils. Ou l'amour de sa mère, rectifia-t-il. Clémence d'Anceny avait dû vouloir le mieux pour son fils adoré et son époux ne lui refusait rien. La grande salle avait été transformée en chapelle ardente au centre de laquelle trônait le corps de Gildas sur un lit surélevé entouré de chandelles qui projetaient des ombres sinistres sur les murs. Ce faciès marmoréen semblait être la représentation sculptée d'un jeune homme inconnu, car il était inconcevable que le tailleur de pierre ait choisi de montrer Gildas les yeux clos et le visage inexpressif, lui qui riait, parlait, bougeait sans cesse. Ce corps inanimé qui réunissait toute une famille éplorée n'était plus Gildas, et ce constat aidait la vérité à faire son chemin dans la conscience de Gervais. Pas un son ne s'échappait des lèvres de leur mère : pour Clémence le temps s'était figé et ne se remettrait plus en marche. Raoul et François priaient, plusieurs membres de la maisonnée également. Gervais se joignit à eux et la longue veillée funèbre commença.

Son esprit s'évadait, retrouvant dans sa mémoire des scènes vécues avec ses deux frères dans leurs années d'enfance. L'aîné, sérieux et raisonnable – comme le serait son fils Philippe, qui ne lui avait jamais donné le moindre souci avant d'épouser une harpie – essayait toujours de tempérer son cadet, mais n'y parvenait guère, car son influence était limitée par leur faible différence d'âge. Avec Gervais, il en allait autrement. Le benjamin aurait souhaité suivre Gildas dont la témérité le fascinait, mais il avait plusieurs années de moins et François l'obligeait à demeurer, bon gré mal gré, dans le droit chemin. Ce n'était que plus tard, libéré de la surveillance de son aîné, qu'il avait fait des fredaines avec Guillebert Coudrier, mais jamais avec autant de panache et d'effronterie que Gildas.

Pendant les longues heures de prières qui avaient précédé les obsèques, Gervais avait presque réussi à se convaincre qu'il retournerait au Collège, mais son père le détrompa dès après l'inhumation.

— Moinel, lui dit-il sans ménagement, tu commences aujourd'hui ton apprentissage. Gildas n'est plus là, c'est à toi de le remplacer.

À vrai dire, il n'en fut pas vraiment étonné, mais il avait eu besoin de se donner un sursis en refusant d'y penser. Quoi qu'il ait pu espérer auparavant, il devait l'oublier: il deviendrait drapier comme le sont les d'Anceny. Son père et les autres l'appelleraient-ils encore « moinel », surnom dont Gildas l'avait affublé lorsqu'il était entré au Collège et qu'ils avaient tous adopté ? Le moinel, petit moine où petit oiseau à tête brune… Petit moine, il ne l'était plus, et petit oiseau, il ne le serait plus désormais, car c'était le même Gildas qui l'interpellait en pépiant: « Pi-ou, Pi-ou, petit moinel » pour le faire bisquer. Et il bisquait !

— Voici une pièce de drap, continua son père. Va chez Jehan Evrart, le tailleur de la rue Saint-Éloi, qu'il prenne tes mesures pour te coudre un habit de marchand. On donnera tes hardes de clerc à un étudiant pauvre.*

Marchand ! Le mot l'avait frappé comme un coup de poing. Lui qui avait choisi de consacrer sa vie à Dieu appartiendrait désormais à l'espèce vilipendée par les Évangiles. Jésus avait chassé les marchands du temple parce qu'ils étaient mauvais, seulement occupés de leur enrichissement. Un adage disait que « le marchand peut à peine ou jamais plaire à Dieu». C'était l'un d'eux qu'il allait devenir. Il fut saisi d'une affliction qui échappa à son père. Tandis que Raoul vantait la vie de négociant à son fils, celui-ci était très éloigné des plaisirs qu'il lui faisait miroiter. Dans son esprit défilaient des images d'un avenir désormais inaccessible: un cloître, un scriptorium – il avait souhaité être scribe –, une chapelle de monastère où les moines chantaient matines...

En enfilant son nouveau vêtement, Gervais avait pensé que si l'habit faisait le moine, la tonsure y était tout de même pour beaucoup et qu'il se passerait du temps avant la disparition de sa calotte chauve. Par malchance, il l'avait fait rafraîchir la semaine précédente. Même en la dissimulant avec un couvre-chef, il resterait sa couronne de cheveux pour attirer l'attention. Cette coiffure était fort éloignée des canons de la mode en vigueur chez les damoiseaux qui portaient leurs cheveux frisottés et aux épaules. Gervais n'aurait plus l'air d'un clerc, mais pas davantage d'un laïc. Son apparence serait le reflet de ce qu'il était dans sa tête: un mélange ne ressemblant à rien.*

Il passa machinalement la main sur son crâne pour flatter la tonsure à laquelle il était revenu des décennies plus tard. Désormais, à cause de Frédol, elle était balafrée. Cette cicatrice, que lui-même ne voyait pas, mais dont il sentait le bourrelet sous ses doigts, l'agaçait. Il soupira et se remit à écrire.

Même si le soir, sur sa paillasse, il pleurait en pensant qu'il ne retournerait jamais au Collège, que sa vie ne serait plus consacrée à écouter le maître, à perfectionner son latin, à disputer de points de théologie, à fréquenter ses amis étudiants, les journées n'étaient pas mauvaises. Il avait retrouvé avec plaisir cette odeur d'étoffes neuves qui, il le découvrirait plus tard, aurait sur lui un effet réconfortant tout au long de son existence, et il apprenait quantité de choses nouvelles. Les pires moments étaient les repas. Clémence d'Anceny, murée dans sa douleur, ne disait mot et ne mangeait guère, faisant peser sur ses commensaux une chape de désespérance. Son époux fuyait la table familiale chaque fois qu'il le pouvait sous prétexte d'obligations commerciales qui le conduisaient à la taverne avec ses clients. À la bonne chère de sa demeure, que la sinistre atmosphère lui coinçait dans la gorge, il préférait les sempiternelles grillades du tavernier servies dans un lieu vivant. Ses fils, en revanche, n'avaient pas le choix, non plus que ceux de ses employés auxquels leur ancienneté donnait le droit de s'asseoir à la table des maîtres. Si cela n'affectait pas l'appétit des garçons, car à leur âge on mange, quelles que soient les circonstances, ils n'en redoutaient pas moins l'épreuve. Quand après quelques semaines Clémence annonça son désir de se retirer dans un couvent, ce fut un soulagement général et le début de grands bouleversements.

L'hôtel d'Anceny ne pouvant demeurer sans maîtresse de maison, Raoul se mit en quête d'une épouse pour son fils aîné. Il n'avait pas été prévu de le marier avant quelques années, puisqu'il n'avait que vingt-trois ans, mais la nouvelle ne parut pas déplaire au futur époux, surtout lorsqu'il vit la promise. Fille d'un marchand drapier de Troyes avec qui Raoul d'Anceny s'était lié du temps où il fréquentait les foires de cette ville, tâche qui par la suite avait incombé à Gildas, Margaux survint à l'hôtel d'Anceny au terme de plusieurs jours de voyage.

— Margaux ? ne put s'empêcher de questionner le père Joseph lorsque Gervais lui en fit la lecture. Comme feu votre épouse ?

— Oui, la jeune fille se nommait Margaux.

— Il est vrai que c'est un prénom courant. Excusez mon interruption.

Son père avait tenu à l'accompagner, prétendument dans le but de revoir un vieil ami, mais en réalité pour vérifier l'accueil réservé à son enfant. La manière dont la damoiselle fut reçue ne put que le rassurer : son futur beau-père l'appela « ma fille » et lui souhaita la bienvenue avec des accents dont la sincérité ne prêtait pas au doute tandis que son fiancé, d'évidence, était séduit.

La fatigue du voyage avait éprouvé le père de Margaux, mais les quinze ans de la jeune fille n'en avaient pas souffert. Gervais observa que sa bouche, un peu grande, donnait de la sensualité à une physionomie qui sans cela aurait pu paraître mièvre avec ses yeux bleu pâle et ses joues rosées. Sa robe pastel, de la même nuance que ses yeux, était taillée à la dernière mode, avec ce corsage lacé et ajusté que portaient désormais les élégantes. Elle mettait en valeur son corps menu, qui n'était pas tout à fait encore celui d'une femme, ainsi qu'une chevelure châtaine éclairée de reflets dorés. Son père avait voulu qu'elle fît honneur au négoce familial en arborant une étoffe de qualité, pratique commune aux drapiers. L'expression apeurée de la jeune fille à son entrée dans cette demeure inconnue qui allait devenir la sienne la rendait émouvante, et il était difficile d'imaginer qu'elle soit capable de s'imposer comme maîtresse de maison à la place de l'autoritaire Clémence. Mais ce n'était vraisemblablement pas à cela que songeait son futur époux en lui prenant les mains pour la saluer, ce que voyant, les deux pères avaient échangé un regard complice : l'avenir s'annonçait prometteur.

Gervais se souvenait de cette apparition de Margaux dans ses moindres détails. Il l'avait contemplée, en extase, jusqu'à ce que Perrin lui donne un coup de pied dans les chevilles en lui chuchotant : « C'est la future épouse de ton frère, ne la regarde pas comme un plateau de dragées. » Par chance, personne n'avait fait attention à lui et il s'employa à dissimuler une fascination aussi excessive que malvenue.

Le mariage eut lieu le lendemain devant un notaire de la Cité et le père de Margaux retourna à Troyes, abandonnant sa fille à son destin d'épouse. Elle y avait été préparée par une mère prévoyante et le passage de l'ancienne maîtresse à la nouvelle se fit sans heurt, du moins aux yeux des hommes de la maison qui ignorèrent tout de ses difficultés à s'imposer à une domesticité qui avait sur elle l'avantage de la connaissance des aîtres. Elle garda un visage lisse et un sourire inaltérable au grand soulagement de son beau-père qui avait entretenu quelques craintes en raison de son âge tendre. François, radieux, l'entourait d'attentions qu'elle recevait bénignement, et la vie reprit son cours rue de la Vieille Draperie tandis que s'atténuait la souffrance du deuil.

Gervais était subjugué par cette belle-sœur qui avait à peine un an de plus que lui. Il pensait à elle sans cesse, surtout le soir alors qu'elle partageait la couche de son époux. Dormait-elle? L'imagination du jeune garçon s'enfiévrait et il se voyait à la place de son frère, serrant contre lui le corps nu de Margaux qu'il désirait jusqu'à la douleur. Ses regrets de l'existence monacale étaient loin et, même si son père n'avait pas fait allusion au fait qu'un marchand pouvait prendre épouse, c'est cet aspect-là de la vie du siècle qui lui paraissait le plus enviable. Seulement, celle qu'il convoitait ne serait jamais sienne, et il se morfondait, obsédé par les plaisirs qu'il ne partagerait jamais avec elle. Ces délices, dont l'évocation le torturait même s'il ne se les représentait que de manière imprécise, l'entraînaient à commettre, dans le secret de la nuit, des gestes que l'Église réprouvait et dont il ressentait grande honte. Malgré les avertissements répétés de Perrin, il ne pouvait cacher une attirance qui transparaissait dans chacun de ses regards. Raoul d'Anceny ne tarda pas à s'en apercevoir et modifia les plans qu'il avait eus pour son benjamin. Au lieu de le former lui-même avant de l'envoyer avec un mentor faire son apprentissage de facteur dans les foires, il choisit de le confier à un ami qu'il avait en Languedoc. Cela l'éloignerait quelques années, et au retour, il ne penserait plus à sa belle-sœur.

— On ne laisse pas deux coqs dans un même poulailler, avait-il dit à son premier compagnon qui s'en étonnait.

— Mais c'est un coquelet, avait protesté celui-ci.

— Peu importe. On n'est jamais trop prudent en la matière.

Perrin avait surpris cette conversation et la lui avait rapportée pour qu'il soit prêt au choc lorsque son père l'informerait de sa décision. Gervais, désespéré, ne pouvait se faire à l'idée qu'il ne verrait plus Margaux. C'était pourtant de sa faute : son ami l'avait exhorté à la retenue, mais il ne l'avait pas écouté. Maintenant, il n'y avait plus rien à faire.

— Tu en rencontreras d'autres et tu l'oublieras, lui avait dit Perrin pour le réconforter.

— Jamais ! s'était-il indigné.

IV

Du haut de Musarde où il avait été aussi difficile que l'avant-veille de le jucher, l'infirmier s'étonna :

— Cette décision de votre père de vous envoyer à Toulouse me paraît curieuse. Je me serais plutôt attendu à la Flandre.

— Il est vrai que les drapiers parisiens ne commerçaient guère avec le Languedoc. Ils préféraient les laines tissées dans le nord ou en Toscane, des contrées qui en produisaient de plus belles. Il aurait été normal qu'il élise un territoire avec lequel il avait des relations mercantiles, et l'Artois en était un, mais son choix n'avait pas obéi à une logique économique. Il ne faut pas oublier que sa première idée avait été de me former à Paris où je n'aurais pas davantage noué de liens utiles. Considérant que j'avais seulement quatorze ans et n'avais fréquenté que l'école, loin du monde du négoce, et du monde tout court, sa décision de me confier à Dutech, dont il savait la haute tenue morale, était destinée à me protéger. Chez son ami je trouverais la vie de famille qu'il souhaitait pour moi.

— D'où connaissait-il cet homme ?

— Il l'avait rencontré lors d'un pèlerinage à Compostelle qu'il avait effectué dans sa jeunesse en remplacement de son propre père incapable de s'acquitter de son vœu pour des raisons de santé. Même si, à l'époque, je lui en ai beaucoup voulu de m'éloigner de Paris, je dois reconnaître qu'il n'aurait pu m'envoyer chez de meilleures gens.

— Je comprends, maintenant. Et Musarde, en ce qui la concerne, semble avoir compris qu'elle devait me ménager. Je me sens presque comme sur une litière.

— C'est surtout une fainéante. Vous ne risquez aucun mouvement brusque : elle aurait trop peur de se fatiguer.

— Je ne m'en plaindrai pas. Puisque nous voici en bonne voie de faire le tour du verger, continuez donc votre récit.

Gervais dut s'en aller de Paris où il aurait tant voulu rester. Mais son père en avait décidé autrement, et les fils obéissent aux pères. Lorsqu'il avait quitté la maison, Margaux avait serré ses mains dans les siennes en lui disant : « Que Dieu te bénisse. Qu'il te protège pendant le voyage et veille sur toi quand tu seras au loin. Je prierai pour que rien de mal ne t'advienne. » Ces paroles, si convenues qu'elles auraient pu être les mêmes pour n'importe qui, il les avait chargées d'une intention particulière, chérissant la voix qui les avait prononcées et à laquelle il prêtait des accents personnels gros d'une émotion pareille à la sienne. Chemin faisant, mollement bercé par le pas de Loyale, une mule placide que son père lui avait choisie en disant que pour un moinel habitué à marcher autour d'un cloître, il ne fallait pas une bête trop vive, il revivait sans fin cet inusable moment de bonheur, insensible aux efforts de conversation de son compagnon de voyage qui s'était donné pour mission d'alléger la peine de ce départ forcé. Augustin était un ancien facteur de la maison d'Anceny qui travaillait à l'échoppe maintenant qu'il était âgé. Raoul lui avait demandé de reprendre la route afin d'accompagner le plus jeune de ses garçons jusqu'en Champagne où se tenait une foire fréquentée par les Languedociens à qui il devrait le confier. Après avoir perdu Gildas, le drapier ne voulait pas que Gervais soit exposé à des dangers pouvant être évités. Car les périls étaient nombreux en voyage. Outre les bandits qui infestaient les campagnes, et contre lesquels Augustin serait impuissant, il y avait les rencontres de beaux parleurs mal intentionnés. Un malin aurait tôt fait de dépouiller un jeune homme naïf en l'entraînant à jouer ou bien à le mettre dans une situation difficile en l'incitant à commettre quelque méfait. C'était dans ces circonstances que l'autorité d'un ancien protégerait Gervais. Pour se prémunir contre les routiers, les marchands se réunissaient en convois encadrés par des gardes armés engagés à cette fin. Des pèlerins faisaient aussi à l'occasion partie de la caravane et, pour certains fragments du parcours, il y avait des paysans en route pour le village voisin, des religieux rejoignant un monastère, parfois même un jeune seigneur et sa suite en quête de distractions dans les châteaux à l'entour. Les voyageurs se rendaient à Provins. Première des foires* chaudes de l'année, elle était particulièrement appréciée à cause de l'aménité de la saison: les chemins étaient secs et la température douce.*

L'indifférence de Gervais aux lieux qu'il traversait n'avait guère duré au-delà du franchissement de l'enceinte de Paris. Tant qu'il était sur l'île de la Cité, dont toutes les venelles lui étaient connues pour y avoir traîné, galopin, avec ses amis, puis dans le quartier des écoles qui lui était tout aussi familier parce qu'il y étudiait, il était resté enfermé dans une rumination morose. Mais passée la porte Saint-Michel, il s'était trouvé en terrain étranger et sa curiosité l'avait emporté. Jamais auparavant il n'avait quitté l'enceinte de la ville et tout était nouveau pour lui. Habitué au fouillis d'hôtels et de masures qui occupait le moindre espace de la Cité, il regardait avec ébahissement les étendues sans bâti couvertes d'arbres à perte de vue, trouées çà et là de clairières habitées et surmontées de buttes portant des forteresses dont il ne comprenait pas ce qu'elles défendaient. Augustin lui expliqua que les seigneurs du lieu avaient la mainmise sur les environs et qu'ils percevaient un droit de péage auprès des voyageurs dont ils étaient censés assurer la sécurité. Ce dernier point était énoncé de manière peu convaincante et Gervais *se demanda pour la première fois, avec un frisson où la curiosité dominait la peur, preuve de sa grande naïveté, quelles aventures pourraient survenir. L'état des chemins le surprit aussi beaucoup. Les rois avaient fait paver les rues de leur capitale et le jeune homme n'aurait pas imaginé des ornières si profondes qu'elles étaient capables de conserver l'eau de pluie plusieurs jours. Pour ne point trop peiner, sa mule devait choisir à chaque pas où poser les sabots. Sollicité par toutes ces nouveautés, il avait retrouvé son entrain et la douleur ne le reprenait que le soir, à l'hostellerie* ou à l'auberge de l'étape où l'image de Margaux venait le hanter.*

— À vous entendre évoquer la route, dit le père Joseph lorsque furent terminés le récit et le tour de l'enclos, je songe au trajet que nous nous préparons à effectuer. Il y a si longtemps que je ne suis pas sorti d'ici que j'éprouverai peut-être des étonnements pareils à ceux de votre première expérience.

— J'en serais surpris, car les conditions n'ont guère changé : parcourir la campagne est toujours aussi pénible et hasardeux. Pour avoir sillonné le Royaume du nord au sud, je peux vous assurer que les désagréments encourus sont redoutablement constants et monotones. C'est au point que j'aurais du mal à attribuer telle mésaventure à un voyage plutôt qu'à un autre. Sur la route d'Avignon, cependant, j'ai eu il y a peu de temps le spectacle de Valentin hors de Paris pour la première fois de sa vie, ce qui m'a remis en mémoire ce que je j'avais ressenti à l'époque. Cela m'aide à retrouver une quarantaine d'années plus tard les émois du Gervais de quatorze ans.

— Allez donc écrire la suite, mon ami, je me réjouis de l'entendre. Pendant ce temps, j'enduirai mon vieux corps d'un onguent à base de romarin pour lui faire oublier que chevaucher n'est plus de son âge.

Si le père Joseph aimait écouter la chronique de Gervais, celui-ci se plaisait à la rédiger, et il redoutait le moment de quitter Neubourg parce que cela l'obligerait à l'abandonner de nouveau. Comme chaque fois qu'elle lui venait, il chassa cette pensée importune. Nul ne savait de quoi l'avenir serait fait et il n'était pas impossible que la fragilité du père Joseph les empêche de partir, auquel cas il se serait affligé pour rien. Il trempa sa plume dans l'encre en prenant soin de n'en prendre que modérément et rendit sa main légère pour la faire glisser sur le papier auquel il n'était pas encore tout à fait accoutumé.

Après des lieues de forêts et de chemins creux, plonger dans la foire Saint-Quiriace de Provins où toute une humanité pressée courait à ses affaires donna au jeune Parisien l'impression rassurante d'arriver dans un lieu civilisé. Malgré les dires de son accompagnateur, c'était une éventualité dont il tendait à douter, prêt à croire qu'il n'y avait pas de vie hors de Paris. Le visible plaisir que lui fit cette découverte conforta Augustin dans la conviction que le benjamin de son maître ne sombrerait pas dans la mélancolie ; il pourrait rassurer le drapier si toutefois celui-ci n'avait pas été tout à fait sûr du bien-fondé de sa décision.

Leur premier soin fut de se présenter au comptoir de la maison d'Anceny. Le facteur en place, que le décès de Gildas avait beaucoup affecté, ne fut pas autrement surpris de voir qu'Augustin lui emmenait Gervais : il était dans l'ordre des choses que le garçon prenne la suite de son frère. Ce qui l'étonna davantage fut la consigne de le confier à un drapier languedocien. Il connaissait les liens d'amitié unissant les patriarches d'Anceny et Dutech, mais n'aurait pas imaginé que son patron puisse envoyer son fils à un négociant avec qui il n'avait pas de relations d'affaires. S'il se garda de poser la moindre question devant l'intéressé, il ne manqua pas de s'informer lorsqu'il fut seul avec le vieux facteur. Mis au fait du véritable motif de l'exil toulousain de Gervais, il le confia à son tour à Émilien Dutech, et c'est ainsi que le chagrin d'amour du jeune homme ne fut plus un secret pour personne. Heureusement, celui-ci ne l'apprit que bien plus tard.

Sitôt Gervais présenté à Émilien, qui accepta de se charger de lui au nom de son père, Augustin repartit pour Paris. Le cœur de Gervais se serra quand il le vit enfourcher sa mule : la dernière attache de son enfance se rompait. Tant qu'Augustin avait été présent, il s'était laissé divertir par les nouveautés comme s'il avait été en train de faire un voyage d'agrément. La prise de conscience de sa situation lui provoqua une sorte de vertige : il n'avait plus désormais pour veiller sur lui que des inconnus, autant dire qu'il était seul responsable de lui-même. Émilien eut l'intuition de ce que Gervais ressentait et s'empressa de le distraire.

Fils aîné des Dutech, il dirigerait la draperie familiale lorsque le patriarche quitterait les affaires, comme le ferait François d'Anceny. Il était marié, ainsi que son frère Jaufré qui gérait l'exploitation d'une terre où était cultivé le pastel et sa sœur Augustine dont l'époux élevait des moutons pour leur laine. L'apprentissage d'Émilien, destiné au négoce dès sa naissance, avait eu lieu bien plus tôt que celui de Gervais : il n'avait pas dix ans à sa première foire. Il est vrai qu'à l'époque, c'était son père qu'il accompagnait. Dutech ne l'aurait sans doute pas envoyé sur les routes avec un simple facteur. Depuis ce temps-là, Émilien n'avait plus séjourné à Toulouse qu'entre deux foires. Il avait beaucoup aimé cette vie de voyages et de rencontres, mais depuis que Marie l'attendait dans la maison familiale, il ne songeait qu'à écourter ses absences. À l'arrivée de Gervais, la foire Saint-Quiriace se terminait : après la semaine consacrée à la montre et celle où s'étaient conclues les ventes, marchands et acheteurs en étaient au règlement. Après cela, ne resteraient que les festivités de la sortie de foire auxquelles Émilien avait participé assidûment du temps où il était garçon. Il se contentait maintenant du banquet offert par les édiles qu'il aurait été grossier de manquer. Ensuite, il s'empressait de courir vers le sud rejoindre son épouse.

Pour tirer son protégé de pensées qu'il supposait moroses, Émilien l'emmena partout avec lui et le présenta à tout le monde. Si Gervais se doutait que son père était un personnage important dans le milieu de l'industrie drapière, son court séjour à Provins lui en apporta la preuve: le simple fait d'être son fils lui valait de la considération. Quant à Gildas, dont la nouvelle de la mort tragique s'était répandue, il était aimé, et les gens qui l'avaient connu témoignaient leur compassion à son jeune frère pour sa peine de l'avoir perdu et également pour l'obligation d'abandonner sa vocation ecclésiastique que cela avait entraîné. À vrai dire, Gervais ne pensait plus guère au Collège: les quelques semaines à l'hôtel d'Anceny, sa passion pour Margaux, le voyage jusqu'en Champagne et maintenant la fréquentation d'Émilien avaient relégué loin dans ses souvenirs ce passé pourtant proche. Son apparence elle-même n'était plus celle d'un moinillon, car sa couronne pileuse avait poussé et des boucles lui encadraient désormais le visage comme la mode l'exigeait. La trace de sa tonsure était encore visible avec sa calotte de cheveux plus courts, mais on ne voyait plus son crâne. Quoi qu'il en soit, il évitait d'ôter son chaperon.

Sous la gouverne du fils aîné des Dutech, joyeux compagnon qui ne dédaignait ni la boisson ni la ripaille son travail accompli, Gervais s'initia à la fête profane: il apprit des refrains licencieux, des pas de danse et fit ses premiers excès. Accoutumé à la frugalité estudiantine à laquelle avait succédé le régime du deuil à l'hôtel d'Anceny, le vin de champagne le trouva sans défense: séduit par sa légèreté trompeuse, il en but comme de l'eau. Quand son mentor s'en aperçut, il était trop tard pour l'avertir que lorsqu'on n'y était pas habitué, il était plus prudent de se modérer. Gervais ne se souvint jamais de la façon dont il était rentré à l'auberge, mais le lendemain, aux prises avec une douloureuse céphalée, il comprit qu'il s'était enivré et en ressentit grande honte. Émilien, auprès de qui il se confondit en excuses ne fit qu'en rire. Comme il voulait s'en confesser, son aîné lui expliqua que ce n'était pas un péché:

si le Bon Dieu avait créé le vin, c'était pour rendre les hommes heureux. « Où est le bonheur dans un aussi fort mal de tête ? » s'était demandé le buveur novice et repentant qui s'était juré à lui-même qu'on ne l'y reprendrait plus. Mais lorsqu'une nouvelle occasion se présenta, il préféra à l'abstinence les conseils de modération d'Émilien. S'étant limité à ce qu'il fallait pour en retirer du plaisir, il convint avec lui que le champagne était un bienfait du créateur.

— Et je n'ai jamais changé d'avis, dit-il en conclusion au père infirmier qui sourit avec indulgence.

V

À la demande du prieur, frère Antoine préparait le rouleau des morts* que le père Joseph se chargerait de convoyer de monastère en monastère. Le parchemin, qui serait enroulé autour d'un cylindre de bois et auquel un nouveau folio serait cousu quand il serait rempli, porterait l'annonce du décès du père Joachim et son éloge funèbre. À chaque étape s'ajouteraient les condoléances présentées à la maison d'attache du défunt, un texte à sa louange, une pieuse pensée, parfois quelques vers. Lorsque le rouleau parviendrait dans un monastère, il serait lu à haute voix au chapitre et commenté par les moines. En conséquence, la rédaction de cet éloge demandait d'y apporter le plus grand soin. Ce fut le sujet de réflexion et de discussion des habitants de Neubourg pendant des semaines. Gervais utilisa ce délai pour avancer dans son récit.

Le voyage vers Toulouse permit à Émilien Dutech d'initier Gervais à la langue d'oc. Tant qu'ils étaient restés à Provins, son mentor, qui possédait bien le parler d'oïl*, s'était adressé à lui dans cet idiome, et le jeune garçon était trop sollicité par les nouveautés qui l'entouraient pour remarquer que les échanges entre Toulousains se faisaient dans un langage inconnu. En revanche, cela le frappa dès qu'ils furent en route. En constatant que personne autour de lui n'utilisait sa propre langue, il eut un moment de panique. Comme le Languedoc faisait partie du royaume de*

France, il n'avait pas imaginé que ses habitants pussent s'exprimer autrement qu'à Paris. Qu'allait-il advenir de lui dans un lieu où il ne comprendrait goutte au discours des gens? Même son surnom avait changé: de Moinel, qui avait été communément adopté par ses nouveaux compagnons pour l'avoir entendu de la part d'Augustin, il était passé selon l'humeur de celui qui lui parlait à «Monget», petit moine, ou «Topinol», moineau, la langue d'oc ayant des vocables différents pour le religieux et le passereau. Il apprit par la suite que «Topi», qu'ils employaient à l'occasion, ne signifiait pas petit moineau comme il l'avait cru, mais nigaud ou niais. Il fallut pour cela que le père d'Émilien se fâche en le découvrant, mais cela prit un certain temps pendant lequel il ignora qu'on se gaussait de sa naïveté. En ce premier jour, ses compagnons s'amusèrent à ses dépens, feignant de ne pas s'apercevoir qu'il ne comprenait pas leurs paroles. La plaisanterie, à vrai dire, dura presque toute la première journée et Émilien n'y mit un terme que lorsque Gervais montra des signes de détresse. Le jeune garçon devina par la suite qu'il avait été victime d'une manœuvre motivée par les meilleures intentions: lui prouver qu'il devait apprendre la langue d'oc au plus vite. Cet épisode, qui lui avait fait passer quelques heures très difficiles, lui avait donné la mesure de la fracture entre le monde protégé de son enfance et celui qu'il s'apprêtait à découvrir. S'il ne voulait pas se sentir étranger dans l'univers qui serait désormais le sien, il lui fallait, pour commencer, en posséder la langue. Il y consacra donc toutes ses énergies. Cela l'aida à ne pas s'ennuyer en chemin tout en distrayant ses compagnons qui s'improvisèrent professeurs de bonne grâce. Gervais, qui avait pensé que ses années de Collège ne lui serviraient à rien puisque la théologie n'avait aucune place dans le monde des marchands, s'aperçut très vite qu'il y avait reçu un apprentissage fort utile: celui du latin. Cette connaissance facilitait notablement son étude du parler d'oc qui avait gardé beaucoup de marques de la langue mère. Après s'être amusés à ses dépens, ses compagnons s'émerveillèrent de ses rapides progrès et ils n'eurent plus que la ressource de railler son accent, ce dont ils ne se privèrent pas. Parvenu à Toulouse, Gervais s'exprimait passablement et saisissait l'essentiel de ce qui était dit. Du moins le croyait-il.

Il ne tarda pas à découvrir que là encore il avait été protégé: même s'ils le rudoyaient un peu, ses compagnons se donnaient la peine de parler lentement et de reprendre leurs propos en employant des mots différents si nécessaire. À la rigueur, ils les lui traduisaient dans sa propre langue. Quand il fut immergé dans la vie toulousaine, Gervais se sentit comme aux premiers jours de son voyage, ne distinguant rien dans la cacophonie à laquelle se réduisaient les conversations pour son oreille peu avertie. Privé de l'accès au contenu de leur discours, il était fasciné par la gestuelle des Toulousains qui s'exprimaient autant avec les mains qu'avec leur voix. Et Dieu sait que leur voix, ils ne la ménageaient pas! Accablé, il crut en toute bonne foi qu'il ne les comprendrait jamais.

En temps normal, les Dutech auraient accueilli avec chaleur le fils de l'ami parisien, mais ils étaient bouleversés par la mort violente de Marinette et rien ne pouvait les en distraire. Abandonné dès l'arrivée à une servante qui lui attribua une paillasse et un coffre dans une chambre où logeaient déjà quatre personnes, il ignora l'identité de ses futurs compagnons jusqu'à l'heure du coucher. Ses quelques vêtements rangés dans le coffre, il retourna dans la grande salle où nul ne fit attention à lui, ce qui lui permit d'observer ces gens avec lesquels il allait vivre, une pratique dont il avait pris l'habitude au Collège où la circonspection était de mise.

Messire Émile Dutech avait le physique caractéristique de la région: petit, râblé, noir de poil. Ses fils lui ressemblaient. Du moins, ils avaient la même silhouette, car si les traits de Jaufré rappelaient beaucoup ceux de son père, Émilien avait plutôt hérité de ceux de sa mère. Un peu trop accusés chez dame Robine à qui ils donnaient un abord sévère, ils se paraient de quelque douceur dans le visage de son fils. Parmi tous ces bruns, la blondeur de dame

Marie, l'épouse d'Émilien, attirait immédiatement les regards. Elle venait d'Amiens, ce qui expliquait sa différence. Comme Margaux lorsqu'elle était arrivée dans sa nouvelle demeure, elle portait un vêtement pastel, et Gervais, qui se sentait désorienté au milieu de ces gens pour lui tellement singuliers, projetant sur dame Marie l'image de Margaux, eut l'impression qu'elle était la seule personne de l'assemblée à avoir des points communs avec lui. Il découvrit par la suite que c'était illusoire, car la langue maternelle de la jeune femme était le picard, un autre idiome qui lui était étranger. Mais quand il la vit, il l'ignorait, et la perspective d'échanges qu'il pourrait avoir avec elle lui donna du courage.

Lorsque Émilien s'avisa que son protégé était perdu au milieu d'inconnus qu'il ne comprenait pas, il se porta à son secours, lui expliquant, en parler d'oïl afin d'aller plus vite, les circonstances du drame dont son frère lui avait révélé les détails. Marinette avait disparu deux jours plus tôt, provoquant l'inquiétude de la maisonnée. Les recherches dans les environs ayant été vaines, messire Dutech avait alerté la prévôté. Les sergents avaient eux aussi fait chou blanc jusqu'au matin même où le corps d'une jeune fille, que le courant avait conduit entre les pales d'un moulin du Basacle, avait été repêché. Le prévôt, pensant qu'il y avait une forte possibilité que ce soit Marinette, avait fait prévenir le drapier. Celui-ci avait hésité à la reconnaître dans ce cadavre gonflé dont le visage était très abîmé par le séjour dans l'eau et il avait eu recours à la cuisinière, Hervise, qui avait identifié la victime à sa gonelle*. L'examen du barbier* révéla que la servante avait été violentée et étranglée, ce qui excluait la chute accidentelle dans la Garonne. De toute manière, Marinette n'avait aucune raison de se rendre la nuit dans les parages du fleuve dont les abords, quelque peu éloignés de la rue Malcosinat, étaient mal fréquentés. Car c'était entre l'heure du coucher et celle du lever qu'elle avait disparu. Le soir, elle était montée en même temps que la cuisinière au galetas où elles dormaient toutes les deux. Au réveil, la femme s'était inquiétée* *de ne pas la voir sur sa paillasse parce qu'elle ne se levait jamais la première, bien au contraire : chaque matin, il fallait la secouer pour la tirer du sommeil. Après s'être assurée que la jeune fille n'était pas à l'intérieur de la demeure ni dans la cour, la remise, la grange ou l'écurie – qu'aurait-elle d'ailleurs bien pu faire dehors à l'aube ? –, Hervise avait donné l'alerte. Tous les hommes de la maisonnée avaient participé aux recherches, mais Marinette n'était nulle part. Personne ne l'avait vue, pas plus les habitants de l'hôtel Dutech que les voisins. Et pour cause : selon le barbier elle avait passé deux jours dans l'eau, ce qui faisait remonter son décès à la nuit ayant précédé la découverte de sa disparition.*

Lorsque le meurtre fut avéré, le prévôt, qui par considération pour le marchand toulousain s'était déplacé en personne, questionna tout le monde : Marinette avait-elle un amoureux ? Apparemment, non. Sortait-elle le soir sans que quiconque le sache ? Justement, personne ne le savait. Et pas un n'y croyait. Elle n'était pas délurée comme le sont parfois certaines filles et avait davantage un comportement d'enfant que de femme, ce qui laissait supposer qu'elle ait pu attirer un pervers s'intéressant aux primes jouvencelles. Les hommes avaient été particulièrement interrogés – avec égards en ce qui concernait les Dutech, plus virilement pour leurs employés –, mais cela n'avait rien donné : les uns et les autres avaient passé la nuit à la maison et chacun pouvait fournir des témoins vu que personne ne disposait d'une chambre où dormir seul.

Le prévôt avait promis de mettre tout en œuvre pour attraper le coupable, et il le fallait, car la colère et la tristesse des endeuillés ne pourraient s'apaiser que lorsqu'ils verraient ce monstre au bout d'une corde.

Gervais, qui avait quitté la maison paternelle après qu'elle eut été frappée par une mort soudaine et violente, se retrouvait dans la même situation à son arrivée dans sa nouvelle demeure. Si les circonstances du décès étaient différentes, ceux qui en étaient affectés ressentaient pareillement un sentiment d'injustice. La mort en elle-même était banale : peu d'enfants survivaient aux maladies infantiles et les adultes pouvaient être emportés en quelques jours par une épidémie, mais c'était le sort commun et l'on y était résigné. Dans les deux cas présents, il s'agissait de toute autre chose. Gildas n'aurait pas dû mourir à vingt ans alors qu'il était plein de santé et si avide de jouir de la vie. Le chien qui avait effrayé sa monture n'aurait pas dû traverser le chemin. Lui qui montait si bien n'aurait pas dû tomber de cheval. Marinette non plus n'aurait pas dû mourir, elle qui avait à peine douze ans. La pensée de la torture endurée par la jeune fille horrifiait ceux qui l'avaient connue et aimée et leur inspirait des envies de châtiment.

Le lendemain, après les obsèques, Jaufré retournerait chez lui accompagné de dame Robine qui allait assister aux couches de sa bru. Il avait été prévu que Marinette se joigne à eux, ce qui ajoutait à la tristesse. Pour se rendre à Gardouch, situé à neuf lieues de Toulouse, il leur faudrait deux jours. Seul, Jaufré aurait accompli le trajet plus vite, mais sa mère monterait une mule bien moins rapide qu'un cheval. De plus, il y aurait une seconde mule pour convoyer ses effets, ce qui ferait encore perdre du temps. Arrivé depuis presque une semaine, on le sentait impatient de retrouver son épouse.*

Le repas fut morose. Assis au bout de la table, le Parisien, qui observait sans rien dire, n'en apprécia pas moins les mets servis. Le goût était différent de ce à quoi il était habitué, mais il lui plut. Il était friand et les agréments culinaires ne lui étaient pas indifférents, bien au contraire. Des choses qui lui manquaient du Collège, la cuisine ne faisait pas partie. Chez son maître, on se contentait de se nourrir sans intention de plaisir. À la maison d'Anceny, l'ordinaire était bon, mais la période de deuil avait entraîné une pénitence alimentaire proche de celle du carême ; la situation changeait à peine lorsqu'il était parti. Quant aux pitances d'auberge, elles étaient médiocres et ceux qui étaient obligés de s'y sustenter se réjouissaient quand la quantité était acceptable parce que c'était le mieux auquel ils pouvaient s'attendre. Ici, d'évidence, on aimait manger. Il n'était pas sûr de reconnaître le goût dominant de la soupe qui avait été servie à grandes louchées sur de copieuses tranches de pain, mais il s'en régala.

Le repas terminé, ils allèrent se coucher et il découvrit qui étaient ses voisins de paillasse : les quatre employés de l'échoppe, Castagnon, Lasserre, Samaran et Fréchou qu'on avait coutume de désigner par leurs patronymes parce qu'ils se prénommaient tous Jean. Ils se serrèrent pour lui faire une place. Castagnon était aussi vieux que messire Dutech, Lasserre et Samaran, contemporains de la génération suivante et Fréchou devait avoir à peu près le même âge que lui. L'ancien, qu'il avait vu à la table des maîtres, se contenta d'un signe de tête. En revanche, les deux autres adultes, intrigués par le vestige de tonsure qu'ils découvrirent lorsque Gervais ôta son chaperon, voulaient en savoir davantage à son sujet. Ils ne s'attendaient ni à son accent parisien ni à sa connaissance sommaire de leur langue, et cela les amusa beaucoup. Gervais pressentit qu'il serait leur souffre-douleur. Pourrait-il compter sur la solidarité de Fréchou qui n'avait pas dit un mot ? Rien n'était moins sûr. Un grand découragement s'abattit sur lui.

Il en était là de sa lecture au père Joseph, qu'il faisait au coin du feu parce que la pluie les avait empêchés d'accomplir leur tour de verger quotidien à dos de mule, quand la cloche les appela à la réunion du chapitre. Le prieur les avait avertis qu'il leur présenterait la dernière mouture du texte devant être inscrit en tête du rouleau des morts. Le contenu de ces quelques lignes, établi après moult palabres, était considéré comme définitif, mais avant que frère Antoine le recopie de sa plus belle main, le père Alain voulait leur en faire une ultime lecture.

VI

Chacun écoutait le prieur avec la plus grande attention à l'affût de l'hypothétique faute ou maladresse qui, si elle était oubliée, les ferait passer pour des rustauds ignorants. Il ne s'agissait que de trois paragraphes obéissant à des règles établies de longue date, mais il y avait la manière de les rédiger et c'était là-dessus qu'ils seraient jugés.

Cela commençait ainsi : « Le père Joachim, enfant de notre congrégation, est mort au monastère de Neubourg. Nous conjurons tous les fidèles engagés dans la vie religieuse d'intervenir pour lui auprès de Dieu. Au nom de la charité chrétienne, nous réclamons vos prières pour son âme. De notre côté, nous prierons pour les vôtres. »

Puis venait le tableau des qualités du défunt :

« Nous rendons grâces à Dieu de ce que notre regretté père Joachim ait eu autant de vertus que l'on peut en énumérer. Il fut le plus zélé des bibliothécaires, le plus appliqué des scribes, celui dont l'écriture était la plus belle. Son mépris des nourritures terrestres était digne d'admiration et devrait être un exemple pour tous. »

À quelques grimaces dans l'assemblée on pouvait deviner ce qu'ils pensaient de l'exemple en question. Personne n'oublierait de sitôt que le père Joachim observait un carême dont il avait durci les règles et qu'il considérait avec mépris ceux – en réalité tout le reste du monastère – qui n'en faisaient pas autant. Parmi ses compagnons du scriptorium, il n'en était pas un pour regretter le froid qu'il faisait régner dans la salle et les engelures et les catarrhes que cela leur valait. D'ailleurs la suite du texte faisait allusion à son intransigeance, car c'était la coutume de mentionner également les défauts du mort :

« Malgré le degré de perfection auquel il était parvenu, notre frère était resté homme, et comme tel sujet aux faiblesses de l'humanité : l'excessive rigueur qu'il s'imposait, il l'imposait aussi aux autres et était peu enclin à l'indulgence et au pardon. Priez pour lui, frères de sa congrégation pour qu'au jour du jugement ses vertus lui soient comptées plus que ses manquements. Ajoutez son nom à la liste des morts pour lesquels vous priez chaque jour. Amen. »

Le prieur interrogea l'assistance du regard. Comme personne ne se manifesta, il tendit le brouillon à frère Antoine afin qu'il effectue la copie au propre. Puis il demanda au père Joseph et à Gervais de le suivre dans son bureau pour les dernières consignes. Il rendit à l'oblat le mémoire que celui-ci avait préparé sur les moulins à papier en lui recommandant de n'en parler qu'au père Crispin, l'abbé de Saint-Évroult, car il ne voulait pas qu'une congrégation concurrente leur en vole l'idée. Quant au rouleau des morts, c'est au père Joseph qu'il serait remis au terme de la cérémonie qui marquerait leur départ. L'objet serait glissé dans un cylindre muni d'une courroie afin que le porteur le passe autour de son cou ; c'était ainsi qu'il le transporterait tout au long de la pérégrination. Les deux hommes s'en iraient dès le lendemain, après la célébration, pour se joindre à un groupe de voyageurs qui se dirigeait vers Conches après avoir dormi à l'hôtellerie de Neubourg.

Le départ eut lieu aux premières heures du jour après qu'ils eurent assisté à la messe et avalé un morceau de pain accompagné de fromage et de vin. Le père Joseph n'avait pu réprimer une grimace en enfourchant sa mule. Même si les promenades autour du verger lui avaient permis de retrouver un peu d'aisance, sinon de souplesse, il lui était toujours difficile de réveiller son vieux corps. Après un temps, ses articulations se dérouillaient, du moins le prétendait-il, mais une ou deux heures quotidiennes n'étaient pas comparables à une journée de chevauchée, et Gervais craignait que les fatigues du voyage ne viennent rapidement à bout de sa résistance. La première étape heureusement serait courte, qui les mènerait à Conches en fin de matinée.

Le ciel normand, souvent enchifrené, les gratifiait pour leur départ d'un azur sans nuages et la troupe démarra avec entrain, quoique lentement, car le rythme de la caravane était imposé par les pèlerins, qui étaient à pied. Ce train paisible était bien venu pour l'infirmier qui se serait difficilement accommodé d'une cadence plus vive. Ils cheminèrent un assez long temps en silence parce que toute l'énergie du père Joseph était mobilisée pour tenir sur la mule. Au milieu de la matinée, il finit par sortir de son mutisme.

— Au risque de vous décourager, dit-il à Gervais, je peux d'ores et déjà vous annoncer que je serai incapable de reprendre la route prochainement : il me faudra un délai de repos.

— Peu m'importe, ne vous en inquiétez pas.

— Afin que vous ne perdiez pas votre temps, je demanderai au bibliothécaire de Conches, et par la suite à tous ceux des monastères où nous ferons étape, de vous accueillir au scriptorium pour continuer votre chronique.

— C'est très aimable à vous, mais je crains que cela ne présente quelques difficultés. Malgré tout le respect que je vous porte, je ne suis pas sûr que vos désirs seront aussi bien entendus dans un scriptorium que dans une infirmerie. Et puis, je n'ai que quelques folios vierges, ceux que j'ai prévu de montrer à l'abbé de Saint-Évroult.

— J'y ai pensé.

— Comment cela ?

— J'ai demandé au père Alain une lettre expliquant que vous rédigiez un document secret de la plus haute importance et qu'il fallait vous permettre de poursuivre cette tâche pendant votre voyage.

— Que voilà une heureuse initiative ! Mais reste la question du papier.

— J'y ai pourvu aussi. Cette besace à laquelle vous avez jeté tout à l'heure un regard intrigué contient votre réserve que je suis allé quérir au scriptorium.

— Pourquoi n'avez-vous rien dit ? Je m'en serais occupé.

— Je n'y ai pensé que cette nuit. En proie à l'insomnie et perclus de douleurs, je me sentais si faible qu'il m'a paru évident que je n'irais pas loin.

— Vous exagérez.

— Bien sûr que non. Si je me rends jusqu'à Nocé, nous pourrons considérer que nous avons eu de la chance. Donc, comme je savais qu'au matin je n'aurais pas l'occasion de vous en parler, je m'en suis chargé moi-même.

Pour Gervais, l'initiative du père Joseph changeait tout. Quel que soit le temps que prendrait le convoiement du rouleau des morts, il ne resterait pas inactif, un état dont il ne pouvait s'accommoder. Cette pérégrination promettait désormais des aspects plaisants. Au lieu d'attendre que son compagnon soit remis de ses fatigues en accomplissant, pour s'occuper, diverses tâches qui l'intéresseraient peu, au potager ou à la cuisine, il continuerait la rédaction de sa chronique. De plus, il aurait l'occasion de visiter les bibliothèques des monastères où ils résideraient. Même s'il savait qu'après la Libraria Magna* d'Avignon plus aucune ne pourrait l'impressionner, il était curieux de découvrir quels ouvrages elles possédaient, car chaque manuscrit était unique et méritait d'être admiré.

À Conches, si proche de Neubourg que les nouvelles circulaient rapidement entre les deux monastères, les moines n'ignoraient pas la mort du père Joachim. Ils n'en firent pas moins, et avec toute la solennité voulue, ce qui était prévu en pareil cas: lecture du rouleau des morts à la séance du chapitre et discussion collégiale pour formuler au mieux ce qu'ils écriraient à leur tour. Cette rédaction demanderait un certain temps pour les mêmes raisons qui avaient fait longuement réfléchir les moines de Neubourg lorsqu'ils avaient établi leur texte liminaire: le désir de bien paraître. Ce délai permettrait au père Joseph de récupérer assez de forces pour reprendre la route.

Alors que leurs compagnons étaient accueillis à l'hostellerie du monastère, l'infirmier et l'oblat de Neubourg furent installés dans les murs, à l'infirmerie pour le père Joseph et dans le dortoir des moines pour Gervais. Les deux infirmiers, qui se connaissaient de longue date et partageaient une même passion pour la culture et l'utilisation des simples, avaient coutume d'échanger des graines à l'automne et des pousses au printemps. Le père Joseph n'était d'ailleurs pas arrivé les mains vides. Dès qu'il eut remis au prieur le rouleau des morts dont il était dépositaire et la missive du père Alain destinée à ouvrir les portes du scriptorium à Gervais, il rejoignit son confrère et ils s'isolèrent pour parler à leur aise de bétoine et de fenouil, de coloquinte, de nigelle et de tout autre végétal propre à soulager les maux des hommes.

Gervais pénétra dans le scriptorium de Conches avec la légère impatience du plaisir anticipé. Il savait par ses collègues scribes que le bibliothécaire était un personnage amène, ce qui lui laissait espérer l'accès au psautier enluminé que possédait le prieuré, un manuscrit d'une qualité que l'on ne s'attend pas à trouver dans un modeste établissement ecclésiastique. Le monastère le tenait d'un seigneur qui avait beaucoup à se faire pardonner et, de ce fait, avait besoin des prières des moines pour s'assurer le repos éternel. Non seulement le bibliothécaire le lui montra, mais à la vue de l'enthousiasme de Gervais, il lui permit de le consulter aussi longtemps qu'il le souhaitait. Ravi, celui-ci l'examina dans ses moindres détails, ébloui par les ors, les verts et les cinabres des ornements floraux qui couraient tout au long de chaque page. Quand il fut parvenu au dernier folio, il le laissa à regret pour s'installer au pupitre qui lui avait été attribué. Les copistes le saluèrent d'un signe de tête tandis qu'il disposait son matériel, mais leur semi-indifférence se mua en vif intérêt lorsque le crissement du papier qu'il tirait de sa besace attira leur attention. Ils n'avaient eux non plus jamais eu l'occasion d'en utiliser et ils abandonnèrent leur tâche pour voir de près à quoi cela ressemblait. Gervais, qui voulait protéger sa chronique de leur curiosité, prit un folio neuf et leur fit une démonstration. Il ne put éviter de leur proposer un essai, et ils acceptèrent tous, y compris le bibliothécaire. Ils s'amusèrent beaucoup à faire des pâtés et des trous, mais l'expérience se termina par une déclaration unanime : ils ne remplaceraient en aucun cas le parchemin par un support aussi fragile et, à la vérité, plutôt laid. Lorsqu'ils furent de nouveau penchés sur leur copie, Gervais trempa sa plume dans l'encre et reprit son récit là où il l'avait laissé : dans le galetas de l'hôtel Dutech, à Toulouse, où il était allongé sur une paillasse aux côtés des employés de l'échoppe.

Gervais avait prétexté la fatigue pour échapper aux questions de ses compagnons, mais il savait qu'il ne perdait rien pour attendre. Alors qu'il avait des difficultés à s'endormir, il se demandait si le fait d'être le fils d'un maître drapier ayant pignon sur rue lui vaudrait le respect ou la hargne de ces gens d'extraction modeste. Il ne pourrait de toute façon pas le leur cacher : Émilien leur donnerait dès le lendemain toutes les informations voulues. À sa résolution d'apprendre la langue au plus vite s'ajouta l'urgence d'adopter leur accent. Tant qu'il n'y parviendrait pas, il serait l'objet de moqueries. Il fallait également qu'il change ses habitudes : les trois hommes n'avaient pas émis de commentaires lorsqu'il avait prié, mais ils ne s'étaient pas joints à lui et il devinait que cela* *aussi le mettait à part. Dès le matin, il le ferait en silence, dans sa tête. Sans doute ne pourrait-il pas non plus assister à la messe tous les jours. Pendant le voyage, il avait dû y renoncer, mais il avait pensé qu'il en serait autrement arrivé à destination. Il n'en était plus certain.*

La journée du lendemain fut agitée avec les funérailles et les derniers préparatifs de départ de dame Robine, et le nouveau venu la passa comme la précédente dans l'indifférence générale. Pour se distraire, il se glissa dehors et explora les environs. La rue Malcosinat faisait partie d'un lacis de venelles qu'il arpenta au hasard. La ville était aussi populeuse, bruyante et sale que Paris, mais les couleurs n'étaient pas les mêmes, ni les sons, ni les odeurs. Tout lui paraissait d'une extrême étrangeté, de la brique des murs à la tuile des toits, qui apportaient lumière et joie sous un soleil tel qu'il n'en avait jamais vu au printemps. Les gens, qui s'interpellaient dans cette langue tonitruante dont le sens lui échappait, semblaient toujours prêts à en venir aux mains, mais il n'assista à aucune rixe : la violence restait verbale, et sans doute feinte dans bien des cas. Il eut l'impression que c'était une sorte de manière d'être : elle consistait à parler plus fort que son interlocuteur en s'accompagnant de gestes amples, ce qui apparentait les antagonistes à des moulins à vent de taille réduite. Car ils n'étaient pas grands les Toulousains, même s'ils prenaient de la place. Quant aux odeurs, cela lui demanderait du temps pour les distinguer les unes des autres et les identifier.

Il savait maintenant pourquoi elles étaient si éloignées de celles auxquelles il était accoutumé : alors que les Parisiens mettaient l'oignon à bouillir, les Toulousains le faisaient frire. Tout un monde de différence. Il ferma les yeux un moment pour laisser monter le souvenir du fumet de la poêle grésillante d'Hervise, la cuisinière des Dutech, puis avec un soupir inspiré par l'insatisfaction de son estomac que la réminiscence avait réveillé, il fit à nouveau courir sa plume sur le papier.

Ses pas le portèrent vers le fleuve dont il longea les quais. Le soir, il ne s'y serait pas hasardé, mais dans la journée l'endroit ne lui semblait pas particulièrement mal famé. Il s'arrêta au niveau d'un groupe de moulins installés dans le courant, vraisemblablement ce Basacle où le corps de Marinette avait été retrouvé. À la pensée qu'elle avait pu être assassinée à l'endroit où il se trouvait, un frisson le parcourut. Ballotté jusqu'au tournis par les nouveautés qui l'assaillaient, il n'avait pas encore vraiment évoqué la jeune fille comme une personne qui avait été vivante. Mais là, penché au-dessus de l'eau froide et bouillonnante de la Garonne, il se souvenait que Marinette lui avait été décrite comme une presque enfant gaie et vive. Peut-être ressemblait-elle à cette marchande qui lui proposait ses oreillettes d'une voix engageante. Des oreillettes? Le nom lui était inconnu, mais il vit que c'était de la pâte frite, une sorte de beignet. Il piocha une piécette dans sa bourse et l'échangea contre une pâtisserie sucrée et odorante. C'était délicieux, et le sourire de la marchande l'était aussi. Il la remercia en s'appliquant de son mieux, mais ne put échapper à un éclat de rire moqueur. Elle répéta: «Bien merci ma Damoiselle» en l'imitant et il rougit de confusion. Alors, pour se faire pardonner, elle lui planta sur la joue ce qu'elle appela un «poutou» et il vit soudainement l'existence sous un jour plus aimable.

Le petit monde du scriptorium aurait voulu savoir en quoi consistait la mystérieuse tâche de leur invité. Comme il eut été grossier de lui poser carrément la question, ils ne le firent pas, mais ne purent retenir quelques allusions que Gervais feignit de ne pas comprendre. Si d'aucuns avaient espéré y jeter un coup d'œil furtif à la faveur du désordre provoqué par la cloche du repas, ils en furent pour leurs frais, car Gervais usa du même procédé qu'à Neubourg: il demanda au bibliothécaire la permission de serrer ses feuilles dans l'armoire que celui-ci verrouillait chaque fois qu'il quittait la salle.

La soupe de pois s'annonçait dès le corridor du réfectoire. Le nez exercé de Gervais distinguait le lard en complément de la légumineuse qui dominait, mais il y avait une autre odeur dont la pointe d'acidité surprenait et qu'il ne parvenait pas à identifier. C'était la saison des pois frais et ils en mangeaient tous les jours. Pour que les commensaux de son prieuré ne s'en lassent point, il avait suggéré au frère cuisinier des variations dans les herbes d'accompagnement et croyait avoir essayé toutes celles que pouvait offrir un potager normand. Pourtant, il ne reconnaissait pas celle-là. Les papilles en éveil, il conserva longuement chaque cuillerée de soupe dans sa bouche jusqu'à ce que la réponse s'impose : le cuisinier y avait mis de l'oseille ! C'était une drôle d'idée qui ne lui serait pas venue. Et il avait eu raison de ne pas y penser : le mariage n'était pas heureux. Ses voisins qui chipotaient dans leur écuelle avec une moue de dégoût n'appréciaient pas davantage. Curieux d'apprendre pourquoi le cuisinier avait choisi de faire ce mélange, il souhaitait le rencontrer, mais il n'en eut pas l'occasion parce que ses confrères l'entraînèrent au scriptorium sitôt leur dernière cuillerée avalée. Ainsi, il consacra l'après-midi à rédiger la suite de l'histoire que le père Joseph attendait.

Marinette inhumée, dame Robine était partie avec son cadet et le bayle de celui-ci qui l'avait accompagné à Toulouse : le travail pouvait recommencer à l'échoppe toulousaine. Quand chacun fut installé à son poste, messire Dutech prit à part le jeune fils de son ami d'Anceny.*

— J'ai quelqu'un à rencontrer, lui dit-il, viens avec moi : nous ferons connaissance en cheminant.

Ils quittèrent la rue Malcosinat, mais contrairement à ce que Gervais avait fait la veille, ils se dirigèrent à l'opposé du fleuve.

— Nous allons chez un confrère de la place Roaix qui a reçu des pièces d'argenterie. Il est prêt à m'en céder quelques-unes pour

un client qui m'en réclame. Ton père tient de l'argenterie dans son échoppe?

— Non. Uniquement du drap. Chaque marchand a sa spécialité.

— Ici, nous avons tous un peu de tout, ce qui nous permet de garder nos pratiques puisqu'elles n'ont pas besoin de chercher ailleurs. Mais parlons de toi. Raoul m'explique dans sa missive les circonstances qui t'ont tiré de la vie ecclésiastique. Que connais-tu du métier de drapier, que je sache par où commencer ta formation?

— Rien, Messire, ou si peu. J'ai été envoyé au Collège à dix ans.

— Et jusqu'à dix ans, tu n'allais jamais à l'échoppe?

— Oh si! Mon père me faisait étudier mes leçons dans le réduit où il fait ses comptes. J'aime l'odeur des tissus et j'en reconnais quelques-uns.

— Par exemple?

— Je distingue la laine du lin ou de la futaine. Je vois si une étoffe est grossière ou de bonne qualité…

— C'est un début, mais la draperie viendra plus tard. Je vais commencer par t'employer comme garçon de courses.

L'air ébahi de Gervais lui tira un petit rire.

— Ne sois pas inquiet: je sais que tu ne parles pas bien la langue et que tu ne connais pas la ville. Tu accompagneras Fréchou. Avec lui, tu deviendras un vrai Toulousain. Voilà, nous sommes arrivés. Attends-moi ici.

Planté devant la fontaine de la place Roaix, Gervais se demandait si la décision de messire Dutech avait de quoi le rassurer. Accompagner Fréchou signifierait en réalité être sous sa coupe puisqu'il dépendrait entièrement de lui à cause de son incapacité à se faire comprendre et à s'orienter. Quelle serait l'attitude du garçon de courses envers lui? Son comportement de la veille ne lui permettait pas de le deviner, mais il avait les pires craintes.

C'était déjà la cloche du souper et Gervais n'avait pas vu le temps passer. Ankylosé par sa longue immobilité, il s'étira, comme le faisaient ses confrères, avant de se diriger vers le réfectoire. L'odeur qui dominait maintenant aux approches des cuisines était celle du brûlé. La soupe ou le ragoût avait manifestement attaché au fond du chaudron et il fallait espérer que le cuisinier ne l'avait pas gratté, sinon ce serait immangeable. Malheureusement, il l'avait fait et il n'était même plus possible de deviner quels étaient les ingrédients composant l'espèce de bouillie souillant leurs écuelles. Personne ne put avaler cette mixture et le repas se limita au morceau de pain qui l'accompagnait. Gervais, comprenant que l'oseille de midi n'était pas une initiative – ratée – destinée à améliorer l'ordinaire, mais un triste exemple de son incompétence, renonça à rencontrer le responsable du désastre. Il eut à son propos un échange édifiant avec l'un des copistes qui lui apprit, et il n'en fut pas surpris, qu'il ne fallait rien attendre de mieux : le frère cuisinier mettait au hasard divers aliments dans une marmite, couvrait d'eau et abandonnait le récipient sur le feu pour entrer dans des phases d'abattement ou d'extase, nul ne le savait, d'où il ne sortait qu'à la cloche. Alors, il distribuait le contenu du pot, quels que soient son apparence, sa consistance ou son goût. Gervais demanda pourquoi il n'était pas remplacé par quelqu'un de plus apte à s'en charger, et il lui fut répondu que leur supérieur n'en voyait pas la nécessité, car il était indifférent à ce qu'il mangeait. Un saint homme qui se serait bien accordé avec le père Joachim, pensa Gervais, qui espérait pouvoir quitter très vite ce lieu de pénitence.

VII

Tandis qu'ils cheminaient vers Notre-Dame de Lyre, le père Joseph demanda à Gervais ce qu'il avait pensé de Conches.

— Au risque de vous paraître uniquement préoccupé de nourritures terrestres, je me souviendrai avant tout des repas : c'était un *pensum*.

Son compagnon sourit.

— Mon confrère m'en a dit un mot. C'est pour cela qu'il prépare lui-même la soupe de ses malades. Il m'a invité à la partager.

— Cela explique votre absence du réfectoire.

— En effet, et vous me confirmez que je n'ai pas à le regretter. Au moins, avez-vous apprécié la bibliothèque et le scriptorium ?

— Oui, beaucoup. On m'a permis de consulter à loisir le psautier enluminé dont le prieuré est si fier.

Il en fit une description enthousiaste que le père Joseph écouta avec un sourire content.

— Et vous avez pu continuer votre chronique sans trop provoquer de curiosité ?

— Disons qu'il valait sans doute mieux qu'en mon absence elle soit sous clé sans quoi le démon aurait pu inciter quelque scribe à y regarder de plus près.

— L'homme est faible. Et il l'est de toutes les manières : pour ma part, je vais ménager mes forces en me laissant bercer par votre voix.

Le père Joseph ne paraissait pas trop souffrir juché sur le dos de Musarde qui se gardait de tout mouvement brusque, mais ils venaient juste de partir et l'étape serait longue. Tout en restant à l'affût de la moindre trace de défaillance de son compagnon, Gervais continua son récit de mémoire.

Après que messire Dutech lui eut confié le rôle de dégourdir le jeune étranger, Fréchou invita Gervais à le suivre d'un signe de la main qu'il lui adressa sans le regarder. Ils partirent dans les rues du quartier livrer un paquet à un client du drapier, quérir une épice pour la cuisinière, avertir le marchand de bois qu'il avait à renouveler la provision… Les tentatives de Gervais pour engager la conversation s'étant heurtées à un mur, ils trottèrent tout l'après-midi sans échanger une parole. Le garçon était contrarié par la présence de cet importun qui l'empêchait vraisemblablement de vaquer à des activités pour lesquelles il ne voulait pas de témoin. Gervais aurait aimé lui dire qu'il n'était pas l'espion du maître et n'avait aucune intention de lui faire du tort, mais comment convaincre quelqu'un d'aussi buté ? Résigné, il l'avait suivi en silence. D'abord il avait regardé autour de lui avec curiosité, mais peu à peu, son intérêt s'était émoussé. Il avait compris que si on ne lui nommait pas les lieux, il ne se repérerait jamais seul dans la ville et que si on ne lui parlait pas, il n'apprendrait jamais la langue. Son séjour, prévu pour durer des années, commençait très mal.

Ils ne se séparèrent que le soir, au souper : Fréchou mangeait à la cuisine ainsi que Lasserre et Samaran, et Gervais à la table des maîtres comme Castagnon. Un privilège que l'ouvrier avait acquis au titre de plus ancien des employés alors que le nouveau venu le devait aux relations de son père avec messire Dutech. Voilà qui n'allait pas améliorer ses rapports avec le garçon de courses, pensa Gervais, désolé.

La grande salle dans laquelle il entra à la suite d'Émilien offrait une image de bonheur domestique : dame Marie brodait tout en *surveillant ses enfants. Martin, qui avait encore l'âge de porter la robe*, caracolait sur un cheval-bâton tandis que la petite agitait vigoureusement son hochet. Émilien embrassa son épouse et s'enquit de sa journée. Ayant dû ajouter au sien le travail de sa belle-mère, elle avait eu fort à faire et se déclara lasse.*

Leur fils les interrompit :

— Père, on fait la course !

Émilien s'y prêta de bon gré et fit plusieurs fois le tour de la salle en hennissant sous le regard attendri de dame Marie auprès de qui il retourna malgré les instances de Martin qui voulait continuer. Pour se donner une contenance, Gervais s'approcha de l'enfant et admira le jouet, une tête de cheval en bois sculpté montée sur un bâton et munie d'un harnachement en cuir de Cordoue.

Consolé par l'attention qu'il lui portait, Martin lui apprit que son cheval s'appelait Autan.*

— Parce qu'il va vite comme le vent. C'est père qui me l'a rapporté de la foire.

Et il ajouta, plein d'espoir :

— Tu veux jouer ?

Gervais, qui pourtant aurait dû s'y attendre, fut un instant déconcerté. Il jeta un regard à Émilien qui l'encouragea :

— Allons, Topinol, montre-nous si tu sais faire le cheval.

Sa propre enfance n'était pas si loin qu'il eût oublié les cavalcades à l'hôtel d'Anceny. Martin criait d'excitation et Gervais, à vrai dire, s'amusait autant que lui. Après le pénible après-midi de silence hostile qu'il avait enduré, ces éclats de joie lui faisaient du bien tout comme ils étaient bénéfiques à la maisonnée en deuil.

— Comment tu t'appelles ? lui demanda Martin.

— Gervais.

— Père ! Mère ! J'ai un nouvel ami. C'est Gervais.

Peut-être que pour moi, cet ami sera le seul, pensa-t-il le cœur serré quand il eut retrouvé sa paillasse.

Durant le souper, qu'il avait pris au bas bout de la table en face de Castagnon, la conversation avait roulé sur les affaires conclues à la foire. Messire Dutech, dont l'arrivée avait donné le signal du repas, interrogeait son fils qui lui répondait en détail. Il n'y avait place pour aucun autre interlocuteur, et Gervais, pour se désennuyer, avait observé à la dérobée dame Marie. Elle jouait son rôle de maîtresse de maison avec un plaisir évident, traçant une croix sur le pain avant de le trancher, surveillant la servante qui apportait les plats et lui signifiant d'un geste ce qu'elle avait à faire. Comme Margaux. Mais Margaux tenait véritablement les rênes, même si elle était elle aussi l'épouse du fils, tandis que dame Marie devrait s'effacer au retour de sa belle-mère. Il s'était demandé quelles étaient leurs relations, la conjoncture de la veille étant trop particulière pour qu'il pût en tirer des conclusions. Il regrettait de n'avoir personne pour en discuter: avec Godefroi, au Collège, ils dissertaient à l'infini sur les luttes de pouvoir des adultes dont les manifestations étaient parfois à peine perceptibles et, de ce fait, d'autant plus distrayantes à étudier. Avant de quitter la table, messire Dutech avait paru se souvenir de sa présence et lui avait lancé:

— Il faudra que tu me parles de ton père, Gervais.

Au galetas où ils étaient déjà installés, ses voisins de paillasse s'amusèrent à ses dépens. Avec de grands rires moqueurs, ils lui demandèrent s'il avait passé une bonne journée, si Toulouse lui plaisait, s'il se sentait prêt à faire des livraisons seul, s'il trouvait son compagnon de travail sympathique... Fréchou se taisait toujours, la mine sombre. N'ayant d'autre choix que les laisser dire, Gervais s'allongea et ferma les yeux.

— Hé, Topi, tu ne pries pas ce soir? s'étonna Lasserre. Tu as une mauvaise influence sur lui, Fréchou: un après-midi avec toi, et il ne fait plus sa prière.

Le garçon grogna qu'on lui fiche la paix. Les deux hommes ricanèrent, brocardèrent leur victime un moment encore, puis finirent par se lasser.

Devant tant de méchanceté, Gervais eut un accès de colère. Pour qui se prenaient-ils? C'était facile de s'attaquer à une personne seule lorsqu'on était quatre. Même s'ils n'étaient que deux à le harceler, les deux autres devenaient leurs complices en n'intervenant pas. Pire: ils les stimulaient en leur procurant un public. S'il ne réagissait pas, il serait éternellement leur victime. Mais que faire pour leur échapper puisqu'il dormait et travaillait avec eux? Il se demanda comment ses frères se seraient comportés à sa place. Gildas aurait foncé dans le tas à coups de poing. Il était robuste et accoutumé à la bagarre, les autres n'auraient pas fait le poids: Castagnon ne s'en serait pas mêlé, Fréchou était un gringalet et Lasserre et Samaran, quoique dans la force de l'âge, n'avaient pas une musculature de portefaix, car ce n'est pas dans une échoppe de drapier qu'on l'acquiert. Seulement, il n'était pas Gildas, même s'il avait traîné dans les venelles de la Cité et fait le coup de poing à l'occasion quelques années auparavant. Au Collège les armes n'étaient pas les mêmes: pour se défendre, il valait mieux avoir une langue acérée. Il ne se débrouillait d'ailleurs pas mal dans ce domaine, mais ici, dès qu'il ouvrait la bouche, on se moquait de lui. Et François, qu'aurait-il fait? Sans doute leur aurait-il parlé calmement, avec bon sens, leur démontrant que ce n'était pas bien de se conduire ainsi. Mais il n'était pas François non plus. Il fallait qu'il trouve sa propre façon de se défendre. Puisqu'il était incapable de les attaquer de front, il pouvait essayer l'indifférence. D'abord, ne pas montrer que cela l'affectait, et surtout, ne céder en rien. Il avait eu tort de renoncer à prier à haute voix: dès le lendemain, il recommencerait. En ce qui concernait Fréchou, il décida de ne pas le subir une journée de plus: il quitterait l'échoppe avec lui, puis s'en irait de son côté.

Au matin, après une nuit agitée, il était résolu à passer à l'action. Habitué à se lever très tôt, il entonna avant l'aube une litanie d'oraisons avec pour résultat de réveiller ses compagnons qui auraient préféré dormir davantage. Ils lui crièrent de se taire, mais il continua, imperturbable, sous la grêle de vêtements et de chaussures qu'ils lui lançaient. Il termina en les recommandant à la mansuétude divine.

— Seigneur, pardonne à Castagnon, Lasserre, Samaran et Fréchou, qui ne célèbrent pas Ton Nom et qui maltraitent tes créatures. Ils ne savent pas ce qu'ils font. Amen.

— Là, protesta Lasserre, tu y vas fort. On ne t'a rien fait.

Il ne répondit pas ni ne les regarda.

— On voulait juste s'amuser un peu. C'est fini, d'accord? On te laisse tranquille et tu nous laisses dormir.

Gervais se contenta d'un vague signe de tête et il quitta le galetas, fier d'avoir gagné sa première bataille. Finalement, il avait suffi de se montrer plus malin qu'eux. Après s'être sustentés, qui à la cuisine, qui dans la grande salle, les hommes rallièrent l'échoppe où le travail fut distribué. Messire Dutech chargea Fréchou d'effectuer deux livraisons.

— Celui-ci, dit-il en désignant un paquet, est pour messire Caraoué qui habite au bout de la rue du Pont Viehl, près du fleuve, et celui-là, pour messire Lassave de la place Roaix.

Cette place étant le seul lieu de la ville connu de Gervais, il s'empara du paquet qui devait y être livré avant que Fréchou n'ait pu faire un geste. Le garçon de courses ne soupçonna pas pour autant les projets du Parisien, et il fut sidéré lorsqu'il le vit détaler dès la porte franchie.

— Hé! Où tu vas?

Gervais s'engagea au hasard dans la première ruelle, Fréchou à ses trousses. Le Toulousain avait l'avantage de connaître la ville, mais celui qu'il poursuivait était rompu à ce jeu, l'un des préférés des chenapans qu'il fréquentait avant d'intégrer le Collège. Après avoir zigzagué un moment, il repéra des futailles en attente d'être chargées sur une charrette et se dissimula derrière l'une d'elles pour vérifier s'il avait semé Fréchou. N'entendant pas de bruit de course, il risqua un œil. Dans les environs, il n'y avait que les portefaix qui s'occupaient du chargement : il pouvait quitter son refuge.

— Tu as besoin d'aide ? lui demanda une voix juvénile.

C'était une fille, un peu plus jeune que lui, qui sortait de la maison voisine.

— Je t'ai vu te cacher. Quelqu'un te poursuit ?

— C'est un jeu, répondit-il, je ne suis pas en danger.

— Tu parles drôle. D'où tu viens ?

— De Paris.

— Paris ! C'est loin. Combien de jours de voyage ?

— Vingt-cinq ou trente, tout dépend des conditions.

— J'aimerais bien, moi, découvrir le monde… Mais ce n'est pas pour les filles, ajouta-t-elle avec un soupir déçu.

Puis elle voulut savoir dans quelle partie de la capitale il habitait.

— Dans l'île de la Cité, à proximité du Palais Royal.

L'information fit briller ses yeux, qu'elle avait très bruns et très expressifs.

— Tu y es entré ?

— Non. Il faut avoir une autorisation et il y a des gardes qui vérifient.

— C'est dommage, il est si beau, la Sainte Chapelle, surtout.

— Comment le sais-tu ? Quelqu'un t'en a parlé ?

— Je l'ai vue représentée dans un livre.

— Dans un livre ?

L'information était pour le moins inattendue.

— Mon père est libraire. On lui a donné à recopier un livre d'heures décoré avec des illustrations de Paris. C'est ma mère qui les reproduit, elle est enlumineuse.

— Et toi, tu es apprentie ?

— Oui. Et je fais également les livraisons.

Elle montra son paquet.

— Je vais place Roaix.

— Quelle chance ! Moi aussi.

— Laisse-moi deviner : tu es perdu et tu ne sais pas y aller.

— Exactement. Je ne suis à Toulouse que depuis deux jours.

— Suis-moi.

Il y avait encore bien des choses dont elle était curieuse. Tout d'abord, elle lui demanda son prénom et elle lui apprit le sien : Mélie. Elle voulut ensuite savoir pour qui il travaillait.

— Messire Dutech. Tu le connais ?

— Bien sûr ! La rue Peiras, où nous nous sommes rencontrés, est tout près de la rue Malcosinat.

Elle se rembrunit.

— De toute façon, plus personne n'ignore qui est le drapier avec cette histoire.

— L'assassinat de Marinette ?

Elle écrasa une larme.

— C'était mon amie. On s'était connues à la paroisse, il y a deux ans, en préparant les fleurs pour la procession du mois de mai.

Elle secoua sa longue chevelure brune à la manière d'une jument qui encense.

— Je ne veux plus y penser, c'est trop triste. Explique-moi plutôt pourquoi c'est toi qui apportes ce paquet et pas Fréchou.

Il n'eut pas le temps de lui répondre, mais elle n'eut aucune difficulté à comprendre de quoi il retournait : le garçon de courses l'attendait devant la maison où le paquet devait être livré et il agonit Gervais de sottises. Si celui-ci ne fit que deviner le sens général de la diatribe, aucun détail n'échappa à son accompagnatrice.

— Tu es bien mal embouché, Fréchou, lui reprocha-t-elle d'une voix sévère.

Venant d'une aussi jeune fille, de surcroît plus petite que celui qu'elle tançait, la situation ne manquait pas de piquant.

— Je me demande ce que messire Dutech en penserait, ajouta-t-elle pour enfoncer le clou.

— Il n'est pas obligé de le savoir, intervint Gervais.

L'air piteux de Fréchou se transforma en surprise tandis que Mélie insistait :

— Tu ferais bien de changer ton comportement. Il n'est pas digne d'un bon chrétien.

— Ce n'est pas grave, Mélie, la rassura Gervais. Je te l'ai dit, c'était un jeu.

— Hum...

Fréchou approuvait en hochant vigoureusement la tête et elle feignit de les croire.

— Bien, conclut-elle, je vais faire ma livraison. À la prochaine, Gervais !

Et elle entra chez le client de son père tandis que les deux garçons se regardaient avec circonspection. Gervais, résolu à ne pas aider Fréchou à sortir de son embarras, décida de se taire. Le garçon de courses chercha quelque chose à dire. Ne trouvant rien, il lui désigna une maison.

— C'est là, chez Lassave. Vas-y seul, si tu veux.

Gervais hésita un instant. Les conversations dans la rue lui restaient hermétiques. Allait-il parvenir à se faire comprendre ? Puis il pensa à Émilien et à dame Marie, puis à Mélie, avec qui communiquer ne posait pas de problème : il en savait assez pour s'exprimer, et si ses interlocuteurs faisaient un effort pour parler lentement, il les comprenait et pouvait leur répondre. Il se dirigea vers la porte d'un pas résolu. Au moment où il se préparait à frapper, une femme sortit. À en juger par ses atours, cela devait être dame Lassave. Elle regarda alternativement le paquet et Gervais et s'étonna de ne pas connaître le porteur.

— C'est bien messire Dutech qui t'envoie ?

— Oui, ma Dame.

— Qui es-tu ?

Il le lui expliqua en quelques mots.

— Fort bien. Là, je n'ai pas le temps, mais un autre jour, tu me parleras de Paris, mon garçon. Va déposer cela à la cuisine. J'ai

senti qu'il y avait quelque chose de bon en train de cuire, la cuisinière t'y fera goûter.

Gervais ressortit de la maison avec deux crêpes et en tendit une à Fréchou. C'est ainsi que la trêve fut conclue.

VIII

Gervais fut tiré de ses pensées par le Dominicain qui devisait avec le père Joseph. À l'infirmerie où ils avaient fait connaissance l'après-midi de la veille, les deux moines s'étaient découvert une passion commune pour la botanique et avaient repris leur conversation dès le départ de Notre-Dame de Lyre. Gervais, que les plantes cultivées intéressaient surtout lorsqu'il les accommodait en potage, s'était éloigné de leurs échanges érudits pour réfléchir à la suite de sa chronique et ne s'était pas aperçu que les forces du père Joseph déclinaient. Le Dominicain non plus, à qui la lividité de son interlocuteur venait juste d'apparaître.

— Père Joseph, que se passe-t-il ? Vous n'avez pas l'air bien ! s'affola Gervais.

— Je suis simplement fatigué, ne vous inquiétez pas.

— Regardez le clocher dans la vallée, vous tiendrez jusque-là ? On trouvera bien une auberge.

— Sans doute…

Ceux de leurs compagnons de route qui étaient à proximité virent qu'il y avait un problème et proposèrent leur aide. Gervais tendit la bride de Fiérote à l'un d'eux pour marcher à côté de Musarde, prêt à parer à une défaillance de son cavalier. Le Dominicain confia également sa monture à un pèlerin et se plaça de l'autre côté. Ils cheminèrent ainsi, attentifs et inquiets. Gervais se reprochait sa négligence : ils auraient pu ralentir ou même faire une pause. En réalité, ils n'auraient pas dû repartir aussi vite de l'abbaye Notre-Dame de Lyre. Il aurait fallu quelques nuits de repos supplémentaires, mais le père Joseph n'avait pas voulu se priver de la compagnie du botaniste qui, contrairement à eux, ne s'arrêterait qu'une nuit à Saint-Évroult. Gervais se reprochait de ne pas avoir insisté : le vieil homme lui avait été confié, c'était à lui de faire preuve de bon sens et d'imposer une halte prolongée après chaque journée de voyage.

Le père Joseph qui devinait ses scrupules tenta de le rassurer.

— C'est seulement un peu de faiblesse, ne soyez pas inquiet.

L'épuisement de sa voix à peine audible contredisait ses paroles.

— Je vous en prie, ne parlez pas, ménagez vos forces.

L'écart se creusait avec la tête du groupe qui n'avait pas remarqué qu'un malade fermait la marche, une situation à éviter, car elle mettait les voyageurs isolés à la merci des bandits infestant les forêts. Heureusement, ils cheminaient dans une zone essartée* qui offrait moins de cachettes aux malfaisants que le couvert des arbres. Gervais néanmoins était méfiant et lorsqu'ils arrivèrent au village il fut soulagé d'avoir échappé à un possible danger. Le père Joseph, qui dodelinait sur sa mule, fut pris à bras le corps par l'aubergiste et son palefrenier puis déposé sur une paillasse que la patronne avait tirée en toute hâte près de la cheminée. Elle lui apporta un bouillon qu'elle l'aida à boire et leur apprit qu'il n'y avait pas de médecin aux alentours. Comme le père Joseph n'était pas en état de repartir, il fut convenu qu'il resterait à l'auberge avec Gervais tandis que le Dominicain continuerait jusqu'à Saint-Évroult où il informerait l'abbé qu'ils avaient besoin d'une litière. C'était la meilleure solution, ou plutôt la seule. Pendant que le père infirmier reposait, Gervais s'assit dehors sur un banc appuyé au mur afin de jouir du soleil. Les pèlerins qui s'étaient dispersés dans le village pour mendier mangeaient le pain et le fromage que les aumônes leur avaient permis d'acheter alors que les voyageurs plus fortunés se restauraient à l'auberge. Quand tout le monde se fut sustenté, la caravane se reconstitua et ils s'en allèrent. Le Dominicain partit sur un dernier mot d'encouragement et Gervais, désormais seul avec un malade endormi, se perdit dans de moroses réflexions.

La grande randonnée à travers la Normandie avec le rouleau des morts ne pouvait que tourner court. En réalité, le père Joseph l'avait toujours su et avait fait à plusieurs reprises des allusions dans ce sens. Jamais il n'avait cru qu'il irait plus loin que Nocé où l'abbé lui choisirait un remplaçant. Mais y parviendraient-ils seulement ? Déjà qu'il faudrait une civière pour arriver à Saint-Évroult, comment imaginer que dans son état de faiblesse il puisse faire les deux autres étapes ? Surtout la suivante, celle qui menait à Mortagne, et qui représentait une longue journée de voyage, la plus longue du trajet. Un pied de menthe poussait à côté du banc et Gervais en cueillit machinalement une feuille qu'il froissa et porta à ses narines. Son odeur roborative ne tarda pas à chasser ses idées noires et il sc dirigea vers l'église.

Dans le sanctuaire vide, il sortit le livre d'heures* de sa besace et tourna lentement les pages. Il n'était pas encore accoutumé à la possession de ce manuscrit qui était arrivé pour lui à Neubourg peu auparavant. Le paquet était accompagné d'une missive de Mathilde, sa nièce parisienne. Elle lui apprenait qu'un enfant était né de l'union de son fils Simon et d'Isabelle. Ils avaient appelé le garçon Gervais en son honneur, car ils lui étaient redevables non seulement de leur bonheur, mais de la vie de Simon qu'il avait sauvée *in extremis* d'une injuste condamnation à mort. Pour lui exprimer sa reconnaissance, Mathilde avait commandé pour lui ce livre d'heures enluminé, un objet de valeur qu'il manipulait avec révérence. C'était l'heure de none* et Gervais s'arrêta à la page correspondante. L'initiale historiée représentait l'annonce faite aux bergers. Dans l'angle gauche, surgissant d'un halo bleu pastel, le messager tout de blanc vêtu crevait un ciel vermillon en brandissant une banderole. Les deux bergers et leur chien le regardaient en extase tandis que des moutons indifférents broutaient une herbe très verte. La lettre elle-même avait été tracée à l'or fin et une frise végétale ornait les marges. Gervais se perdit longuement dans la contemplation de la page, puis il pria pour le rétablissement du père Joseph.

Une paillasse avait été posée pour lui à côté de celle du malade, car il ne voulait pas s'en éloigner pendant la nuit. Conscient qu'un arrêt prolongé à Notre-Dame de Lyre aurait permis d'éviter tous ces embarras, le vieux moine se reprochait de ne pas avoir tenu compte des avertissements qui l'incitaient à la prudence. Gervais le réconforta de son mieux et s'abstint de toute remontrance. Les secours arrivèrent dans le courant de la matinée. L'abbé avait envoyé deux convers conduisant une mule attelée à un chariot. Ils étaient venus avec une caravane qui se rendait dans leur direction et repartiraient avec un groupe allant dans l'autre sens. Le printemps avait remis pèlerins et marchands sur la route et trouver des compagnons de marche ne présentait aucune difficulté.

L'après-midi et la nuit de repos avaient fait du bien au père Joseph qui avait recouvré quelques couleurs.

— C'est parce que je ne suis pas malade, affirma-t-il à Gervais qui cheminait à côté de la litière. Je suis seulement vieux et faible. Les déplacements ne sont plus de mon âge. J'ai présumé de mes forces.

— Mais vous n'avez pas eu le choix.

— Détrompez-vous. Notre prieur a proposé d'envoyer un messager à Nocé pour qu'il désigne un père qui serait venu chercher le rouleau des morts et se serait chargé de le convoyer.

— Alors, c'est vous qui avez insisté ? Pour quel motif ?

— Parce que je voulais aller à Saint-Évroult. Les moines ont en dépôt un magnifique manuscrit qu'ils recopient. C'est un herbier que je brûlais de découvrir.

— C'est de cela que vous parliez avec le Dominicain ?

— Oui. Comment peut-on à mon âge et après une vie entière dans un monastère faire preuve d'autant de futilité et d'égoïsme ? se désola-t-il.

Rien de ce que put lui dire Gervais ne le convainquit que cela ne faisait pas de lui un grand pécheur.

En descendant la pente douce qui menait aux bâtiments monastiques érigés au bord de la rivière, Gervais put les admirer dans leur ensemble grâce au léger surplomb. Il n'y avait pas de commune mesure entre les proportions modestes de Neubourg et celles de l'abbaye de Saint-Évroult beaucoup plus imposantes. Un mur d'enceinte et des fossés protégeaient les diverses constructions parmi lesquelles on reconnaissait l'église, située à proximité de la porterie* de manière à ce qu'elle soit accessible aux laïcs sans que la paix des moines en fût troublée. Pour les mêmes raisons, l'hostellerie était contiguë. Gervais ignorait la vocation particulière des autres bâtiments qui entouraient des jardins ou des cours ; il savait seulement que certains abritaient le chapitre, le scriptorium, la bibliothèque, l'infirmerie, le réfectoire et les dortoirs, et d'autres les communs : cuisine, cellier, écurie, étable, grange… Un moulin s'élevait sur le ruisseau de la Fontaine Saint-Évroult qui coulait au travers du site avant de franchir les fortifications. Gervais supposa qu'il servait à moudre le blé. Si d'aventure l'abbé prévoyait de construire un moulin à papier, il faudrait l'avertir qu'en raison de l'odeur il vaudrait mieux choisir un terrain assez éloigné sans oublier de tenir compte de la direction du vent dominant.

Quand ils se présentèrent au portier, il les fit entrer en priorité et les convers traversèrent l'hostellerie pour gagner l'infirmerie. Comme dans tous les monastères, elles étaient proches l'une de l'autre parce que les voyageurs avaient souvent besoin de soins. Le père infirmier avait préparé un lit sur lequel les convers installèrent le père Joseph avant de s'en aller. Le père Jude tira un tabouret au chevet de son confrère pour s'enquérir de son état. Gervais, soulagé d'avoir confié son compagnon à des mains compétentes, conduisit Fiérote à l'écurie avec le pèlerin qui avait pris Musarde en charge et qui l'attendait avec les deux bêtes. Il informa le palefrenier qu'il séjournerait quelques jours au monastère et s'occuperait lui-même de sa jument.

Lorsque Fiérote fut dûment bouchonnée et nourrie, Gervais se dirigea vers le bureau de l'abbé afin de lui remettre son rapport sur les moulins à papier et la missive du père Alain le recommandant aux bons soins du responsable du scriptorium. Il y trouva un jeune moine plongé dans un travail d'écriture à qui il se présenta comme un envoyé de Neubourg porteur de documents pour l'abbé. Le secrétaire lui apprit que le supérieur était à régler un problème domestique et proposa de les lui donner à son retour, mais Gervais préférait attendre. Voyant que c'était sur une feuille de papier que le moine écrivait, il aurait souhaité engager la conversation, mais son vis-à-vis était si absorbé qu'il eut été gênant de l'interrompre. Un moment passa, puis le jeune moine posa sa plume avec un soupir.

— Voilà qui est fait. Le papier exige beaucoup de précautions : c'est tellement plus fragile que le parchemin !

Gervais confirma :

— Moi-même je m'en sers depuis peu et je commence juste de m'y habituer. Est-ce que l'utilisation du papier est courante au monastère ?

— Seulement pour l'administration et les écrits mineurs. Il va de soi que les textes importants sont rédigés sur les plus beaux vélins. Le scriptorium de Saint-Évroult est renommé dans toute la chrétienté, ajouta-t-il avec une pointe de fatuité, il se doit d'user de matériaux nobles.

— Il va de soi, opina Gervais avec toute la componction requise.

Mais c'était au sujet du papier qu'il avait envie d'en savoir davantage et il demanda où le monastère se le procurait. Le secrétaire n'eut pas le temps de lui répondre : un homme venait d'entrer, à la stature et au port de tête imposant et vêtu d'un habit religieux dont l'œil de l'ancien drapier reconnut la qualité. Si sa prestance ne l'en avait pas informé, l'attitude obséquieuse du jeune moine l'aurait fait : c'était son supérieur, l'abbé Crispin. Il jeta un regard interrogateur à Gervais et son secrétaire le renseigna avant que celui-ci puisse se présenter.

— Un envoyé de Neubourg vous attend, mon père.

— L'oblat d'Anceny, je suppose ? L'abbé de Nocé vous a annoncé. Venez avec moi.

Sous l'œil désappointé du jeune moine, l'abbé ferma derrière eux la porte d'une pièce uniquement meublée de deux tables et de sièges. Il désigna un tabouret à son visiteur et s'assit sur une cathèdre à la plus grande des tables.

— L'abbé Giraud m'a signalé que vous avez rédigé un mémoire sur les moulins à papier. Comme il sait que j'ai l'intention d'en implanter un ici, il veut que vous me le remettiez.

Gervais le tira de sa besace et le lui tendit. L'abbé Crispin étudia la pièce longuement tandis que son vis-à-vis prenait son mal en patience. Il n'y avait rien à voir dans ce bureau qui pût le distraire : à l'exception d'un crucifix, les murs étaient nus et les tables seulement pourvues d'objets servant à écrire.

— C'est très intéressant, finit par déclarer le supérieur. Demain matin, après tierce, vous m'accompagnerez jusqu'au site que nous avons choisi et vous me ferez part de vos commentaires.

Le succès de son initiative procura à Gervais un plaisir de vanité qu'il ne manqua pas de se reprocher.

— J'ai également ceci, dit-il en donnant au père Crispin la lettre du père Alain.

Il y jeta un coup d'œil et la lui remit.

— En sortant, demandez à frère Jérôme d'y apposer mon sceau et présentez-la au bibliothécaire.

None étant passée, il n'avait pas de temps à perdre s'il voulait se rendre au scriptorium avant le souper. Sur les indications du secrétaire de l'abbé, il traversa la cour principale, pénétra dans l'église et franchit la porte basse qui donnait accès au corridor desservant la salle capitulaire* et le scriptorium lui faisant suite. Il s'arrêta un instant sur le seuil pour embrasser du regard l'ensemble de la pièce. C'était une salle en longueur dont tout un mur était percé de hautes fenêtres qui ouvraient sur une cour, elle-même séparée de la rivière par une clôture. L'absence de bâtiments en vis-à-vis la rendait très claire, une qualité précieuse dans un lieu où la vue était le sens le plus mis à contribution. Une vingtaine de pupitres, placés en quinconce pour que les copistes ne se fassent pas de l'ombre, s'alignaient sur deux rangées. Quant au bibliothécaire, il était juché sur une estrade lui permettant de surplomber la salle à laquelle il faisait face. Lorsque Gervais entra, la plupart des têtes se levèrent. Une fois de plus, la comparaison avec une basse-cour s'imposa à lui : comme les poules, les scribes sont attirés par le moindre mouvement et s'ils ne se précipitent pas à la manière des volailles, c'est qu'ils ne l'osent pas. Dans la cour de la ferme, il s'agit de dénicher sa provende, au scriptorium, de tromper l'ennui. Personne ne trouve le temps interminable comme un copiste et tout prétexte lui est bon pour se distraire. Gervais traversa la salle et se présenta au bibliothécaire à qui il donna sa lettre. Le père Frémont la lut en hochant la tête et regarda Gervais d'un air perplexe et un peu suspicieux. Conscient de ne pouvoir s'opposer à la demande, il feignit de l'accepter comme si elle ne sortait pas de l'ordinaire et lui désigna un pupitre libre.

— Il est réservé aux moines de passage, précisa-t-il.

« Moines », nota Gervais, pas « laïcs ». Il remercia le père Frémont sans montrer qu'il avait saisi l'allusion et l'avisa qu'il ne commencerait que le lendemain après-midi.

— L'abbé Crispin a requis mes services pour le matin.

Le bibliothécaire dut penser que son nouveau locataire était décidément bien mystérieux, mais s'abstint de l'interroger. Personne dans la salle ne s'était remis au travail et Gervais la retraversa sous les regards. En guise de salutations, il distribua des signes de tête qu'on lui rendit et retourna à l'infirmerie prendre des nouvelles du père Joseph.

Il sommeillait. Selon le père Jude, qui confirmait le diagnostic émis par son malade lui-même, le vieil homme était simplement très fatigué.

— Voyager n'est plus de son âge. Je suis surpris que personne à Neubourg ne l'ait compris.

Gervais ne dit mot, laissant au père Joseph le soin d'expliquer à son confrère les vraies raisons de son déplacement. Désormais rassuré, il finit l'après-midi en faisant le tour du monastère. Sa vastitude et sa richesse l'impressionnèrent et il se promit de tout visiter en détail avant de repartir, surtout la cuisine dont les effluves qui parvenaient dans la cour par la porte ouverte permettaient d'escompter de bons repas.

La couche de Gervais lui rappela que voyager signifiait renoncer à ses aises. À Neubourg, en contrepartie du don substantiel fait à la communauté, il bénéficiait d'une cellule, mais hors du prieuré, il n'était guère plus qu'un laïc et devait s'estimer heureux d'être logé dans le dortoir des moines plutôt qu'à l'hostellerie. Il lui faudrait quelques nuits pour s'habituer aux manifestations nocturnes de ses compagnons, bruits corporels, cris de dormeurs en proie à des cauchemars, craquements de paillasses des insomniaques qui changeaient nerveusement de position, odeurs nauséabondes.

IX

Gervais eut beaucoup de plaisir à disposer ses outils sur le pupitre qui lui avait été désigné. Ses confrères, qui l'observaient en catimini, se désintéressèrent de lui en voyant qu'il allait utiliser du papier, car ils le prirent pour un secrétaire assigné à un travail administratif. Tandis qu'ils retournaient à leurs précieux vélins, Gervais entreprit de régler sa feuille en prenant soin de ne pas appuyer trop fort avec la mine de plomb de crainte de la trouer. Ce faisant, il réfléchissait à la suite de son récit. Lorsqu'il l'avait interrompu, Gervais et Fréchou venaient de cesser les hostilités.

Il y avait cependant encore loin entre cette paix circonspecte et la camaraderie. Gervais crut utile de clarifier tout de suite la situation.

— Messire Dutech nous a mis ensemble pour que tu m'enseignes la langue et que tu me fasses connaître la ville. Si on ne se parle pas, je ne progresserai pas et il verra que tu ne fais pas ton travail. Moi, je veux apprendre, mais je n'ai pas envie de t'embêter. Alors, voici ce que je te propose : quand tu ne veux pas que je sache ce que tu vas faire, tu me le dis, tout simplement. Moi, je vais me promener de mon côté, et on se retrouve à un lieu de rendez-vous. Qu'en penses-tu ? Il me semble que cela arrangerait tout le monde, non ?

Le garçon le regarda, réfléchit et émit un laconique :

— D'accord.

Puis il continua de se taire. C'est bien ma chance, se désola Gervais : je suis tombé sur un taciturne. Qu'à cela ne tienne, il parlerait, lui, et poserait des questions. Il faudrait bien que l'autre réponde puisqu'il avait donné son assentiment. Pour commencer, il lui demanda le nom des rues qu'ils empruntaient pour se rendre chez le destinataire du second paquet. Fréchou les nomma docilement, mais sans ajouter un mot, ce qui était tout de même mieux qu'un silence hostile. Messire Caraoué habitait en face du fleuve. Lorsqu'ils eurent effectué la livraison, Gervais désigna les moulins que l'on voyait en aval.

— C'est là que Marinette a été retrouvée ?

Fréchou acquiesça d'un signe de tête.

— La berge est accessible et il y a du courant. Il est possible qu'elle ait été jetée ici, supposa-t-il.

Il obtint le même hochement de tête.

— Qu'est-ce que tu en pensais, toi, de Marinette ?

Fréchou haussa les épaules.

— Tu l'aimais bien ?

Il sortit enfin de son mutisme.

— Tout le monde l'aimait bien.

— Il y a pourtant quelqu'un qui lui a fait du mal.

— C'est sûr.

— Quelqu'un qu'elle devait connaître, sinon, elle n'aurait pas quitté la maison pendant la nuit.

— Pas forcément.

— Que veux-tu dire ?

— Elle voulait toujours aider. Peut-être que cet homme lui a raconté une histoire qui faisait pitié et qu'elle est sortie pour lui rendre service.

— C'est de cette façon que les gens qui la connaissent expliquent ce qui s'est passé ? Pourtant, aller rejoindre un inconnu la nuit…

— Qui sait ce qu'il a inventé ? Il est habile. C'est pas son coup d'essai.

— Que veux-tu dire ?

— Il y en a eu une autre. Peut-être plus.

— Personne n'en a parlé à la table des maîtres.

— …

— Tu crois qu'ils ne sont pas au courant?

Fréchou haussa les épaules, ce qui semblait être l'une des bases de sa conversation.

— Mais si toi tu le sais, la prévôté doit le savoir aussi.

— Ils ont pas fait le lien.

— Pourtant, toi tu l'as fait. Je ne comprends pas: il faut que tu m'expliques.

— C'était une pauvresse. La prévôté perd pas de temps avec le petit monde.

Gervais aurait voulu poser bien d'autres questions, mais ils étaient revenus à la draperie et on les occupa à ranger des pièces de tissu qui avaient été montrées à une cliente difficile. La femme avait exigé de tout voir et était finalement repartie sans rien acheter, laissant le comptoir déborder de velours, de satins et de brocards, déclinés dans tous les tons de rouges, du vermillon au carmin en passant par la garance, le pourpre et le grenat. La mauvaise humeur était générale tandis qu'ils s'employaient à remettre tout cela en place, et mieux valait se faire oublier.

Dame Marie travaillait à l'échoppe et Gervais remarqua que la clientèle féminine préférait s'adresser à elle. Sans doute la croyait-on plus au fait de la mode que son beau-père. Lui avait la faveur des hommes d'âge pour qui un pourpoint est un pourpoint et seule la qualité du tissu importe. La veille, en voyant l'épouse d'Émilien avec ses enfants, il avait imaginé qu'elle se consacrait à leur éducation, mais il s'était trompé.

— Qui s'occupe des enfants? chuchota-t-il à l'adresse de Fréchou.

— Ils sont à la cuisine. D'habitude c'est dame Robine le matin et dame Marie l'après-midi: elles se relaient à la boutique. Mais en l'absence de sa belle-mère, il faut qu'elle y passe la journée.

Elle leur manquait comme ils purent le constater lorsque la cuisinière arriva avec eux à l'échoppe où elle déposa le couffin d'Étiennette. Le bébé se mit à gazouiller en tendant les menottes vers sa mère et le petit garçon se jeta sur elle en la suppliant de sortir avec eux. Dame Marie refusa, mais son regret était palpable.

— Quand votre grand-mère sera de retour, on recommencera comme avant, je te le promets.

L'enfant découvrit Gervais en train de plier des tissus.

— Mon ami Gervais ! Je veux qu'il vienne avec nous !

Elle regarda interrogativement son beau-père qui approuva.

— Qu'il y aille, on n'a pas vraiment besoin de lui.

— Dans ce cas, il peut s'en occuper sans moi, déclara la cuisinière. C'est que j'ai de l'ouvrage maintenant que je suis seule.

— Il ne connaît pas la ville, s'inquiéta dame Marie, ils pourraient se perdre.

— Je sais aller place Roaix et aussi jusqu'à la rue de messire Caraoué, intervint Gervais tenté par la perspective d'une promenade.

— Je suis sûr qu'on peut compter sur lui, trancha messire Dutech qui lui donna quelques piécettes pour acheter des friandises à l'éventaire d'un marchand ambulant.

Puis il s'adressa à son petit-fils :

— Je te charge d'une mission : il faut que ton ami apprenne à parler comme nous, alors, quand il fait des fautes tu dois le corriger.

— Très bien, grand-père, répondit le petit garçon fier de ses responsabilités de grand.

— Sois sage, recommanda la mère pas tout à fait rassurée, et obéis bien à Gervais.

Celui-ci prit la main de Martin et ils partirent en balade dans le quartier.

L'indifférence des copistes se mua en intérêt quand ils virent Gervais confier ses documents au bibliothécaire qui les serra dans l'armoire verrouillée. Serait-ce un secret d'État qui était en cours de rédaction à leurs côtés ? Des têtes se penchèrent vers celles de leurs voisins pour s'engager dans des conciliabules. Gervais ne douta pas un instant qu'il aurait de la compagnie lorsqu'il irait déambuler dans le cloître. Pour l'heure, c'était à l'infirmerie qu'il se rendait. Il n'avait pas vu le père Joseph depuis la veille, sa matinée ayant été consacrée à l'abbé Crispin et l'infirmier l'ayant averti que l'après-midi, il fallait laisser reposer son pensionnaire jusqu'après l'heure de la sieste.

Il trouva le vieux moine au coin du feu et l'air presque dispos.

— Vous voyez bien, lui dit-il, que c'était seulement une faiblesse due au grand âge. Mon voyage s'arrêtera ici. L'abbé va mander un messager à Nocé pour qu'un père vienne chercher le rouleau des morts. Quand il arrivera, nous retournerons ensemble à Neubourg, si toutefois vous en avez terminé avec l'affaire des moulins à papier.

— Ce sera fini, n'ayez crainte. Ce matin, j'ai accompagné l'abbé Crispin qui, vous le savez, a décidé d'en installer un à Saint-Évroult. Il voulait me montrer le site choisi. J'ai pu lui donner des informations utiles dont personne ne lui avait parlé.

— Quel type d'informations ?

— Il ignorait que les tissus étaient soumis à un long pourrissement qui dégage une très mauvaise odeur et avait prévu de le faire construire tout près de l'enceinte du monastère. Je l'en ai dissuadé et lui ai conseillé un meilleur emplacement. Il m'a chargé de longer le cours d'eau en amont et en aval de la clôture avec le responsable de l'exploitation du ruisseau pour déterminer quel serait l'endroit idéal. C'est pour demain matin.

Cela n'avait pas été leur seul sujet de conversation, mais l'autre était confidentiel. L'abbé Crispin était aux prises avec un grave problème et, pour le résoudre, il comptait sur l'oblat de Neubourg dont l'écho des enquêtes lui était parvenu. Mais cela, le prélat ne le lui avait dit qu'après une très longue digression. Tout en l'écoutant avec le respect dû à son rang, Gervais s'était demandé ce qui pouvait bien motiver le fait qu'un personnage aussi important fasse au quelconque visiteur qu'il était cet exposé sur son monastère. Ou plutôt, sur Orderic Vital, mort deux siècles et demi auparavant. L'admiration de l'abbé Crispin pour celui qui arriva comme oblat à Saint-Évroult à dix ans et y passa toute sa vie, une vie d'étude lui valant une réputation inégalée, était telle qu'il se laissait emporter par son sujet. Gervais fut gratifié des grandes lignes de l'œuvre la plus ambitieuse du maître, l'*Historia ecclesiastica* qui, malgré son titre réducteur, englobe l'histoire de la Normandie et de l'Angleterre, décrit la société religieuse et laïque du temps et fait les portraits des personnages puissants de son époque. Tout en dissertant, l'abbé suivait à grands pas la rive du ruisseau du point où il franchissait le mur pour pénétrer dans l'enceinte du monastère jusqu'à sa sortie, à l'autre bout, puis repartait en sens inverse. Gervais, qui l'écoutait d'une oreille de plus en plus distraite, en profitait pour regarder autour de lui.

Si le monastère de Saint-Évroult était fameux pour sa bibliothèque et la qualité des ouvrages que produisait son scriptorium, il pouvait également s'enorgueillir de la bonne tenue de son domaine. Ils longèrent un potager judicieusement placé au bord de l'eau pour faciliter l'arrosage. Les fèves et les pois poussaient dru et leurs tiges portaient de nombreuses gousses. Les choux étaient vaillamment sortis de terre ainsi que les poireaux et les oignons. Gervais reconnut aussi le feuillage des panais et autres navets. Quant au carré d'herbes aromatiques, il était bien fourni et il se promit d'aller y voir de plus près. Cuisiner avec ces produits devait être un plaisir. Ce fut ensuite le moulin banal* devant lequel deux paysans attendaient en bavardant.

Soudainement, l'abbé changea de registre : l'enthousiasme qui l'avait porté laissa place à une affliction teintée de colère. Il ne parlait plus de l'*Historia ecclesiastica*, mais des *Annales* du monastère, première œuvre d'Orderic Vital. La modification du ton alerta Gervais qui, devinant que son interlocuteur allait enfin

en venir à son sujet, devint attentif. L'abbé Crispin finit par lui apprendre que le bibliothécaire avait découvert par le plus grand des hasards que ce manuscrit avait disparu.

— Par hasard ? Vous avez tellement de livres que s'il y en a un de moins, cela passe inaperçu ?

— Nous avons effectivement beaucoup de livres, répondit-il avec un haut-le-corps comme s'il avait été insulté.

Gervais fit un signe d'apaisement et reprit avec plus de diplomatie :

— Je voulais dire qu'un espace vacant devrait tout de suite être visible.

L'abbé Crispin, qui soupçonnait que lorsque son interlocuteur disait une chose, c'était bien celle-là qu'il voulait dire, lui jeta un regard peu amène, mais il ne releva pas et expliqua :

— Justement, il n'y a pas d'espace. La couverture est là, mais les folios qui devraient être à l'intérieur ont disparu.

— Vous conservez les livres debout ?

— Oui. Comme nous en avons beaucoup – il laissa passer une fraction de seconde pour donner à son vis-à-vis le temps d'apprécier l'adverbe –, l'entreposage empilé était malcommode et nous avons choisi une méthode plus moderne.

— Qui permet à la couverture de rester en place comme si le manuscrit était toujours là.

— Hélas ! soupira l'abbé.

— Est-ce un ouvrage souvent consulté ?

— Non, justement, c'est pour cela que sa disparition a été découverte fortuitement.

— Il y a longtemps ?

— La semaine dernière.

— Je suppose donc que vous ignorez à quel moment il a été dérobé.

— En effet. Puisque vous êtes parmi nous, vous allez pouvoir exercer vos talents d'enquêteur et le retrouver.

— Ne nourrissez pas trop d'illusions, je ne suis pas un faiseur de miracles. Tout dépendra des informations qui seront disponibles.

— Vous verrez cela avec le père Frémont. Je vais l'avertir qu'il doit répondre à vos questions et vous aider de son mieux. Il faut cependant que vous vous contentiez de son témoignage : les autres membres de l'abbaye doivent ignorer cette malédiction. C'est le manuscrit original que l'on nous a pris et il en existe peu de copies. Ce serait un déshonneur d'être obligé d'en emprunter une pour le recopier.

— S'il est encore dans vos murs, nous avons peut-être une chance de le retrouver, mais s'il est déjà parti…

— Trouvez-le !

C'était un ordre et c'est bien ainsi que son interlocuteur le comprit.

X

Gervais ignorait si l'abbé avait informé le père Frémont de la mission dont il l'avait chargé. En conséquence, il laissa au bibliothécaire l'initiative de leur rencontre privée. Celui-ci se tenait généralement dans le scriptorium où il œuvrait comme copiste avec les autres scribes. Selon les besoins, il s'en absentait pour monter à la bibliothèque par l'escalier qui partait du centre de la salle. Quand tout le monde fut installé, il se leva et fit signe à Gervais de le suivre. Il était rare que quelqu'un l'accompagne à la bibliothèque et lorsque le nouveau venu lui emboîta le pas dans l'escalier il fut accompagné par un frémissement d'excitation. Décidément, cet oblat à première vue insignifiant méritait que l'on s'intéresse à lui.

— L'abbé Crispin semble penser que vous êtes capable de retrouver le manuscrit, commença le père Frémont.

Puis il s'arrêta, attendant la confirmation de Gervais.

— S'il est encore ici, cela devrait être possible, mais s'il a quitté le monastère…

— Qu'est-ce qui vous permet de croire qu'il n'est plus dans nos murs ? s'inquiéta-t-il.

— Je ne crois rien. J'ignore tout de cette affaire à part que l'un de vos manuscrits a disparu.

— C'est une catastrophe.

— Je l'ai bien compris ainsi et soyez assuré que je ferai de mon mieux pour vous aider. Montrez-moi où il était.

Le père Frémont l'entraîna vers le fond de la salle. Comme Gervais l'avait deviné, l'escalier était le seul accès à la bibliothèque, une pièce parfaitement semblable à celle du dessous. Le mur opposé aux fenêtres supportait, de chaque côté de la cheminée, des étagères sur lesquelles étaient disposés les livres. L'ameublement était composé d'une cathèdre et d'un pupitre où était posé un registre ainsi que d'une longue table centrale, du type de celles du réfectoire, sur laquelle étaient ouverts les manuscrits en cours de copie. Comme le père Frémont le lui précisa, c'était lui-même qui remettait en place les folios terminés et prenait les suivants pour les apporter au scribe chargé de les transcrire.

Lui désignant les rayonnages, il l'invita à admirer les livres qu'ils portaient.

— La bibliothèque de Saint-Évroult est d'une grande richesse et nous en sommes fiers. Vous n'avez pas dû avoir souvent l'occasion d'en voir d'aussi belles.

— Souvent, non.

Le père Frémont s'arrêta et le regarda comme s'il avait été piqué. Il avait employé « souvent » par euphémisme, sûr que son interlocuteur n'avait jamais vu autant d'ouvrages réunis au même endroit.

— Vous voulez dire que vous avez connu mieux ?

— Une fois.

— Et où donc ?

— En Avignon.

Le moine resta un instant interdit.

— Vous ne prétendez quand même pas être entré dans la Libraria Magna ?

— Si. J'ai eu cette chance.

— Mais… comment… ?

— C'est un ami de notre père infirmier, feu le père Bartolomé, copiste au palais pontifical, qui m'a permis de la visiter à l'automne dernier.

— Eh bien… Eh bien…

Le père Frémont n'en revenait pas. Gervais qui l'avait senti un peu condescendant n'était pas fâché du résultat. Il devrait se confesser de cet accès de vanité – encore un –, mais il fallait admettre que cela lui donnait une crédibilité bien venue.

Le manuscrit disparu avait été le deuxième à partir du début de la rangée. La reliure, toujours en place, ne laissait pas deviner qu'il s'agissait d'une coquille vide.

— Nous avons mis ici les livres qui servent peu.

— Comment avez-vous découvert que les feuillets n'y étaient plus ?

— À cause d'un point de désaccord entre deux copistes au sujet d'un détail de l'histoire du monastère. Le seul moyen de les départager était de vérifier l'information dans les *Annales* d'Orderic Vital. Quand je l'ai pris, j'ai été tellement surpris par sa légèreté que j'ai failli le lâcher. Faites en vous-même l'expérience.

Gervais saisit ce qui avait été l'enveloppe du livre, une sensation effectivement déroutante, et l'examina attentivement. C'était une couverture ordinaire comme celles que l'on réserve aux ouvrages de moindre importance. Deux siècles après avoir été rédigé, il était devenu inestimable en raison de son ancienneté et, surtout, de la notoriété de son auteur, mais à l'époque, ce n'était qu'une histoire du monastère écrite par un jeune moine inconnu. Seul le dos avait reçu une couvrure* de maroquin* sur laquelle le titre était estampé. Pour protéger la reliure en l'isolant de la tablette, on avait cloué des boulons dans le bois des ais*, un usage qui tendait à disparaître depuis que l'on entreposait les manuscrits verticalement. À l'intérieur, les nerfs qui avaient rattaché le parchemin aux ais pendaient, arrachés, preuve de la violence faite au livre. Gervais en fut ému.

— Vous comprenez mes sentiments, remarqua le père Frémont à qui cela n'avait pas échappé.

— Bien sûr. Je n'aime pas voir un livre mutilé. Gardez-vous une trace des utilisateurs des manuscrits ?

— On les inscrit dans le registre qui est sur le pupitre.

— Avez-vous vérifié quand celui-ci a été consulté pour la dernière fois ?

— Je n'en ai pas eu besoin parce que je m'en souvenais : c'était avant le carême, peu après ma nomination au poste de bibliothécaire. Un moine d'un autre monastère était venu le recopier, ce qui n'était pas arrivé depuis longtemps.

— C'est vous qui l'avez rangé quand il a eu terminé ?

— Oui, c'est moi. Je ne l'ai pas oublié parce que c'était une demande exceptionnelle.

— Ce lecteur ne peut donc être soupçonné ?

— Il était déjà parti de Saint-Évroult quand je l'ai remis en place.

— Vous avez déverrouillé la porte de l'escalier avant que nous montions. Est-ce que vous la refermez chaque fois que vous quittez la bibliothèque ?

— Non. Seulement quand nous sortons du scriptorium pour aller à l'église ou au réfectoire. Et bien sûr, à la fin de la journée. C'est la première fois que j'y viens aujourd'hui, ce qui explique qu'elle n'était pas ouverte.

— Vous ne remontez pas les feuillets en cours de copie ?

— Non. Nous les mettons dans l'armoire grillagée où vous déposez aussi les vôtres.

— À part vous, quelqu'un d'autre se rend-il à la bibliothèque ?

— Rarement. Pensez-vous retrouver ce manuscrit ?

— Je n'en ai aucune idée. Il faudrait que j'interroge l'ensemble des copistes, mais l'abbé Crispin a bien insisté sur le fait que vous et moi devions être les seuls à être au courant de cette disparition.

Le père Frémont le regarda comme s'il venait de proférer une aberration.

— Mais tout le monde le sait !

— Tout le monde dans le scriptorium ou dans l'abbaye ?

— Dans le scriptorium pour commencer. Quand je m'en suis aperçu, j'ai perdu mon sang-froid : je suis descendu et je l'ai annoncé à mes confrères. Et ensuite… Vous savez comment c'est dans une communauté…

Oui, Gervais le savait. Il n'y avait pas de secret qui tienne ni de nouvelle qui ne soit immédiatement connue. Par quel mystère cela se produisait-il ? Il ne l'avait jamais vraiment compris. Dans le monde des marchands, c'était bien différent : celui qui détenait une information lui permettant de réaliser une bonne transaction la gardait pour lui, mais dans le microcosme conventuel, tout circulait en un rien de temps. Après tout, se dit-il, il ne serait peut-être pas si difficile d'éclaircir l'affaire. Ses confrères copistes, qui étaient curieux de ses activités, ne manqueraient pas d'essayer d'obtenir ses confidences. Il en profiterait pour les faire parler. Avec diplomatie, sans quoi ils se méfieraient et ne lui raconteraient rien. Le mieux était de procéder lentement et avec précautions. Le père Joseph n'était pas sur le point de repartir, il avait tout son temps.

De retour au scriptorium, il reprit sa chronique.

Tout à la joie d'être avec son nouvel ami, Martin ne pensait plus à sa mère. Gervais se dirigea vers la place Roaix en écoutant le babillage de l'enfant à qui il répondait avec le plus grand sérieux. Il était question de l'histoire incompréhensible d'un lapin apprivoisé qui avait disparu du jour au lendemain. Pour le consoler, on lui en avait donné un autre qu'il avait baptisé Belin comme le précédent et dont il avait confié la surveillance à la cuisinière.*

— Quand on rentrera, je te le montrerai. Il est tout doux avec de longues oreilles.

Gervais promit de faire la connaissance de Belin et continua d'encourager le bavardage de l'enfant tout en cherchant son chemin. Ce n'était pas sans intention qu'il avait choisi la place Roaix plutôt que les quais de la Garonne : depuis là, il pensait être capable de retrouver la rue de Mélie. Il ne savait pas comment la rejoindre depuis l'échoppe parce qu'il avait beaucoup zigzagué en faussant compagnie à Fréchou et n'avait pas la ressource de s'informer auprès d'un passant, car il avait oublié son nom. L'impression que certaines boutiques lui étaient vaguement familières le conduisit à s'engager dans des directions qui dans un premier temps lui paraissaient bonnes pour ensuite rebrousser chemin. Il en essaya d'autres et finit par admettre qu'il ne retrouverait pas la rue de Mélie sauf s'il tombait dessus par hasard. Ce ne fut pas sur la rue qu'il tomba, mais sur la jeune fille elle-même.

— Mélie ! s'exclama Martin en lui sautant au cou. Marinette est chez toi ? On va la voir ?

La joie déserta le visage de Mélie qui avait été contente de les rencontrer. Elle embrassa le garçonnet et lui dit gentiment :

— Marinette ne reviendra pas. Ta maman ne te l'a pas expliqué ?

Il se renfrogna.

— Je croyais qu'elle était avec toi.

— Non, Martin, elle n'est pas avec moi. Elle est au ciel avec Jésus et la Vierge Marie. On la retrouvera quand on montera au ciel nous aussi.

— On ira bientôt ?

— Pas tout de suite. En attendant, il faut être bien sage.

Le petit n'insista pas. Gervais supposa que la question revenait à chaque rencontre avec une personne qu'il n'avait pas revue depuis la mort de Marinette.

Désireuse de changer de sujet, Mélie demanda à Gervais comment allait sa vie chez le drapier.

— Bien.

— Bien bien ou à peu près bien ?

— Plutôt bien.

— Même avec Fréchou ?

— On a un arrangement : je ne cherche pas à savoir ce qu'il fait et il m'aide à connaître la ville.

— Martin aussi t'aide à connaître la ville ? s'enquit-elle en riant.

— Dame Robine est partie à Gardouch, dame Marie travaille à l'échoppe et la cuisinière n'a pas le temps de se promener.

— C'est amusant que nous nous rencontrions encore une fois par hasard.

— En réalité, j'avais envie de te revoir. Je cherchais ta rue, mais j'avais oublié son nom et je ne me souvenais pas du trajet.

— Rue Peiras. Je vais te montrer comment te rendre rue Malcosinat depuis ici, ce n'est pas loin.

— J'aurais aimé visiter l'atelier de tes parents. C'est possible ?

— Pas aujourd'hui, j'ai à faire. La prochaine fois.

Gervais n'eut pas de mal à mémoriser l'itinéraire, car les deux venelles étaient proches. Ils se dirent à bientôt et il retourna à l'échoppe avec Martin. L'enfant se précipita vers sa mère.

— Maman ! On a vu Mélie !

Le petit visage s'attrista.

— Marinette n'est pas chez elle.

Dame Marie soupira, mais au lieu de faire un commentaire, elle demanda à Martin de montrer à Gervais où était la cuisine. Le garçonnet oublia aussitôt son chagrin et entraîna son nouvel ami. Quand ils passèrent devant lui, Lasserre interpella Gervais à mi-voix.

— Hé, Topi ! Tu es devenu nourrice ?

Martin réagit d'une voix aiguë qui porta dans toute la pièce.

— Pourquoi tu dis « topi » à Gervais ? C'est un vilain mot !

Messire Dutech regarda durement Lasserre, mais il ne lui parla pas directement. C'est à son petit-fils qu'il s'adressa :

— Tu as raison, Martin, c'est vilain de traiter quelqu'un de topi, surtout quand cette personne ne comprend pas l'insulte.

Apparemment, se dit Gervais, « topi » n'est pas le diminutif de « topinol ». De quoi les Toulousains le traitaient-ils à son insu ? Remorqué par Martin, il entra à sa suite dans la cuisine où l'enfant se précipita sur une caisse en bois en murmurant d'un ton enamouré :

— Belin, mon beau petit Belin.

La cuisinière lui tendit un trognon de chou.

— Donne-lui, qu'il devienne bien gras.

— Mange, Belin ! Et ne te sauve pas comme les autres.

— Ce n'est pas bien grave, dit Hervise en haussant les épaules, quand un s'en va, on en prend un nouveau.

Gervais se rappela soudainement le civet de lapin servi deux jours plus tôt. Il espéra que personne ne serait assez méchant pour apprendre au garçonnet pourquoi les lapins devenus gras disparaissaient.

Au repas, messire Dutech raconta à son fils, qui s'était absenté pour rencontrer un acheteur, la visite du prévôt de police venu l'avertir qu'ils arrêtaient leur quête du meurtrier de Marinette : n'ayant pas le moindre indice permettant d'orienter les recherches, ils ne pouvaient rien faire.

— Ils laissent un assassin en liberté ! s'indigna dame Marie. C'est effrayant. Aucune jeune fille n'est à l'abri.

Pour la rassurer, Émilien se dit persuadé que le monstre avait dû s'empresser de quitter la ville afin d'éviter de se faire prendre.

— Sans doute, ajouta son père. Ce n'est pas comme s'il s'était produit d'autres crimes du même genre.

Gervais eut du mal à s'empêcher d'intervenir, lui qui savait par Fréchou qu'il y avait eu un autre cas, mais sa position ne l'autorisait pas à parler à table. La conversation porta ensuite sur la venue d'un nouveau client dont messire Dutech se réjouissait, car il était riche et avait parcouru la boutique en faisant des commentaires appréciatifs. Émilien lui répondait, mais dame Marie restait silencieuse. Peu convaincue que le danger ait quitté leur quartier, elle était inquiète.

Fâché d'avoir essuyé la désapprobation du maître, Lasserre en gardait rancune à Gervais qu'il tenait pour responsable de l'incident.

— Notre Topi est comme une femme : il a besoin d'un homme pour le défendre, se moqua-t-il. C'est normal, il fait la nourrice.

— Il est plus facile d'être courageux au galetas qu'à l'échoppe, répliqua Gervais. Tu es comme Couart, le lièvre.*

Lasserre, furieux, se jeta sur Gervais. Samaran s'interposa.

— Laisse-le, on va avoir des ennuis.

Sachant qu'il avait raison, Lasserre le lâcha quoique de mauvais gré. Gervais, se sentant en force, menaça :

— Si tu m'appelles Topi, je t'appelle Couart. Avec tes grandes oreilles, tout le monde trouvera que le surnom est bien choisi.

Les rires étouffés de Samaran et de Fréchou prouvèrent à Lasserre que son intérêt était de ne pas insister et il prit le parti d'abandonner les hostilités sans toutefois cesser de grommeler. Même si Gervais avait gagné cette joute, il était bien conscient qu'il devrait se méfier de Lasserre dont les sentiments à son égard avaient évolué d'un mépris amusé à la détestation. Comme d'habitude, Castagnon n'avait pas bronché.

Gervais s'étira. Il avait écrit longtemps et son dos le lui reprochait. Après avoir vérifié l'avancement du soleil par la fenêtre, il supposa que la sieste du père Joseph était terminée. Ses feuilles enroulées et glissées dans sa besace, il partit du scriptorium sous l'œil envieux des copistes qui avaient encore quelques heures de travail devant eux. En traversant la cour, une odeur de civet frappa ses narines, ce qui le ramena à la cuisine de Toulouse qu'il venait juste de quitter. Outre les divers fumets attendus, il détectait celui des pruneaux que l'on avait coutume de mettre dans le civet en Languedoc. Il y en avait aussi un autre, qu'il n'avait pas senti depuis longtemps et ne parvenait pas à identifier. C'était pourtant celui-là, combiné aux pruneaux, qui avait provoqué la réminiscence. La recette en cours de préparation serait-elle la même que celle d'Hervise ? C'était peu probable en Normandie. En quoi ce fond d'arôme lui évoquait-il le passé ? Pour en avoir le cœur net, il se promit une visite à celui qui officiait aux chaudrons.

XI

Le père Joseph fut heureux de voir Gervais. Non qu'il s'ennuyât : la conversation de l'infirmier de Saint-Évroult lui agréait fort, mais ses entretiens avec l'oblat lui procuraient un plaisir toujours renouvelé. Avant de les laisser, le père Jude servit une infusion qu'il but avec eux. Gervais en profita pour lui parler du civet qui mijotait dont l'arôme était inhabituel en ces contrées.

— C'est que frère Lucas nous vient du diocèse d'Auch qui est situé près de Toulouse si je ne me trompe.

— Effectivement, ce n'est pas loin. Fait-il beaucoup de recettes de son pays d'origine ?

— Chaque fois qu'il le peut.

— Et elles sont appréciées ?

— Pas de tous, répondit l'infirmier d'une voix amusée, mais l'abbé Crispin les aime, ce qui coupe court à toute récrimination.

— Ce n'est pas ainsi à Neubourg : personne n'a le palais curieux et je dois m'en tenir aux recettes locales éprouvées.

— Ne vous plaignez pas, intervint le père Joseph : depuis que vous avez pris les rênes de la cuisine des fêtes, vous avez grandement affiné les goûts du prieuré.

Gervais dut raconter au père Jude comment il en était venu à cuisiner avant que celui-ci ne les quitte pour s'occuper d'un malade qui l'appelait. Il aurait voulu lui parler du manuscrit disparu, mais l'occasion ne se présenta pas ce jour-là. Ce fut donc au seul père

Joseph que Gervais dévoila qu'il avait omis de lui rapporter un élément important de son entretien avec l'abbé Crispin.

— Le supérieur avait bien insisté sur la nécessité de garder l'affaire secrète, mais j'ai appris que tout le monde est au courant, de sorte qu'il n'y a aucune raison que je vous le cache. De plus, en parler m'aidera à y réfléchir.

Il lui raconta ce qu'il savait de la disparition du manuscrit.

— Vous avez votre petite idée sur la question ?

— Je serais surpris que le coupable soit étranger au monastère. Mieux : au scriptorium.

— Pourquoi cela ?

Il lui décrivit la salle de la bibliothèque avec l'escalier pour seul accès et la porte la plupart du temps verrouillée.

— Et pour arriver au scriptorium, il y a déjà deux portes à franchir.

— Ce serait donc l'un des copistes ?

— Il y a de bonnes chances.

— Mais dans quel but ? Le vendre ?

— C'est ce qui motive le plus souvent un vol, mais cela paraît peu probable : ces moines ne quittent que très rarement la clôture et n'auraient que faire d'une somme d'argent.

— Le désir de posséder un objet peut aussi inciter à le dérober.

— Ce qui serait plus compréhensible s'il s'agissait d'un manuscrit richement historié, mais celui-ci ne comporte ni enluminures ni miniatures. Quoi qu'il en soit, pour trouver le coupable, il faut découvrir pour quelle raison il a été volé.

— Comment comptez-vous procéder ?

— En bavardant avec les uns et les autres.

— Voulez-vous que j'en parle au père Jude ?

— Volontiers. Pour ma part, je vais commencer par le frère cuisinier. Un intérêt commun aide à nouer des relations et délier les langues.

— Et puis, ajouta le père Joseph avec un sourire bienveillant, vous serez content d'échanger des souvenirs du Languedoc.

— J'avoue que remuer le passé me rend nostalgique, et à la fragrance de son civet, je soupçonne frère Lucas de l'être aussi.

— Quand on devient vieux, on regrette sa jeunesse même si elle n'était pas toujours facile à vivre sur le moment. Le début de votre séjour à Toulouse n'a pas été tout à fait idyllique à ce que j'ai compris.

— Non, vous avez raison. Jusqu'au civet dont l'odeur m'a ému en traversant la cour qui est lié à un souvenir assez déplaisant. Je l'ai d'ailleurs évoqué dans mes pages d'aujourd'hui.

— Allez-y, je vous écoute.

Quand Gervais quitta l'infirmerie, il était finalement trop tard pour rendre visite au cuisinier: c'était l'heure des derniers préparatifs et il ne voulait pas se présenter à un moment où frère Lucas n'aurait que peu de temps à lui consacrer. La cloche des vêpres appelait les moines à prier et il les rejoignit à l'église. Les dévotions terminées, les religieux se hâtèrent vers le réfectoire, aussi pressés que lui de goûter au civet. Gervais ne fut pas déçu: la saveur du lièvre était bien la même qu'en Languedoc. Résolu à découvrir quel était l'ingrédient qu'il cherchait en vain, il isola les composantes de la sauce de la pointe du couteau. Il y avait là des oignons, des pruneaux, des raisins secs et une autre chose qu'il ne reconnaissait pas, en forme de calice et d'aspect spongieux. Il en porta un morceau à sa bouche et le souvenir revint: l'arôme qui avait titillé sa mémoire était l'une des odeurs inconnues qui flottaient rue Malcosinat la première fois qu'il s'était aventuré dehors, celle des girolles, si prisées à Toulouse. Il avait appris par la suite que lorsque les circonstances météorologiques favorisaient l'éclosion de ces champignons si délicatement parfumés dans les alentours de la ville, les gens se précipitaient dans les bois pour les cueillir. Hervise s'approvisionnait au marché, à moins que Jaufré en envoie de Gardouch, et elle en faisait sécher pour l'hiver. Par quel miracle le cuisinier de Saint-Évroult avait-il des girolles dans sa réserve alors qu'il vivait dans une région trop humide pour qu'elles y poussent? Gervais avait hâte d'être au lendemain pour s'en enquérir.

La matinée consacrée à l'examen des berges afin de trouver le site idéal à l'érection du moulin fut pour le moins particulière. Le moine responsable du ruisseau n'aimait pas que l'on empiète sur ses prérogatives et c'était ainsi qu'il percevait la présence de l'oblat de Neubourg. Frère Benoît était un homme déplaisant, mielleux à l'égard de son supérieur, rude et méprisant avec les convers. Dès qu'ils furent hors de portée d'oreille de l'abbé Crispin, Gervais, qui avait immédiatement senti son hostilité et n'avait aucune envie de l'affronter, car il estimait avoir livré tout ce qu'il savait sur la question, lui exprima son désir de rester en retrait. Il avait observé le fonctionnement d'un moulin à papier dans ses moindres détails et l'avait décrit dans son rapport, sa compétence s'arrêtait là.

— C'est bien mon avis. L'abbé s'imagine que vous pouvez m'aider, mais vous n'avez ni les connaissances techniques ni celle du terrain. C'est à moi qu'il revient de prendre les décisions.

— Je vais donc vous quitter. Il est inutile que je perde mon temps : du travail m'attend au scriptorium.

— Non. Vous devez rester avec moi. Vous direz ensuite à l'abbé que vous m'avez fait part de tout ce que vous saviez.

— Mais je me tais, c'est bien cela ?

Il n'avait pu retenir une inflexion ironique que son vis-à-vis ne releva pas. La matinée durant ils marchèrent de conserve sans échanger une parole. S'il faisait abstraction de la présence de son compagnon, la promenade était plaisante et Gervais ne tarda pas à penser à toute autre chose. Au civet de la veille, d'abord, qui était si bon que chacun avait essuyé son écuelle jusqu'à la dernière trace. L'évocation du lièvre le conduisit à sa préparation, et ce fut le souvenir d'Hervise en train de trancher des oignons qui s'imposa à son esprit.

La cuisinière de la maison Dutech avait eut tôt fait d'adopter le Parisien qui faisait si grand cas de ses préparations. Des lécheurs de plats, elle en avait d'autres, mais Gervais était le seul qui s'intéressât à la façon d'accommoder les aliments. Par prudence, il ne laissait libre cours à sa curiosité que lorsqu'il n'y avait à la cuisine aucun des employés de l'échoppe : si en plus de ce qu'ils appelaient ses fonctions de nourrice, ils découvraient qu'il aimait la cuisine, il serait perdu de réputation. Mais ils l'ignoraient et c'était bien ainsi. Comme dame Robine s'attardait à Gardouch, on prit l'habitude de lui confier Martin. Gervais ne manquait pas à la draperie, son arrivée étant trop récente pour qu'il y eût une tâche définie, et dame Marie, empêchée de s'occuper de son fils, était contente de voir l'enfant heureux avec leur jeune apprenti, lequel était satisfait d'une situation lui permettant de se familiariser avec la maison et la ville. Quand il accompagnait Fréchou dans ses livraisons, il le faisait avec Martin, ce qui le mettait à l'abri d'éventuelles avanies, car le garçonnet, à son retour, racontait tout à sa mère.

À la cuisine, il bavardait avec Hervise qui s'amusait à corriger sa manière de parler. Ainsi, il progressait vite, ce qui n'aurait pas été le cas avec la seule fréquentation du peu loquace Fréchou. Gervais donnait volontiers un coup de main pour éplucher les légumes et la cuisinière appréciait son aide parce qu'elle avait beaucoup à faire, Marinette n'ayant pas encore été remplacée. L'énigme du meurtre de la jeune fille intriguait Gervais qui manœuvrait pour entraîner Hervise sur ce sujet. Ce n'était d'ailleurs pas difficile. Très affectée par cette disparition, elle avait tendance à la ressasser. Malheureusement, elle répétait toujours à peu près la même chose :

— C'est pas explicable. Une fille tellement sérieuse. Les garçons l'intéressaient pas, elle pouvait pas avoir un rendez-vous. La nuit en plus.

Il y eut cependant une occasion où elle ajouta un détail qui fit dresser l'oreille à Gervais.

— Ce fichu qu'elle avait… Je comprends pas.

— Un fichu ? Quel fichu ?

— Le fichu qu'elle avait autour du cou quand je suis allée la reconnaître à la morgue.

Elle eut une expression d'horreur.

— Un endroit affreux… Et Marinette, cette pauvre Marinette… Méconnaissable à cause de l'eau et des poissons. Une si jolie fille…

— Vous parliez d'un fichu.

— D'après le prévôt, il a servi à l'étrangler.

— Il ne lui appartenait pas ?

— Non. Elle avait pas de fichu bleu.

— Bleu ?

— Oui. Bleu pastel, comme la robe de la Sainte Vierge.

Ce fichu était peut-être une piste, pensa Gervais. Qui sait si ce n'était pas avec cela que le meurtrier l'avait attirée ? Un beau fichu bleu, cela devrait plaire à une jeune fille. Il poserait la question à Mélie.

— Pardon ? sursauta Gervais qui avait oublié la présence de son compagnon.

— Je vous disais qu'on le bâtira ici, répéta frère Benoît agacé.

— Bien, répondit-il.

— Comment, bien ? C'est tout ?

— Excusez-moi, je n'avais pas compris que vous souhaitiez connaître mon opinion.

Le visage de son interlocuteur se crispa, rougit et on aurait cru que de la fumée allait sortir de ses naseaux. Avant qu'il n'explose, Gervais s'empressa de compléter :

— Le lieu est judicieusement choisi : en aval du monastère afin que les eaux corrompues ne traversent pas son enceinte et assez loin pour que les odeurs n'y parviennent pas. D'autant que le vent dominant souffle dans la bonne direction, si je ne m'abuse. Oui, vous avez trouvé le meilleur endroit.

— Dans ce cas, je n'ai plus besoin de vous.

Gervais le salua d'un signe de tête et s'en alla, plutôt fier d'avoir réussi à retenir un sourire moqueur, car frère Benoît, après avoir longuement examiné chaque pouce de terrain, avait désigné l'emplacement exact que lui-même avait suggéré à l'abbé Crispin. Comme il n'était pas avec eux la veille, il pouvait se comporter comme si l'idée venait de lui. C'était pour le moins cavalier, mais Gervais préférait cela à un mauvais choix que l'on aurait pu lui imputer.

Au lieu de se rendre tout de suite au scriptorium, Gervais s'arrêta aux cuisines. Lorsqu'il pénétra sous les voûtes délicieusement enfumées d'arômes sapides où dominait celui du sucre bruni mêlé à la cannelle, le cuisinier ne s'aperçut pas immédiatement de sa présence et son visiteur put l'observer qui mettait la dernière main à une tarte. D'un geste délicat que l'on n'eut pas attendu de ses doigts boudinés, il disposait des lamelles de poires sur une préparation d'une étonnante couleur jaune. Craignant de le surprendre, Gervais ressortit et fit du bruit à l'extérieur avant de reparaître sur le seuil. Frère Lucas leva la tête. Avec son profil de futaille et son visage rubicond encadré d'une couronne de cheveux très blancs, le cuisinier aurait fourni un modèle convaincant pour brosser le moine glouton d'un fabliau*.

— Je suppose que vous êtes l'oblat de Neubourg, dit-il avec un accent qui rappelait celui de messire Dutech.

— Votre intuition est juste. Mais comment se fait-il… ?

— Que j'ai deviné ? Très facile : à part quelques gourmands, toujours les mêmes, qui viennent traîner ici en quête de rogatons, je ne vois personne. La préparation des repas est une activité trop triviale pour que les esprits élevés s'y intéressent. J'en déduis que vous êtes l'un de nos deux visiteurs et je sais que l'autre est à l'infirmerie.

— Bonne déduction. Les nouvelles se rendent donc au fond de la cuisine.

— Qui veut attraper une douceur doit donner une information, lui apprit-il dans un rire tonitruant. Ainsi, je n'ignore pas que vous écrivez des choses mystérieuses, que l'abbé vous a demandé de retrouver le manuscrit disparu et qu'à Neubourg vous apprêtez les repas de fête.

— Eh bien…, fut le seul commentaire que Gervais, dans sa sidération, fut capable d'émettre.

— Vous n'êtes pas surpris, tout de même ? Dans un monastère, tout se sait.

— À ce point et avec autant de célérité, j'avoue que cela me confond.

— Ce qui prouve que même dans les ragots, à Saint-Évroult nous excellons, conclut frère Lucas dans un nouveau rire.

Il badigeonna les poires du caramel dont l'odeur embaumait jusque dans la cour puis déposa la tarte sur une pelle de bois à long manche, ouvrit la porte du four et la fit glisser à l'intérieur.

— J'aimerais bien savoir ce que vous avez mis sur votre fond de tarte avant d'y disposer les poires.

La question fit plaisir à frère Lucas.

— Je vais vous le dire d'autant plus volontiers que je n'ai jamais l'occasion de parler de recettes. Mes visiteurs habituels ne s'intéressent qu'au goût des aliments. Et à leur quantité, bien sûr.

Il prit une écuelle dont il gratta les restes de crème avec une cuillère.

— Goûtez.

Gervais garda la cuillerée en bouche le temps d'analyser les saveurs.

— Alors ?

— Fromage blanc légèrement poivré. Une bonne idée le poivre, je n'y aurais pas pensé. Et le jaune vient du safran, j'aurais dû le deviner.

— Parfait. Vous avez réussi votre examen. Si vous m'appreniez maintenant la raison de votre présence dans mon sous-sol ?

— Les girolles du civet d'hier soir.

— Là, vous m'étonnez. La tarte, c'était facile, mais les girolles…

— Tout dépend si on a déjà eu l'occasion d'en manger.

— Et où en avez-vous mangé ?

Pour lui répondre, Gervais choisit de s'exprimer en langue d'oc.

— À Toulouse où j'ai passé plusieurs années dans ma jeunesse. La cuisinière faisait du civet de lièvre aux pruneaux et aux girolles que celui d'hier soir m'a remis en mémoire. Votre visage étonné m'apprend que vos informateurs ignoraient ce détail.

— C'est juste, confirma-t-il dans le même idiome. Et je ne l'aurais pas deviné.

— Alors, ces girolles ?

— Ma famille m'en envoie chaque année. Ils trouvent toujours un messager, moine, pèlerin ou marchand.

Bien que frère Lucas se soit éloigné de quelques pas afin d'attraper un pain sur une étagère, Gervais le surprit à effacer une larme furtive.

— J'ai si rarement l'occasion d'entendre parler languedocien que je suis exagérément content.

Et pas loin d'être bouleversé, pensa son visiteur qui lui demanda, pour détourner son émotion :

— Même avec mon accent ? Malgré mes efforts je n'ai jamais pu me défaire complètement des intonations de ma propre langue.

— On les perçoit à peine, mais je suppose que c'était suffisant pour que l'on vous raille ?

— Ce n'était pas bien méchant, je m'y étais habitué.

— Je suis si content de vous entendre, répéta-t-il. Tant que vous resterez à Saint-Évroult, vous reviendrez me parler ?

Gervais répondit sur le ton de la plaisanterie :

— Ce sera donnant donnant : qui veut attraper une douceur doit donner une information.

Le rire du cuisinier résonna sous les voûtes.

— C'est de bonne guerre ! Que voulez-vous que je vous apprenne ? En langue d'oc, il va de soi.

— Tout ce qui pourra m'aider à identifier le voleur du manuscrit. Réfléchissez à ce qui s'est dit sur le sujet et nous en reparlerons demain.

— C'est d'accord, je vous attendrai.

Frère Lucas lui tendit un morceau de pomme confite :

— Pour patienter jusqu'au dîner.

XII

L'échoppe des parents de Mélie, à qui il avait décidé de faire une visite dans l'espoir de voir l'atelier, n'était pas une petite officine comme celle où il louait ses pecia au Quartier latin,* venait d'écrire Gervais lorsque l'ombre du bibliothécaire assombrit sa page.

— Vous n'enquêtez pas ? chuchota le père Frémont d'une voix inquiète.

— Si.

— Mais vous êtes là, à écrire…

— Ne soyez pas en souci, j'ai mes méthodes.

L'autre hocha la tête, peu convaincu. Il faillit lui poser une question, mais se ravisa et retourna à sa place d'une démarche lasse. Gervais comprit que l'espoir qu'il avait mis dans son intervention venait de disparaître. Faute de pouvoir le rassurer, puisqu'il n'avait encore rien découvert, il le laissa aller et reprit sa narration.

À l'entrée de l'échoppe, maître Andrieu, le père de Mélie, faisait admirer un manuscrit à un prélat dont la vêture, taillée dans un tissu de qualité, montrait la richesse. L'attitude du marchand, empreinte de respect, confirmait l'importance de l'acheteur potentiel. Sur le volet qui servait à fermer l'échoppe la nuit et à présenter durant le jour les objets afin qu'on les découvrît dans la meilleure lumière possible, un grand livre était ouvert. Gervais jeta un coup d'œil en passant et vit que la page de gauche était consacrée au texte alors que celle de droite portait une enluminure occupant tout l'espace. Il eût aimé feuilleter l'ouvrage, mais il n'y fallait point songer et il le regretta. En revanche, il put admirer le travail en cours de dame Bertrande, la mère de Mélie, qui peignait les plis de la robe d'une vierge tenant dans ses bras l'Enfant Jésus. Le bleu pastel qu'elle utilisait ferait une bonne introduction à la question qu'il souhaitait poser à son amie. Mélie présenta Gervais à sa mère qui s'interrompit le temps de caresser la joue du petit Martin et de demander des nouvelles de la famille Dutech, si éprouvée. Ils étaient de la même paroisse et se connaissaient bien. Le pupitre de dame Bertrande était placé parallèlement à la rue et il en était de même de ceux des trois copistes qui besognaient sans se laisser distraire. Disposés ainsi, ils recevaient tous la lumière. Dans le fond de l'échoppe, un apprenti mélangeait les couleurs, préparait l'encre et taillait les plumes. Il s'appelait Pons et était à peu près de l'âge de Gervais qu'il évalua d'un œil torve. Celui-ci comprit qu'il n'appréciait pas son amitié avec la fille du patron et jugea cette jalousie tout à fait ridicule: Mélie était une fillette qui n'avait rien de commun avec Margaux, déjà femme, dont il continuait de rêver.

Tandis qu'elle le raccompagnait, il demanda à Mélie en quoi consistait son apprentissage. Comme Pons, elle préparait le matériel servant à la copie et à l'enluminure, mais en plus, sa mère avait commencé de lui laisser remplir des espaces de couleur lorsque la seule difficulté était de ne pas dépasser le contour.

— Il ne faut pas croire que c'est facile, mais je le fais bien, déclara-t-elle avec fierté.

— Est-ce que tu as une couleur préférée?

— L'or! Je suis encore loin d'y toucher: c'est trop cher. On me le permettra quand je serai plus habile. J'aime le vert aussi.

— Et le bleu que ta mère était en train d'appliquer?

— Le pastel? Bien sûr! C'est une très belle couleur. C'est pour cela qu'elle est réservée à la Vierge.

— Mais il y a des femmes qui en portent: dame Marie, par exemple.

— C'est normal, les Dutech en cultivent.

Une ombre passa sur son visage.

— Qu'y a-t-il ? Tu as l'air triste soudainement.

— Je pense à Marinette. La dernière fois que je l'ai rencontrée, elle avait un fichu bleu pastel que je ne lui connaissais pas. Sans doute un cadeau de la famille.

— La cuisinière a dit qu'elle n'avait jamais vu ce fichu avant de le découvrir sur son cadavre. Si Marinette l'avait reçu d'un membre de la famille Dutech, Hervise l'aurait su.

Le mot « cadavre » fit frémir Mélie qui s'enveloppa nerveusement dans son fichu - vert - comme si soudainement elle avait froid.

— Quand tu l'as vue avec ce fichu, c'était longtemps avant sa mort ?

— La veille.

— Crois-tu qu'elle aurait pu avoir un amoureux qui le lui aurait offert ?

— Marinette ? Non !

— Mais alors, ce fichu ?

— Oui… C'est curieux…

— Est-ce qu'elle était comme d'habitude ce jour-là ?

Mélie prit le temps de réfléchir.

— Maintenant que j'y pense, je dirais qu'elle paraissait un peu différente.

— C'est-à-dire ?

— Rêveuse, peut-être… Pourquoi toutes ces questions ? Cette histoire t'intéresse à ce point ? Tu ne la connaissais même pas.

— Je trouve que la prévôté a vite cessé d'enquêter. Il ne faudrait pas que d'autres jeunes filles soient en danger.

— Tu me fais peur.

— C'est salutaire : tu dois te méfier de tout ce qui sort de l'ordinaire.

Une surprise attendait Martin et Gervais à la maison Dutech : dame Robine était de retour. L'enfant se jeta dans les bras de sa grand-mère et Gervais s'esquiva pour les laisser à leurs retrouvailles.

Fréchou finissait de recevoir des instructions pour une livraison et il lui emboîta le pas lorsqu'il quitta l'échoppe. Avec en tiers le garçonnet qui écoutait et répétait tout, leurs conversations étaient demeurées anodines, mais maintenant qu'ils étaient seuls, Gervais l'interrogea sur le deuxième, ou plutôt le premier crime auquel il avait fait allusion.

— Comment l'autre victime a-t-elle été étranglée, le sais-tu ?

— Ils ont dit avec un fichu.

— Quelle sorte de fichu ?

Il haussa les épaules.

— Connais-tu des gens au courant des détails ?

— Pourquoi tu remues ces choses ? On a juste envie de les oublier.

— Parce que s'il en a tué deux, il recommencera. Je ne voudrais pas qu'il arrive malheur à Mélie ou à une autre.

— Et alors, qu'est-ce que tu peux y faire ?

— Avec un peu de chance, le retrouver et le dénoncer à la prévôté.

— Je veux rien savoir de la prévôté.

— C'est moi qui m'en chargerai.

— Tu en parles comme d'un jeu. Si tu les avais connues…

— Tu connaissais également l'autre ?

— Marion était la sœur de Sénarens.

Cette information interloqua Gervais. Sénarens était l'ami - le complice ? - de Fréchou. C'était toujours lui qu'il rejoignait quand ils se séparaient. Fréchou était donc aussi familier de Marion que de Marinette. Même si sa préoccupation pour la sécurité des jeunes filles était sincère, Gervais devait bien admettre que pour lui, retrouver l'assassin était une sorte de manière d'occuper son esprit pour oublier qu'il vivait loin des siens, au milieu de gens qui parlaient une autre langue et dont certains lui étaient hostiles. Pour Fréchou, le sujet était douloureux : il avait perdu deux personnes qu'il affectionnait. Ce jour-là, Gervais n'insista pas. Il devait réfléchir à la façon d'amener Fréchou à l'aider, et pour cela, il fallait éviter de le braquer en manifestant une curiosité qui pourrait être perçue comme malsaine.

Le père Joseph fit remarquer à Gervais qu'il était passé rapidement du simple intérêt au désir d'élucider le crime.

— C'est une attitude étonnante, me semble-t-il, pour un jeune garçon. Votre vocation d'enquêteur venait de naître?

— Pas vraiment. Je n'ai jamais supporté de me heurter à une énigme sans essayer de la résoudre. La première fois, j'étais enfant: une saucisse avait disparu et la cuisinière accusait la souillon commise à l'épluchage. C'était une gloutonne et les soupçons s'étaient tout naturellement portés sur elle, mais elle pleurait tellement et clamait si fort son innocence que je l'ai crue. J'ai réussi à convaincre la cuisinière de monter un piège avec une autre saucisse.

— Et qui était le coupable?

— Le chat! Mais à Toulouse, pour la première fois, c'étaient des meurtres.

Le père Jude apporta une infusion et s'assit avec eux.

— Avez-vous découvert qui a dérobé le manuscrit? demanda-t-il à Gervais.

— Pour le moment, je ne sais rien de plus, mais je devrais avancer bientôt.

— Grâce à frère Lucas, n'est-ce pas? Sa cuisine est un des hauts lieux du commérage ébrultien*.

— Il a en effet accepté de raviver ses souvenirs et de m'en parler.

Comme la veille, l'infirmier fut appelé avant que Gervais puisse l'interroger sur le manuscrit volé. Après son départ, la conversation avec le père Joseph porta sur l'herbier à l'origine de sa décision d'entreprendre ce voyage inconsidéré. Maintenant qu'il avait recouvré des forces, il se sentait prêt à quitter l'infirmerie pour la bibliothèque où le père Frémont l'autoriserait à le consulter.

— Il ne veut pas le descendre au scriptorium pour des raisons de sécurité, car ce qui est arrivé au manuscrit d'Orderic Vital l'a rendu d'une grande méfiance. Peut-être un peu exagérée, ajouta-t-il en riant. Il est, je crois, difficile de m'imaginer en train de m'enfuir avec un manuscrit qui pèse dix livres caché sous ma bure. Je le consulterai donc en haut, ce qui explique que j'ai attendu quelques jours parce que l'escalier est, m'a-t-on dit, fort abrupt.

— C'est bien le cas. Le père Frémont restera avec vous, je suppose ?

— Et comment ! Je suis persuadé qu'il ne me quittera pas du regard.

Frère Lucas préparait une porée verte. Le cresson et les bettes attendaient, déjà accommodés, et le cuisinier avait commencé de hacher les poireaux. Gervais saisit un couteau pour l'aider.

— De mieux en mieux, se réjouit frère Lucas. Non seulement vous parlez languedocien et vous reconnaissez les ingrédients de mes recettes, mais vous donnez un coup de main.

— Vous êtes seul pour nourrir tout ce monde ?

— Non, heureusement. Quelques convers m'assistent à la demande et j'ai un apprenti. Mais ce chenapan préfère traîner au jardin plutôt que pleurer sur les oignons. Chaque fois que je l'envoie en course, il prend un temps infini. J'ai beau l'étriller, il recommence.

Il ajouta, fataliste :

— Il est jeune, c'est normal.

Gervais devina qu'il ne devait pas le rosser trop fort.

— Vous avez pensé à mon affaire ? lui demanda-t-il.

— Je ne sais pas grand-chose même si elle a beaucoup fait jaser.

— Que se disait-il ?

— Toutes sortes de niaiseries, évidemment.

— Dans quel genre ?

— Comme en principe les livres sont inaccessibles, pour certains, il fallait une explication surnaturelle. Alors, la possibilité d'une intervention du Démon a couru.

— Vous n'y croyez pas ?

— Le Démon s'intéresse aux âmes, pas aux manuscrits.

— Qui s'intéresse aux manuscrits, selon vous ?

— Surtout les bibliothécaires. Les copistes, aussi, mais pas tous, et encore moins les cuisiniers, les jardiniers, les palefreniers...

— Les recherches devraient donc se concentrer sur les usagers du scriptorium et de la bibliothèque.

— Votre conclusion dépasse ma pensée. En réalité, je n'ai pas d'opinion sur le sujet.

— Vous avez dit : « Pour certains ». Et pour d'autres, quelle était l'hypothèse ?

— Quelqu'un qui aurait logé à l'hostellerie et aurait réussi à s'introduire dans la bibliothèque.

— Cela n'aurait pas été très facile, me semble-t-il.

— Pas impossible non plus.

— Comment aurait-il pu procéder ?

— C'est le père Damien qui en avait émis l'idée. Il avait une théorie dont j'ai oublié les détails. Vous devriez lui parler.

— S'il vous revient autre chose, je reste intéressé.

— Je vous rappelle que c'est donnant donnant !

— Que demandez-vous en échange ?

— Il me suffira que vous veniez me parler en langue d'oc.

— Avec plaisir.

Le père Damien était copiste. De retour à son pupitre, Gervais l'observa. Sensiblement de l'âge du père Frémont, ils se ressemblaient un peu : même silhouette maigre, même couronne de cheveux gris, même expression austère. Si on lui avait demandé de désigner un bavard dans la faune du scriptorium, il eût été le dernier que Gervais aurait choisi, ce qui prouvait une fois de plus qu'il ne fallait pas se fier aux apparences. Il essaierait d'avoir un entretien avec lui au moment où les moines déambulaient dans le cloître pour se détendre avant le souper.

Éloignant de son esprit le vol du manuscrit, il retrouva ses souvenirs toulousains.

Dame Robine n'était pas revenue seule de Gardouch: elle avait emmené avec elle une jeune fille destinée à aider Hervise à la cuisine. Marinette, pour qui tout le monde avait de l'affection, était irremplaçable, mais il fallait que quelqu'un se charge des multiples petites tâches qu'elle accomplissait, et pour cela, la maîtresse de maison ne voulait pas une de ces filles délurées de la ville. Selon elle, les campagnardes étaient plus fiables, plus pieuses et plus travaillantes. C'est ce qu'elle expliqua à sa bru qui avait commencé de prospecter de son côté et aurait eu une candidate à proposer. Cette possibilité fut écartée d'office puisque Ramone, la recrue venue de Gardouch était déjà à la cuisine. Avec le retour de dame Robine, l'atmosphère familiale changea, et ce, dès le premier repas. Dame Marie, qui avait fait montre d'initiative et de vivacité en son absence, s'effaça et parut s'éteindre.

La voyageuse avait bien des événements à raconter. Pour commencer, la naissance de son petit-fils, qui avait eu lieu la nuit suivant son arrivée.

— Il était temps. Jaufré était d'une nervosité! En revanche, Blanca s'est très bien comportée, surtout pour un premier enfant. Elle est courageuse cette petite: elle serre les dents et ne fait pas de jérémiades. Une vraie fille du Sud.

La pique était transparente: Gervais lui-même comprit que l'éloge de la fille du Sud était destiné à déconsidérer celle du Nord, laquelle baissa la tête sur son tranchoir cependant que le visage d'Émilien se crispait. Une attaque directe lui eût permis de défendre son épouse, mais que faire contre une insinuation dont il aurait été facile de prétendre que s'en offenser relevait d'une susceptibilité excessive? Dame Robine détailla avec complaisance le comportement du bébé, que ses parents avaient eu la délicatesse de nommer Robin, version masculine du prénom de sa grand-mère paternelle, alors qu'Émilien et Marie avaient choisi d'honorer l'aïeule maternelle. Gervais, qui n'avait pas envie de fournir un effort pour suivre ce bavardage insipide, donnait toute son attention au contenu de* son écuelle. Hervise avait servi un ragoût de mouton aux fèves particulièrement savoureux dont il connaissait les composantes pour l'avoir vue le préparer. La viande avait cuit toute la journée et embaumé la maison de sorte que l'heure du souper était attendue impatiemment. À déguster cette viande tendre enrobée d'une sauce épaissie de pain grillé et relevée au verjus*, les papilles des commensaux étaient à la fête. Le Parisien sortit de son extase gustative en entendant dame Robine s'enquérir des résultats de l'enquête sur le meurtre de Marinette. L'annonce de l'échec des recherches et de leur abandon par la prévôté la fâcha.

— À Gardouch, dit-elle, ils sont autrement efficaces.

— Comment cela ? demanda messire Dutech. Il y a eu un crime ?

— Oui. À l'automne. Et ils ont attrapé et pendu le coupable.

— Il était peut-être plus facile à trouver. Souvent, ils sont commis par des proches à l'occasion de disputes qui dégénèrent, remarqua Émilien.

— Pas du tout. C'est une affaire qui ressemble beaucoup à la nôtre. À Gardouch aussi la victime était une très jeune fille qui avait été étranglée et qu'on avait également retrouvée dans l'eau.

— Son corps flottait dans le bief du moulin.

Les soupçons s'étaient tout de suite portés sur un pied poudreux* qui avait proposé ses marchandises la veille. Rattrapé dans le village voisin, il avait d'abord nié, mais n'avait pas tardé à avouer sous la question*. L'homme avait été pendu sans attendre.

— Voilà ce que j'appelle une justice qui fonctionne, conclut dame Robine.

Et elle ajouta, avec une certaine aigreur :

— Les Toulousains ont tort de se croire supérieurs aux gens de la campagne : ils feraient mieux au contraire de les prendre en exemple.

Gervais se souvint que lorsque Émilien lui avait parlé des siens, il avait précisé que l'exploitation où était cultivé le pastel était situ[illegible] dans le village d'où sa mère était originaire. Gardouch était l[illegible] *natale de dame Robine et le lieu où elle avait été élevée. Peut-être lui avait-on fait sentir, à son arrivée à Toulouse, qu'elle était une campagnarde mal dégrossie, ce dont elle gardait rancune ?*

XIII

Gervais n'eut pas à provoquer une rencontre avec le père Damien : ce fut le moine qui vint à lui et engagea la conversation alors qu'il admirait les volutes de pierre d'un pilier du cloître.

— Un travail délicat, n'est-ce pas ?

— C'est un plaisir pour le regard.

— Et la fontaine ? Je ne m'en lasse pas.

Sur la margelle du bassin, un couple de huppes exprimait son désaccord dans un échange passionné ponctué de hochements de tête. Gervais émit la remarque qu'avec leurs becs longs et minces, elles évoquaient des médecins au visage protégé des épidémies par un masque pointu.

— Et comme eux, elles défendent des opinions contraires, plaisanta le père Damien. Sans doute l'une veut-elle suivre les préceptes de Galien alors que l'autre en tient pour Avicenne. Quoi qu'il sorte de leur discussion, c'est de toute façon le patient qui en fera les frais.

Ce trait d'humour surprit Gervais : le copiste n'était pas aussi austère qu'il l'aurait cru. Ils reprirent leur marche, plus familiers d'avoir ri ensemble, et il parut naturel que le moine interrogeât l'invité sur l'avancement de son enquête.

— Je tends à penser que ce vol est le fait d'une personne ayant accès à la bibliothèque.

Le père Damien eut un haut-le-corps.

— Et pourquoi cela ?

— Parce qu'elle est verrouillée quand il n'y a personne dans le scriptorium, qui lui-même est fermé à clé. Vous êtes d'un autre avis ?

— Il n'y a pas un seul copiste que je pourrais soupçonner. Je les connais tous depuis longtemps. Pour moi, c'est un étranger au monastère.

— Un religieux de passage ?

— Non. Ils sont logés à l'intérieur de la clôture, couchent dans le dortoir et mangent au réfectoire : ils n'ont pas la liberté de mouvement nécessaire pour se rendre dans une salle où personne n'a le droit d'aller à part le bibliothécaire. C'est un laïc hébergé à l'hostellerie qui a fait le coup.

— L'hostellerie n'a pas d'accès aux bâtiments conventuels que je sache.

— Je ne crois pas qu'il soit difficile de se glisser dans le cloître à partir de l'église. Regardez : la porte est toujours ouverte et personne ne la surveille.

— Mais des habits séculiers se remarqueraient tout de suite.

— Se procurer une robe de moine et la cacher dans une besace pour la revêtir au moment voulu ne doit pas être insurmontable.

— Encore faut-il passer inaperçu parmi des gens qui vivent ensemble et se connaissent tous.

— Voyez vous-même combien d'entre nous rabattent leur chaperon pour s'isoler dans la méditation.

Il y en avait effectivement plusieurs qui marchaient les yeux au sol et dont le visage était dissimulé.

— J'admets qu'il est possible de s'introduire sans se faire remarquer dans l'enceinte du monastère, mais de là à pénétrer dans le scriptorium…

Le père Damien, l'air soudainement mal à l'aise, resta muet.

— J'ai l'impression que pour cela aussi vous avez une théorie, insista Gervais.

— Je ne voudrais pas porter tort à un estimable confrère.

— Le père Frémont ?

Son silence avait valeur de réponse.

— S'il n'a rien à se reprocher, vous ne pouvez pas lui nuire, et s'il est coupable de quelque négligence, il est normal qu'il en subisse les conséquences.

Le raisonnement était spécieux tant il est vrai que lorsque l'on a porté le doute sur quelqu'un, il en reste une trace même s'il est innocenté, mais le copiste s'en accommoda et livra sa pensée :

— La seule explication possible est justement une négligence : il aura oublié de fermer les portes.

— Les deux portes ?

— Forcément.

— Et par extraordinaire le jour où un voleur était animé du dessein de dérober un manuscrit ?

— C'est une coïncidence malheureuse. À moins qu'il n'ait pas été exceptionnel d'oublier de fermer les portes...

— L'ouvrage qui a disparu n'est pas n'importe lequel : il revêtait une importance majeure pour le monastère. Ce choix n'est pas le fait du hasard.

— Hélas... Je ne veux pas aller plus loin dans la spéculation.

Il salua Gervais qu'il laissa en proie à ses réflexions. Le père Damien ne l'avait pas convaincu. Soit le hasard était trop grand dans le cas où un malfaiteur se serait introduit à l'intérieur de la clôture le jour où justement les deux portes - les deux - étaient restées ouvertes, soit il fallait incriminer le père Frémont qui serait complice du voleur. Gervais décida de s'enquérir de la réputation du bibliothécaire en matière d'intégrité et de tenter d'en apprendre davantage sur le père Damien. Sous ses airs vertueux, le copiste s'était montré au mieux médisant, au pire calomnieux, parce que c'était bien la culpabilité du père Frémont qu'il suggérait. Cette culpabilité, qu'elle soit active ou par négligence rendrait le bibliothécaire indigne de ses fonctions si elle était avérée.

Installé à son pupitre, Gervais se demandait ce qui avait bien pu motiver le vol du manuscrit et qui avait commis le larcin. Depuis qu'il était arrivé, nul autre que le père Frémont n'était monté à la bibliothèque, et lorsqu'il en revenait, il fermait la porte à clé même s'il demeurait dans le scriptorium. Cependant, cette mesure de sécurité excessive, Gervais ne l'ignorait pas, ne datait que de la découverte du méfait: jusque-là, le père Frémont ne la verrouillait qu'en quittant les lieux. Tout de même, il était difficile de croire qu'il ait pu oublier de le faire: tout chez lui indiquait l'homme routinier. Restait son éventuelle complicité. En attendant de parler de nouveau au cuisinier, il se remit à la tâche.

Dame Robine gérait l'organisation domestique de la maison le matin et passait l'après-midi à l'échoppe. Le lendemain de son retour, elle garda Gervais en haut pour faire sa connaissance.

Martin, fier de son nouvel ami, le présenta à sa grand-mère:

— Il s'appelle Gervais, mais des fois, on dit Topinol.

— Ah? Et pourquoi donc?

L'enfant réfléchit profondément, puis son visage s'éclaira.

— Parce qu'il a le nez comme un bec d'oiseau, déclara-t-il sur le ton de celui qui a élucidé une énigme.

Dame Robine ne put retenir un petit rire tandis que Gervais, vexé, se renfrognait. Depuis toujours, on le taquinait au sujet de son appendice nasal. Il était pointu, certes, mais point aussi long que les méchants le prétendaient. Comme il en avait voulu à Gildas de ses moqueries! Le souvenir de la mort de son frère le frappa à l'improviste ainsi que cela se produisait plusieurs fois le jour. Que ne donnerait-il pas aujourd'hui pour que Gildas lui propose de picorer quelques graines pour sa collation?

Dame Robine lui demanda qui l'avait affublé de ce sobriquet et il lui expliqua que dans sa langue, « moinel » signifiait à la fois petit moine et moineau. Comme en langue d'oc il n'y avait pas d'homonymie, il n'était plus qu'oiseau.

— Et Lasserre dit « topi », ajouta Martin, mais grand-père l'a grondé.

— Il a bien fait. Je ne veux jamais l'entendre dans ta bouche. Topinol non plus, d'ailleurs. Il s'appelle Gervais et c'est ainsi qu'on doit le nommer.

Après quelques questions sur sa famille, elle le libéra, au grand déplaisir de l'enfant qui eut préféré le garder pour jouer au cheval, et il rejoignit Fréchou sur le point de sortir. Ils ne tardèrent pas à rencontrer Sénarens. Gervais comprit que ce n'était pas fortuit.

Le garçon attaqua sans préliminaires :

— Pourquoi tu veux savoir des choses sur ma sœur ? demanda-t-il d'un ton belliqueux.

Tout était agressif chez lui : la voix, l'attitude et jusqu'au physique sec comme un gourdin. Fréchou n'avait rien appris à Gervais au sujet de son ami, mais celui-ci avait assez fréquenté autrefois, à l'insu de ses parents, les enfants des rues de la Cité pour deviner la dureté de son existence. Comme le garçon ne semblait pas avoir d'horaires ni d'obligations, Gervais supposa qu'il vivait d'expédients. Il lui répéta ce qu'il avait dit à Fréchou : si c'était le même meurtrier, il recommencerait et il fallait le découvrir avant.

— Je veux simplement savoir si le fichu qui l'a étranglée était bleu pastel.

La question surprit Sénarens et son attitude se fit moins hargneuse.

— Marinette aussi ?

— Oui, et il ne lui appartenait pas. À ta sœur non plus, je suppose ?

Sénarens émit une onomatopée exprimant la dérision.

— Un fichu de cette qualité ? Non.

— Je pense que le tueur attire les jeunes filles en leur offrant un beau fichu. Marinette et Marion vivaient dans le même quartier. C'est son territoire à lui aussi. C'est ici qu'il recommencera. Il s'attaquera à une autre et encore une autre. Mélie, peut-être, ou quelqu'une que je ne connais pas, mais que vous deux vous

connaîtrez. Ou une inconnue, peu importe. Ce qui compte, c'est qu'il soit pris et pendu.

— La prévôté y arrive pas, alors nous…

— Si j'ai bien compris, la police n'a pas fait grand-chose pour ta sœur.

Il serra les dents.

— Tu as bien compris.

— Pour Marinette, les sergents se sont donné du mal, mais ils ont traité cet assassinat comme un cas unique, ce qui fait qu'ils n'ont rien découvert. S'ils avaient fait le rapprochement avec ta sœur, ils auraient vu que des détails se recoupaient. Moi, tout ce que je sais, c'est l'existence du fichu bleu, mais en s'informant dans l'entourage de Marion, on pourrait trouver d'autres indices.

— Les gens te parleront pas.

— Mais à toi, je suppose que oui. Je n'ai pas envie de chercher seul, on pourrait réunir nos forces.

Sénarens ricana.

— Moi, avec un petit maître ?

— Je suis apprenti.

— Qui mange à la table des maîtres.

— Et alors ?

— Pourquoi pas essayer ? lâcha Fréchou qui n'avait rien dit jusque-là.

— On peut, concéda Sénarens. Qu'est-ce qu'il faut demander ?

— Si la veille de sa mort ou dans les jours précédents elle avait un air différent. D'après Mélie, Marinette semblait rêveuse, comme si elle avait un secret.

— Bon, d'accord.

Et il tourna les talons.

Gervais n'aurait pas juré que Sénarens s'informerait de l'état d'esprit de sa sœur malgré sa promesse, mais il le fit et revint avec Simone, la meilleure amie de Marion, qu'il leur emmena afin que

Gervais lui pose des questions. C'était reconnaître de façon implicite qu'il le croyait lorsque celui-ci assurait vouloir élucider les meurtres.

Simone considéra Gervais avec une méfiance qui s'accentua lorsqu'il l'eut saluée.

— C'est lui qui va trouver l'assassin? Vous me faites rire.

— Personne d'autre s'y intéresse, répliqua Sénarens avec aigreur. La prévôté a abandonné.

— Que croyez-vous qu'il puisse faire, votre étranger? asséna-t-elle avec mépris. Il sait même pas parler comme il faut.

— Alors, on laisse tomber?

— J'ai pas dit qu'il fallait rien faire, mais que ce soit quelqu'un capable de se débrouiller.

— Tu le connais ce quelqu'un?

Elle dut admettre que non.

— Il en tuera d'autres, asséna Gervais. S'il n'y en avait eu qu'une, ce ne serait pas pareil, mais puisqu'il y en a eu deux, c'est sûr qu'il aime tuer et qu'il recommencera.

— Comment, deux? Tu parles de la Marinette de chez Dutech? C'est pas parce qu'elles ont été trouvées toutes les deux dans la Garonne que c'est le même qui les a tuées. Des corps, on en repêche souvent.

— Étranglées avec un fichu bleu pastel?

La précision l'ébranla et sa voix était moins assurée lorsqu'elle demanda:

— Elle en avait un elle aussi?

— Oui.

— Bon, d'accord. Qu'est-ce que tu veux savoir, le Parisien?

— Tu as vu Marion avec ce fichu?

— Elle l'avait la veille. Elle était fière comme si elle portait le saint Sacrement. C'est vrai qu'il était joli. Bien trop pour une fille comme elle.

— Elle a dit qui le lui avait offert?

— Avec Berthe, on a pas pu lui faire avouer. Pourtant, on a insisté. Elle a répondu: « Vous saurez tout plus tard ». On a bien compris qu'elle avait un amoureux riche et généreux, mais c'est tout.

Elle soupira.

— C'était trop beau pour être vrai. Ces choses-là arrivent pas à des miséreuses.

— As-tu remarqué dans les parages un homme que tu n'avais pas l'habitude de voir?

— Non. On y a repensé avec Berthe, mais personne n'avait attiré notre attention.

Après le départ de Simone, les trois garçons commentèrent ce qu'elle leur avait appris. Ils étaient d'avis qu'elle avait apporté la preuve que le criminel était le même et avait procédé de la même façon: les jeunes filles avaient été séduites par un cadeau et vraisemblablement des promesses. Quelle sorte d'homme pouvait avoir accès à des fichus bleu pastel? Car la couleur avait son importance, sinon, il n'aurait pas obligatoirement choisi la même pour les deux filles. La réponse s'imposa à Gervais qui en fit part à ses compagnons: il ne pouvait s'agir que d'un individu travaillant dans le domaine de la teinture au pastel.

— Je suppose qu'il y a une rue des teinturiers à Toulouse. Où se trouve-t-elle?

— De l'autre côté de la Garonne, lui apprit Fréchou. Mais il va falloir attendre qu'on nous y envoie: c'est trop loin pour s'y rendre entre deux courses.

Ce fut d'abord avec l'infirmier de Saint-Évroult, qui profitait d'un répit pour s'asseoir auprès du feu, que Gervais parla des pères Frémont et Damien. Le sujet vint dans la conversation lorsque le père Joseph leur relata sa visite à la bibliothèque le matin même. La joie du vieux moine était grande d'avoir découvert l'herbier.

— Les illustrations sont d'une précision remarquable, expliqua-t-il. J'ai pu le vérifier avec les espèces que je connais, ce qui m'inspire toute confiance en ce qui concerne la représentation de celles qui me sont étrangères. J'ai pu par exemple voir à quoi ressemble dans son milieu naturel la lavande que vous avez rapportée séchée d'Avignon à l'automne dernier. Et il y en a tant d'autres ! Je n'ai fait que commencer. Par bonheur, ce manuscrit est là pour plusieurs mois, je dispose donc de tout mon temps.

— J'ai remarqué que c'est le père Damien qui vous a accompagné en haut, je croyais que seul le père Frémont y avait accès.

— Le bibliothécaire devait être occupé ou absent, intervint le père Jude.

— En effet, répondit Gervais : frère Jérôme, le secrétaire de l'abbé, était venu le quérir un peu plus tôt.

— Le père Damien officie comme suppléant du père Frémont quand celui-ci est empêché.

— Depuis longtemps ?

— Depuis la mort du précédent. À l'époque, ils étaient deux à être capables de remplacer le bibliothécaire : les pères Frémont et Damien.

— Pourquoi n'y en a-t-il qu'un aujourd'hui ?

— Parce que personne n'a les compétences requises. Le père Frémont va former quelqu'un, mais celui-ci n'a pas encore été choisi.

— Si j'ai bien compris, être assistant est une étape obligée pour espérer occuper un jour la place de bibliothécaire. Puisqu'actuellement il n'y en a qu'un, si le père Frémont décède, ce sera automatiquement le père Damien.

— S'il meurt ou s'il est empêché de continuer pour cause de maladie, c'est déjà arrivé.

« Ou alors s'il est jugé indigne de ses fonctions » pensa *in petto* Gervais à qui cela ouvrait des perspectives.

Le cuisinier, à qui il rendit visite en quittant l'infirmerie, lui parla de frère Augustin, un copiste qui était de ses fidèles gourmands. Ledit gourmand était aussi bavard et un brin médisant, ce qui faisait de lui une bonne source d'informations.

— Il n'aime pas beaucoup le père Damien trop disposé à faire la leçon.

— Est-ce que celui-ci se contente de dire aux autres comment ils devraient se comporter ou bien donne-t-il l'exemple ? voulut savoir Gervais.

— J'ai l'impression qu'il est plutôt irréprochable, mais c'est un peu confus dans mon esprit. Je peux orienter la conversation dans ce sens la prochaine fois, si vous le pensez utile.

— J'ignore si cela me mènera quelque part, mais je m'intéresse à ceux qui ont accès à la bibliothèque. En réalité, sauf erreur, ils ne sont que deux. L'autre est le père Frémont dont je me demande s'il est dans son tempérament de faire preuve de négligence.

— C'est la théorie du père Damien, n'est-ce pas ?

— Oui. Il pense que les portes n'ont pas été fermées ce soir-là, ce qui a permis à quelqu'un d'extérieur, qui se serait d'abord introduit en catimini dans la clôture, d'arriver jusqu'au manuscrit.

— C'était bien ce qu'il prétendait, cela me revient. Un peu tiré par les cheveux, non ?

— Plus qu'un peu. Cela suppose beaucoup de coïncidences.

— Le père Frémont ne fait pas partie de mes visiteurs, le père Damien non plus, d'ailleurs : le peu que je sais sur le sujet me vient essentiellement de frère Augustin. Souvent, je ne l'écoute que d'une oreille, je dois l'avouer, mais je vais lui prêter plus d'attention.

Frère Lucas n'avait pas interrompu son travail en bavardant et la poulaille qu'il cloutait de girofle était prête. Il la plongea dans un chaudron dont le bouillon en ébullition fleurait le thym.

— Chaque fois que je pénètre ici, mon appétit se réveille, même si mon dernier repas est récent.

Le cuisinier attrapa un morceau de nougat sur une étagère.

— Goûtez ceci pour l'apaiser.

Gervais prit le temps de le déguster.

— Il est délicieux.

— Et très apprécié à Saint-Évroult. C'est l'une de mes recettes qui fait l'unanimité. Ce n'est pas le cas de toutes, mais l'abbé, qui a séjourné plusieurs années dans le sud du royaume, aime ce que je lui sers.

— Moi aussi. J'ai beaucoup de plaisir à retrouver ces saveurs dont le souvenir était enfoui dans ma mémoire.

XIV

Gervais fut empêché d'écrire par une invitation de l'abbé Crispin à l'accompagner au futur chantier du moulin à papier sous la conduite de frère Benoît. Le supérieur ne paraissait pas conscient de la maussaderie de son responsable de l'exploitation du ruisseau à moins qu'il ne s'en moquât. L'oblat de Neubourg, ne doutant pas que cette ostensible mauvaise humeur soit due à sa présence jugée superfétatoire par le moine, aligna son attitude sur celle de l'abbé Crispin et apprécia la promenade le long du cours d'eau sans se soucier du mécontent. Le printemps était pluvieux, comme de coutume, mais ce jour-là les intempéries faisaient relâche et il était agréable de marcher de bon matin au lieu de se pencher sur le pupitre du scriptorium. Parvenu à l'emplacement élu, frère Benoît entreprit de détailler les raisons qui avaient motivé le choix d'implanter le moulin en ce lieu.

L'abbé l'interrompit avec impatience.

— Passons, je sais tout cela. Messire d'Anceny l'a déjà expliqué lorsqu'il a conseillé de l'ériger ici. Faites-moi plutôt part de votre plan de travail et de vos démarches pour trouver un maître d'œuvre compétent.

Frère Benoît était d'autant plus furieux qu'il ne pouvait exprimer sa hargne, entièrement dirigée contre Gervais à qui il lançait des regards haineux. Sans doute avait-il réussi à se convaincre que ce choix était le sien et que l'oblat s'en était approprié la paternité. Ravalant sa contrariété, il s'exécuta.

— Bon, approuva l'abbé quand il eût terminé. Je vois que c'est bien parti. Vous viendrez me faire un rapport tous les matins.

Puis il invita Gervais à retourner au monastère avec lui, plantant là le moine de plus en plus frustré. Celui-ci, qui aurait pu tout aussi bien donner ses explications dans le bureau de l'abbé puisque les travaux n'étaient pas commencés, comprit qu'en réalité, l'intention de son supérieur avait été de marcher seul avec d'Anceny pour entretenir une conversation privée sans que cela y paraisse. Le moulin n'avait été qu'un prétexte. Pour sauver la face, il prétendit devoir surveiller les hommes occupés à curer un fossé et les laissa.

L'abbé voulait savoir où en était l'enquête. Gervais lui fit part de la conviction du père Damien qui attribuait le vol à quelqu'un de l'extérieur.

— Vous paraissez sceptique.

— Cela supposerait une conjonction de hasards à mon avis peu crédibles.

— Dans ce cas, le coupable est l'un de nous.

— Et le cercle est assez restreint, sauf si le père Frémont est étourdi et négligent.

— Il n'est ni l'un ni l'autre.

— C'était bien mon impression. Il semblerait qu'à part lui, seul le père Damien ait accès à la bibliothèque.

— Moi aussi, si je le souhaitais.

— Cela signifie-t-il que vous avez votre propre clé ?

— Comme pour toutes les clés du monastère, j'ai le double de celles du scriptorium et de la bibliothèque dont, soit dit en passant, je ne me suis jamais servi : je m'y rends pendant les heures où le scriptorium est ouvert.

— Où conservez-vous ces clés ?

— Dans mon bureau. Elles pendent à des clous fichés dans le mur.

— Lorsque je me suis présenté à votre bureau, il y avait votre secrétaire qui en défendait l'entrée. Est-il présent en permanence ?

— En principe, il reste là.

— La nuit, la pièce est fermée ?

— Oui. Et avant que vous me le demandiez, j'accroche la clé à ma ceinture, laquelle ceinture est déposée sur le coffre de ma cellule quand je dors.

— Et pendant le jour ?

— Après avoir ouvert la porte le matin, elle rejoint les autres sur le mur. Vous croyez que quelqu'un a emprunté les clés du corridor, de la salle capitulaire, du scriptorium et de la bibliothèque pendant la journée et les a remises le lendemain ?

— Peut-être. Frère Jérôme doit bien aller satisfaire un besoin naturel de temps à autre.

— Évidemment... Voilà qui complique les choses. Le champ des possibles s'en trouve considérablement élargi.

— Mais il demeure à l'intérieur de la clôture.

— Certes... Comment comptez-vous identifier le voleur ?

— Tout d'abord, je vais faire courir le bruit que j'accrédite la thèse du père Damien : il n'y a aucune chance de retrouver le manuscrit parce qu'il est déjà bien loin du monastère, emporté par un voyageur qui a profité de son passage à l'hostellerie pour s'en emparer. Je n'en demeurerai pas moins attentif aux discours des uns et des autres pour le cas où quelqu'un lâcherait une information. Mais avant cela, je vais interroger votre secrétaire.

— Fort bien. Je vous laisse toute liberté de procéder à votre guise.

— Je ne peux cependant rien vous promettre : si le manuscrit est effectivement sorti du monastère, c'est sans espoir. En revanche, s'il y est toujours, avec du temps et de la patience, on arrivera à débusquer le voleur et à récupérer l'objet du larcin.

— C'est que du temps, nous n'en avons pas à l'infini.

— Pourquoi cela ?

— Il va falloir que j'avise Nocé de la disparition du manuscrit.

La surprise de Gervais était évidente, et l'abbé Crispin, un peu gêné, dut s'expliquer.

— Je ne l'ai pas encore fait parce que j'espérais que nous le retrouverions, ce qui rendrait la démarche inutile. C'est la raison pour laquelle je vous ai demandé de garder l'événement secret.

— Malheureusement, tout le monde est au courant. C'est la première chose que j'ai apprise.

L'abbé eut un soupir de découragement.

— J'aurais dû m'en douter.

— Les membres du scriptorium l'ont su tout de suite par le père Frémont que la découverte du vol a bouleversé. Et ensuite… Dans un lieu clos, les nouvelles se propagent très vite.

— Oui, bien sûr. J'ai cru ce que je voulais croire. Mais cela change la donne: je ne peux plus atermoyer, car il serait fâcheux que l'abbé Giraud l'apprenne par un autre que moi.

— Si personne du monastère ne doit aller à Nocé prochainement, le risque n'est pas grand.

— Malheureusement, nous attendons l'abbé Giraud le dimanche après la Pentecôte. Bien que nous en ignorions la date exacte, nous commémorons chaque année le décès d'Orderic Vital ce jour-là.

— Nous avons donc deux semaines devant nous.

— Cela suffira-t-il?

— Hélas, je ne peux vous le promettre. Quelles conséquences craignez-vous si nous ne retrouvons pas le manuscrit?

— Que cela jette le discrédit sur le responsable de la bibliothèque, pour commencer, et puis sur moi qui l'ai nommé. Si nous sommes jugés incompétents, cela entraînera des destitutions.

— Pensez-vous que cela pourrait être la raison du vol?

— Que voulez-vous dire?

— Que la personne qui l'a dérobé ne s'intéressait pas au manuscrit, mais que son but était de porter tort au père Frémont ou à vous-même.

— Je ne l'avais pas envisagé sous cet angle…

— La nomination du bibliothécaire est récente. Est-ce qu'il y avait un autre candidat à ce poste ? Quelqu'un qui aurait pu être déçu d'avoir été évincé ?

— Le père Damien.

Comme par hasard, pensa Gervais, c'est lui qui a une théorie explicative qui incrimine le bibliothécaire.

— Vous êtes à la tête de Saint-Évroult depuis l'été dernier, si je ne m'abuse ?

— C'est bien cela. Et vous voulez savoir, je suppose, si la place était convoitée ?

— J'imagine qu'elle l'était. Elle est prestigieuse.

— Vous avez raison. À commencer par le père Côme, l'assistant de mon prédécesseur, qui était en droit de l'espérer, mais il a eu une grave maladie et j'ai été choisi.

— A-t-il guéri ?

— Oui. Et c'est quasiment miraculeux.

— Est-il toujours à Saint-Évroult ?

— Certainement. Dès qu'il a été remis, il a repris son rôle et c'est maintenant moi qu'il aide. Son concours est irremplaçable parce que je viens de l'extérieur et que lui connaît parfaitement le fonctionnement du monastère. Cependant, à moins que je ne me trompe, c'est un homme éloigné de toute mesquinerie.

— Quelqu'un d'autre aurait-il pu briguer votre position ?

— On avait parlé, je crois, du père Frémont, mais il n'a jamais administré de biens temporels, ce qui ne le rend pas qualifié. Et puis la bibliothèque est son milieu naturel, il y est à sa place.

— Attendez encore un peu avant d'avertir Nocé. Pour avoir des chances de découvrir la vérité, il faut d'abord endormir la méfiance du coupable. Si vous glissiez dans le creux de quelques oreilles bien choisies que je vous ai déçu et que ma réputation est usurpée, cela pourrait m'aider.

— Je ferai comme vous le souhaitez, mais je ne peux vous donner que quelques jours.

Ils se quittèrent au moulin banal où l'abbé Crispin avait à faire. Gervais continua jusqu'au bureau du supérieur pour s'entretenir avec son secrétaire. Il frappa et, n'obtenant pas de réponse, poussa le vantail et entra. Il n'y avait personne. C'était l'occasion idéale de vérifier s'il était possible de dérober les clés. Le moine avait-il verrouillé la porte du bureau avant de partir ? Non. Gervais pénétra dans la pièce et vit, accrochées au mur, de nombreuses clés. Rien de plus facile que d'en prendre une. Encore fallait-il savoir laquelle. Mais il constata que cela non plus ne posait pas de difficulté : au-dessus de chaque clou supportant des clés, il y avait un petit dessin. La plus grosse était associée à une porte entourée d'une double tour : c'était celle de l'entrée du monastère. Et il en allait de même pour l'église, l'hostellerie, la cave aux vivres… De manière parfaitement claire, le scriptorium et la bibliothèque étaient désignés par le croquis d'un manuscrit. De plus, il y avait assez de clés pour qu'une absence passe inaperçue. Gervais eut le temps de ressortir sans que quiconque se manifeste. La démonstration était faite : n'importe qui pouvait prendre les clés et les rapporter impunément.

Il se rendit ensuite aux cuisines. En traversant la cour, il croisa frère Jérôme. Le secrétaire s'arrêta pour lui demander - avec la mine d'un initié alors que tout le monde était au courant - si sa mission était en voie d'aboutir. Gervais saisit l'occasion de lui confier, sur un ton navré, qu'à son avis, le manuscrit était loin de Saint-Évroult et qu'à moins d'une chance inouïe, on ne remettrait pas la main dessus. Le moine hocha la tête dans une mimique désolée, mais Gervais eut le temps de voir un éclair de satisfaction dans son regard. Pourquoi était-il content de son échec ? Parce que cela rabaisserait le caquet de cet étranger qui croyait éclaircir les mystères de Saint-Évroult qu'il ne connaissait pas ou bien à cause du tort que cela causerait à l'abbé Crispin et au bibliothécaire ? Il ne fallait pas négliger de s'informer au sujet de frère Jérôme. Ce jeune moine ne lui faisait guère bonne impression. À son premier contact, il l'avait trouvé arrogant, infatué de lui-même et résolu à abuser du petit pouvoir que lui conférait sa fonction, mais il avait constaté par la suite qu'il était prêt à ramper devant l'autorité. Avait-il une ambition personnelle ?

Affairé à dépouiller de grosses anguilles qu'il prenait vivantes dans une seille d'eau où elles se tortillaient, le frère cuisinier accueillit Gervais avec bonhomie.

— Si vous voulez m'aider, vous êtes le bienvenu. Mon Paulin est trop maladroit : il laisse une part de la chair adhérer à la peau.

Gervais accepta volontiers. Armé d'un couteau effilé, il incisait d'un geste sûr l'arrière de la tête, soulevait un fragment de peau et tirait d'un coup sec pour la décoller. Il donnait ensuite l'anguille encore frémissante à frère Lucas qui la découpait en tronçons avant de la jeter dans un chaudron qui bouillonnait. Ce faisant, ils devisaient.

— J'ai appris que vous ne vous êtes pas fait un ami de frère Benoît.

— Vous le savez déjà !

— Paulin est passé à proximité de votre trio pendant que vous discutiez de l'emplacement du moulin. Il a laissé traîner ses oreilles et puis m'a rapporté l'échange. Il est beaucoup plus doué pour collecter les ragots que pour cuisiner.

— C'est pour cela que vous le gardez ?

— Au vrai, personne n'en veut. Il a commencé au scriptorium, mais il s'est révélé incapable d'apprendre à écrire proprement. Envoyé à l'écurie, il a si mal nettoyé les pâturons de la mule de l'abbé qu'elle a développé un kyste et qu'on a failli la perdre. Le frère palefrenier l'a chassé à grands coups de pied au derrière. Il est ensuite passé par le jardin où il a également fait des dégâts et a fini par atterrir ici où il n'est pas plus doué.

— Mais vous, vous ne le chassez pas.

— Il faut bien qu'il aille quelque part. Comme il aime manger, je ne désespère pas de parvenir à l'intéresser aux chaudrons.

— Si je ne m'abuse, il n'est pas souvent à la cuisine : je ne l'ai encore jamais rencontré.

— Effectivement : il est toujours à fouiner. Mais comme je suis friand de nouvelles et qu'il me rapporte ce qu'il a appris, je le tolère.

— Ce serait un bon assistant pour un enquêteur. Il faut toutefois savoir garder les secrets, sinon les suspects se méfient et il devient difficile de les démasquer.

— Il les garde très bien. Je suis le seul à qui il raconte ses découvertes, car il n'a pas envie de se créer des ennuis. Voulez-vous que je lui demande de vous aider ? Il n'en serait pas peu fier.

— Ma foi, de l'assistance ne peut pas nuire.

— Vous n'avez rien appris ?

Gervais hésita un peu à le mettre dans la confidence, mais s'il espérait la collaboration du cuisinier, il devait faire preuve de bonne volonté. Paulin arriva sur ces entrefaites avec un panier débordant d'épinards, d'oseille, de persil et de sauge.

— Il était temps ! s'exclama le cuisinier. Il aurait fallu faire bouillir tout cela avant de cuire les anguilles. Dépêche-toi de hacher ces herbes et jette-les dans le chaudron à mesure.

Le garçon s'empressa, pendant que Gervais, qui s'était décidé à leur faire confiance, informait le cuisinier, et son aide qui écoutait avidement, de ses hypothèses quant à la disparition du manuscrit.

— Tu vas assister l'oblat d'Anceny, Paulin. Personne ne fait attention à toi, ce qui te permet de savoir bien des choses.

— Avec plaisir ! s'exclama le garçon.

— N'oublie pas que tu ne dois parler qu'à nous deux. On est les seuls à connaître la vérité sur cette enquête.

— Bien sûr !

Il se trémoussait d'excitation et le résultat ne se fit pas attendre : le couteau manié avec maladresse entama la chair d'un doigt qui se mit à saigner. Frère Lucas prit une guenille pour étancher le sang, mais cela coulait fort.

— Tu ne pourrais pas faire attention ? Tu mériterais une gifle.

— Je ne crois pas que ce serait un remède très efficace, intervint Gervais.

— Je sais bien, soupira le cuisinier accablé. C'est juste pour parler.

Gervais examina la blessure qui était assez profonde.

— Il faudrait mieux recoudre, diagnostiqua-t-il. Je vais t'accompagner chez le barbier.

— Non ! Non ! s'insurgea Paulin.

— On n'en meurt pas, regarde.

Il se pencha afin de montrer au garçon la cicatrice qui balafrait sa tonsure. Loin de le rassurer, cela le terrifia davantage.

Le cuisinier coupa court à ses protestations :

— Tu n'as pas le choix, cette coupure saigne trop.

Contraint d'obéir, il suivit l'oblat avec la mine d'un condamné à la potence. Frère Lucas avertit Gervais :

— Ne le lâchez pas tant qu'il n'est pas dans les mains du barbier, sinon, il n'ira pas.

Lorsqu'ils furent hors de la cuisine, Gervais demanda à Paulin :

— Je peux te considérer comme mon assistant ?

— Oh oui, messire oblat !

Cette proposition, qui le ravissait, lui permit d'oublier un instant son infortune.

— Dans ce cas, commençons tout de suite. Que peux-tu m'apprendre au sujet du secrétaire de l'abbé ?

— Il est sournois.

— Mais encore ?

— Mielleux par-devant et prêt à poignarder par-derrière.

— Hé bien ! Tu y vas fort.

Paulin, réalisant qu'il ne connaissait pas son interlocuteur, un protégé de l'abbé Crispin, et que sa franchise pouvait lui porter tort, essaya de nuancer.

— Enfin, je veux dire…

— Je crois que tu as dit ce que tu voulais dire. Ne crains rien, cela restera entre nous. Puisque frère Lucas te fait confiance, moi aussi.

Le garçon s'épanouit, mais son expression de plaisir fut de courte durée parce qu'ils étaient parvenus à la porte du barbier. Avant de laisser le moinillon aux mains de celui qu'il considérait comme un bourreau en puissance, Gervais lui demanda d'avoir l'œil sur frère Jérôme et de lui rapporter ce qu'il apprendrait. L'aide-cuisinier promit et Gervais l'abandonna à son sort.

XV

Gervais venait de détruire les illusions du père Frémont qui avait espéré que l'oblat de Neubourg le sauverait du déshonneur. Lorsqu'il lui avait dit qu'à son avis, le manuscrit, volé par quelqu'un d'extérieur au monastère, était à l'heure actuelle hors d'atteinte, le malheureux s'était décomposé. La nouvelle avait été relayée par le copiste le plus proche de l'estrade qui avait tout entendu et Gervais avait gagné son pupitre sous le regard ironique des scribes. Leur expression signifiait sans le moindre doute : « Pour qui se prenait-il donc, celui-là ? » Mais ils pouvaient bien se moquer, Gervais n'en avait cure. Le seul à l'intéresser était le père Damien et il ne fut pas déçu : si lui aussi était satisfait de son échec, c'était du soulagement qu'il semblait montrer. Le plan était en place, il n'y avait rien d'autre à faire pour le moment. Sans plus penser à son entourage, Gervais se mit à écrire :

Jaufré ayant chargé dame Robine d'un message pour son principal client toulousain, messire Dutech envoya les garçons de courses l'en avertir.

— Il faut trouver Sénarens, déclara Fréchou en sortant de l'échoppe. On va au faubourg Saint-Cyprien.

Il prit la rue de la Trilhe jusqu'à une fontaine où traînaient quelques galopins. Sénarens n'y était pas et ses compagnons habituels ne l'avaient pas vu. Il essaya ensuite les rues du Pont Viehl, du Potz Rodei et des Moulins sans plus de succès.

Agacé, il marmonnait entre ses dents :

— Où il est passé ? Il va falloir y aller, on peut plus attendre.

C'est alors que Sénarens se matérialisa à l'angle de la rue des Lanternes, sorti d'ils ne savaient où.

— J'ai un message pour la rue des Teinturiers, lui dit Fréchou, tu viens ?

— Allons-y.

Ils longèrent les quais jusqu'au pont de la Daurade puis traversèrent la Garonne. Sur la rive gauche du fleuve les odeurs étaient plus prégnantes. Les forts arômes émanant des chaudrons des tripiers, dans la rue qui portait leur nom, les firent saliver, mais ils ne tardèrent pas à être supplantés par les relents infects de l'industrie des teinturiers. Chemin faisant, ils croisèrent des lépreux agitant leur clochette, et Gervais, qui s'étonnait de leur nombre, apprit que la rue des Teinturiers longeait la léproserie. Le voisinage des malades et des activités artisanales malodorantes expliquait la modestie des habitants du quartier. Dans ces venelles populeuses, beaucoup de gens étaient vêtus de guenilles. Certains arboraient des mines patibulaires, et les passants, soucieux de ne pas avoir l'air de les provoquer, s'effaçaient devant eux. Il flottait sur tout le faubourg Saint-Cyprien une impression de danger latent.

Fréchou, qui n'en était pas à sa première visite, se dirigea directement vers l'atelier de maître Gardelle. L'odeur qu'exhalait la cuve dont le contenu était remué par deux hommes aux bras musclés surpassait en pestilence, si cela était possible, celles du voisinage.

— Ils teignent de la laine au pastel, l'informa Fréchou.

Comment une nuance de bleu si délicate pouvait-elle sortir de cet infâme brouet ? se demanda Gervais. Mais le Parisien n'était pas au bout de ses surprises : alors que Fréchou attendait que le teinturier en finisse avec un jeune homme qu'il accablait d'explications sur le processus de la teinture au pastel, il vit avec sidération

trois individus dénouer leur aiguillette et uriner dans la cuve. À la vue de son ahurissement, ses deux compagnons s'esclaffèrent, ce qui était tout aussi déconcertant que les pratiques des ouvriers teinturiers. Ainsi donc ces deux garçons taciturnes savaient rire.

Fréchou consentit à éclairer sa lanterne.

— Ils mélangent la poudre de pastel avec du pissat. Imagine-toi donc que ces hommes sont payés pour pisser et que le patron leur fournit la bière.

Sénarens, qui n'avait encore rien dit, commenta :

— C'est un bon métier.

Gervais, curieux de tout, écoutait les explications de maître Gardelle tandis que ses compagnons dévisageaient les ouvriers en catimini dans l'espoir de reconnaître l'un d'eux qui aurait traîné dans leur quartier pour séduire les victimes. Le jeune homme bien mis auquel le teinturier dispensait sa leçon avait du mal à cacher son dégoût. Comme Gervais, il avait eu un haut-le-corps en découvrant qu'il fallait uriner dans la cuve et, parvenu devant celle qu'un feu maintenait à une température idéale et constante, il ne put s'empêcher de protéger son nez avec sa manche. Les effluves étaient si forts que leurs yeux larmoyaient.

— C'est la pisse qui chauffe. Ne vous inquiétez pas, on s'y habitue.

Le jeune homme paraissait en douter. Il y avait une série de cuves et maître Gardelle passait de l'une à l'autre afin de préciser à quel stade en était la teinture.

— Voyez : ici, on trempe la laine une première fois. Il ne faut pas l'y laisser trop longtemps. On la plonge quand la cloche des Bénédictines sonne l'heure et on l'enlève en entendant la demie.

Il montra la corde à laquelle pendaient des tissus de diverses nuances de bleu.

— On fait sécher et ensuite on recommence jusqu'à la bonne couleur.

Désignant la dernière pièce, il s'extasia :

— Regardez comme elle est belle !

Le jeune homme en convint. Il était fort pâle et, cela semblait échapper à son mentor, complètement dépourvu d'enthousiasme.

— Je vous libère jusqu'à demain. Allez faire la connaissance de ma fille.

L'ultime réplique de maître Gardelle donnait la clé de la scène dont Gervais avait été le spectateur: le teinturier avait montré à son futur gendre, lequel devait vouer ses parents aux gémonies de lui avoir arrangé un tel mariage, à quoi il occuperait désormais ses journées. La pensée lui vint de son frère, uni à Margaux qu'il n'avait jamais rencontrée auparavant, et qui était la plus belle damoiselle qui fût. Rien n'assurait que le jeune homme pâle aurait autant de chance.

Maître Gardelle devenu libre, Fréchou s'en approcha de manière qu'il le vît.

— Je te connais, galopin.

Les sourcils froncés, il réfléchissait. Fréchou allait se présenter lorsqu'il l'arrêta.

— J'y suis: tu es le garçon de courses de messire Dutech. Tu m'apportes un message?

— Dame Robine revient de Gardouch. Elle doit vous parler de la part de messire Jaufré.

— Dis-lui que j'irai demain.

Il retourna vaquer à son travail tandis que Fréchou retrouvait ses compagnons qui l'avaient attendu en retraït.

— Vous avez reconnu quelqu'un? leur demanda Gervais.

— Les deux de la première cuve, répondit Sénarens du ton de celui qui ne croit pas avoir trouvé ce qu'il cherchait.

Effectivement, ils n'étaient ni jeunes ni beaux, loin s'en fallait. Le cadeau d'un fichu n'aurait pas pu le faire oublier.

— Ce sont les seuls à utiliser le pastel?

— Non, leur apprit Fréchou. Il y a un autre client de messire Jaufré.

Ils se mêlèrent à la population affairée pour se rendre jusqu'à l'atelier en question devant lequel ils déambulèrent lentement afin

de bien observer tous les ouvriers. Ici non plus, il n'y en avait aucun pourvu d'un physique propre à inciter des damoiselles à rêver. Pour ne pas se faire remarquer, ils allèrent jusqu'au bout de la venelle, puis revinrent sur leurs pas. Et là, ils virent un homme, absent à leur premier passage, qui correspondait aux critères voulus. Bien que nettement plus âgé que les victimes, il était encore jeune, avait un visage avenant et une belle carrure. De plus, il était correctement vêtu.

— C'est Daran, le contremaître de messire Boyer, les informa Fréchou. Il est déjà venu à la maison Dutech pour rencontrer messire Jaufré.

— Je l'ai vu avec eux à la taverne de la Trilhe, dit Sénarens, la bouche dure et les poings serrés.

Ce teinturier là faisait un potentiel coupable beaucoup plus crédible que les deux autres. Fréchou calma Sénarens qui avait l'air déterminé à lui sauter à la gorge.

— Il est beaucoup plus fort que toi, tu ne vas réussir qu'à prendre une rouste.*

— Et puis, ce n'est peut-être pas lui, ajouta Gervais.

— Qui ce serait ? répliqua Sénarens avec agressivité. C'est là que travaillait Marion.

— Si on veut le faire pendre, il faut des preuves. Tout ce que nous savons à son sujet, c'est qu'il s'est déjà trouvé au même endroit que ta sœur et qu'il a pu se procurer les fichus.

De crainte qu'un argument supplémentaire n'incite Sénarens à un fâcheux coup d'éclat, il ne leur communiqua pas une évidence qui venait de le frapper : la laine teinte en pastel dans laquelle étaient taillés les fichus coûtait cher et devait être impossible à voler. Il fallait donc que l'individu soit financièrement à l'aise, ce qui éliminait les simples ouvriers pour diriger les soupçons sur un homme plus fortuné, comme un contremaître, par exemple.

Tandis que Fréchou demeurait à l'échoppe, Gervais alla délivrer la réponse de maître Gardelle à dame Robine. Celle-ci, qui donnait à Martin une leçon de lecture, lui fit signe d'attendre et retint son petit-fils qui se levait de son tabouret.

— Tu termines avant, lui ordonna-t-elle d'un ton sévère.

L'enfant, qui aurait sans doute protesté avec sa mère, obéit sans rechigner. Comme c'était la coutume dans les familles bourgeoises, dame Robine lui montrait ses lettres dans un livre d'heures. Gervais avait lui-même appris à lire dans celui de sa mère, qui le lui prêtait ensuite, s'il avait bien travaillé, pour qu'il en admire les illustrations. C'était là, sur la page de garde, qu'étaient notées les dates importantes. Son père avait dû y inscrire celle du décès de Gildas, puis du mariage de François.

Lorsque dame Robine délivra Martin, il se précipita sur son ami.

— Tu m'emmènes en promenade ?

— Il faut demander à ta grand-mère.

Dame Robine donna son autorisation et Martin, ravi, prit la main de Gervais. En traversant l'échoppe, il s'arrêta pour embrasser sa mère. Fréchou était déjà reparti effectuer une autre course et Gervais conduisit l'enfant sur le port où il aimait voir décharger les bateaux. C'était ce jour-là des barils de vin de Bordeaux et il y avait force beaux messires sur le quai pour les réceptionner. Au retour, il tomba sur Fréchou et Sénarens en grand conciliabule. Il attendit qu'ils aient fini puis emboîta le pas à Fréchou.

— Quel travail faisait Marion à la taverne de la Trilhe ? lui demanda-t-il.

— Porter le bois ou l'eau à la cuisine, nettoyer les saletés quand un ivrogne avait vomi…

— Les clients avaient des chances de la voir ?

— Il arrivait qu'elle serve aux tables quand il y avait beaucoup de presse.

— C'est une fille qui la remplace ?

— Oui, Berthe. Une autre sœur de Sénarens.

— Elle est peut-être en danger.

— Elle est surveillée et Daran aussi maintenant.

— Il ne peut pas le faire seul.

— T'inquiète pas, il est pas seul.

Il n'en dit pas davantage. Gervais supposa que Sénarens faisait partie d'un groupe de garnements qui, à en juger par les hardes de ceux qu'il avait aperçus, survivaient en pratiquant la mendicité ou le vol à la tire, ou bien les deux. Habitués à se fondre dans la populace, ils feraient des guetteurs efficaces.

XVI

Après s'être entretenu avec l'infirmier, le secrétaire de l'abbé, le cuisinier et son aide, Gervais se dit qu'il était temps de laisser venir à lui ceux auxquels il n'avait pas pensé et qui souhaiteraient lui donner leur opinion. Le meilleur moyen était de fréquenter le déambulatoire du cloître avant le repas du soir, au moment où les copistes se dégourdissaient les jambes après une longue journée d'écriture. C'était là que le père Damien l'avait abordé, et il le fit de nouveau dès qu'il découvrit sa présence.

— La rumeur prétend que vous vous êtes finalement rangé à mon opinion, lui dit-il après quelques considérations sur la sempiternelle pluie normande.

— Malgré mes réticences premières, j'en suis effectivement venu à conclure qu'il ne pouvait en être autrement.

— C'est fâcheux pour notre bibliothécaire, se désola hypocritement le scribe.

— Et pour l'abbé, ajouta Gervais.

— L'abbé n'y est pour rien, se récria-t-il, ce n'est pas lui qui a oublié de fermer la porte.

— Mais c'est lui qui a nommé une personne peu fiable.

— Il est vrai… Reste à savoir comment tout cela va finir. Nocé n'appréciera pas. Il faudra bien pourtant que l'abbé se décide à avertir notre supérieur.

Sur cette remarque, qui sonnait presque comme une menace, le père Damien salua son interlocuteur et s'éloigna en sortant son bréviaire.

Gervais ne demeura pas longtemps seul : frère Augustin, qualifié de bavard par le cuisinier, se porta à ses côtés.

— Le père Damien s'intéresse beaucoup à vous, insinua-t-il. Aussitôt qu'il vous voit libre, il vient vous parler.

« Toi aussi », pensa Gervais amusé. Mais cela tombait bien, parce que frère Augustin était justement la personne avec laquelle il avait envie de s'entretenir. Sur le ton de la confidence, il lui apprit que le père Damien avait été d'une grande utilité puisqu'il lui avait suggéré la clé de l'affaire.

— Que quelqu'un de l'extérieur s'est introduit dans la bibliothèque pour voler le manuscrit ? C'est finement pensé, persifla-t-il.

— Vous croyez que c'est impossible ?

— Pas vous ?

— Si au monastère tout le monde est insoupçonnable, il n'y a guère d'autre solution.

— D'où tenez-vous qu'il n'y a ici que des saints ? L'ambition n'épargne pas les hommes de Dieu.

— Je ne vois pas le rapport entre l'ambition et le désir de s'approprier un manuscrit.

— Vraiment pas ?

— …

— Ce vol discrédite le bibliothécaire et celui qui l'a nommé.

— Et… ?

— Ils pourraient perdre leur place.

— Au profit de qui ?

— Qu'en sais-je, moi ? Mais si le mystère est résolu, il n'y a plus à spéculer.

— Il s'agirait en effet de pure spéculation : il n'y a pas le début d'une preuve de culpabilité interne.

Le bavard, dont le but avait été de semer la graine du doute, quitta Gervais sur un « Hum » résumant la piètre opinion qu'il avait de son vis-à-vis. Celui-ci, qui jugeait plus avantageux de jouer les naïfs, espérait que frère Augustin, qui en réalité voyait l'affaire sous le même jour que lui, pourrait, dans son désir de le convaincre, s'employer à rechercher les preuves qui manquaient. Connaissant les aîtres et les gens, il était mieux placé que lui pour cela.

Au réfectoire, il y avait à la table de l'abbé Crispin où celui-ci avait mangé seul depuis leur arrivée un religieux que Gervais n'avait encore jamais vu. Son voisin lui apprit qu'il s'agissait du père Côme.

— L'assistant de l'abbé, si je ne m'abuse ?

— C'est bien lui.

— J'ai entendu dire qu'il a été malade.

— Très malade. À tel point que sa guérison est perçue comme un miracle.

— Son absence des derniers jours est-elle due à une rechute ?

— Pas du tout : il se porte comme un charme. Il était en retraite.

Pour autant qu'il pût l'observer de sa place, le père Côme avait un visage sévère, mais à une phrase de l'abbé Crispin, il sourit, lui évoquant le père Joseph et sa gentillesse. Cela le rendit d'autant plus curieux de faire sa connaissance, car sans sa maladie, c'était lui qui aurait dû être abbé. Comme l'avait souligné frère Augustin, en déconsidérant le bibliothécaire, le vol du manuscrit faisait également du tort à celui qui l'avait nommé. S'ils étaient blâmés, l'abbé Crispin et le père Frémont pourraient être destitués au profit du père Côme et du père Damien. L'idée d'un plan démoniaque pour obtenir ce résultat avait du sens, mais dans ce cas, il faudrait découvrir si c'était à l'instigation des deux bénéficiaires ou d'un seul, ou bien à leur insu, du fait d'un individu y trouvant un avantage qui n'était pas évident au premier abord.

Résolu à s'entretenir avec le père Côme dès le lendemain matin, Gervais se présenta après tierce au bureau qu'il partageait avec l'abbé afin de le rencontrer. Frère Jérôme lui apprit en affectant un air mystérieux qu'il était occupé avec des visiteurs importants pour un temps indéterminé. Cette petite supériorité d'être dans le secret donnait au secrétaire une expression satisfaite fort irritante. Face à frère Jérôme, l'indulgence de Gervais pour les travers humains se réduisait à la portion congrue et il se surprit à imaginer avec un plaisir coupable qu'il lui bottait les fesses.

Puisque sa rencontre avec l'assistant de l'abbé était retardée, il n'avait plus qu'à se rendre au scriptorium, mais avant, il fit un détour par l'église afin de se repentir dans la prière de ses mauvaises pensées à l'égard du jeune moine. Désormais apaisé, il se mit au travail sous le regard désolé du père Frémont qui devait se dire que la résolution de son problème n'intéressait pas beaucoup celui qui lui avait été abusivement présenté comme un enquêteur efficace.

Le point de ralliement de Sénarens et de sa bande était la place de la Pierre où se tenait chaque jour un marché très fréquenté. Ils se retrouvaient derrière un étal de dépouilles de renards et autres animaux sauvages, lieu discret parce que sa forte odeur de charogne éloignait les chalands. D'ordinaire, lorsque Fréchou allait rejoindre son ami, Gervais et lui se séparaient avant d'y accéder, mais dans les jours qui suivirent l'expédition sur la rive gauche de la Garonne, il lui permit de l'accompagner. Sénarens fit le point sur ses surveillances.

Celle de la taverne de la Trilhe où avait travaillé Marion, maintenant remplacée par Berthe, sa deuxième sœur, n'avait donné aucun résultat: Daran, le contremaître de messire Boyer ne s'y était pas montré, ni aucun des ouvriers qu'ils avaient vus au faubourg Saint-Cyprien.

— Alors, c'est pas Daran le coupable, conclut Fréchou.

— Pourquoi non? s'offusqua Sénarens. C'est pas parce qu'il est pas revenu sur cette rive qu'il a rien à se reprocher. Le Daran, il s'intéresse beaucoup aux jeunes filles.

L'observation de l'atelier de la rue des Teinturiers lui avait permis de découvrir que ledit Daran en fréquentait plusieurs et que sa vie sentimentale s'en trouvait compliquée. Il raconta une scène qui avait eu lieu sous ses yeux. Le père d'une des conquêtes du contremaître était venu s'informer de ses intentions. Daran l'avait pris de haut, se récriant que la damoiselle se faisait des illusions, qu'il avait seulement été aimable avec elle et qu'il n'avait jamais été question de l'épouser comme elle le prétendait. Le père s'était énervé, affirmant que sa fille n'était pas une menteuse. Il avait traité Daran de maraud, de fripon, de pleutre, de gredin, de pendard, de gueux… D'autres choses encore que Sénarens n'avait pas retenues tandis que les ouvriers remuaient le brouet tinctorial en riant sous cape. Le père outragé se faisait menaçant, mais l'interpellé, qui était jeune et fort ne comptait pas se laisser malmener et ils étaient sur le point d'en venir aux mains quand maître Boyer parut et calma le jeu. Le père finit par s'en aller en promettant au séducteur une volée de coups de bâton s'il revenait tourner autour de sa fille. Messire Boyer avait ordonné à Daran d'un geste sec de le suivre en arrière, et lorsque le contremaître était réapparu, il avait la mine piteuse.

Fréchou n'était pas convaincu pour autant.

— Bon, d'accord, c'est un femnassièr. Mais elles l'intéressent pour les potonejar*, pas pour les escanar*.*

— On en sait rien. Qu'est-ce que t'en penses, toi, le Parisien ?

Selon Gervais, il ne fallait pas rayer Daran de la liste des coupables potentiels, même si rien d'objectif ne l'accusait.

— La liste ? Quelle liste ? se moqua Sénarens. C'est le seul qu'on a.

— Réfléchissons aux éléments dont nous disposons : Daran travaille pour un teinturier spécialisé dans le pastel.

— Il peut donc se procurer les fichus.

— Oui. C'est bien pour cette raison qu'on a pensé à un ouvrier dans ce domaine. De plus, il aime les jeunes filles.

— Et on l'a déjà vu à la taverne de la Trilhe.

— Ce n'est pas suffisant pour affirmer que c'est lui, mais il ne faut pas l'exclure non plus. Tout en continuant de le surveiller, on doit essayer de découvrir s'il n'y a pas un autre homme qui aurait pu le faire.

Cette complicité dans la recherche du meurtrier avait créé une sorte de camaraderie avec Fréchou qui, par ricochet, changea la perception que les employés de l'échoppe avaient du nouveau venu. Qu'il se soit fait accepter – tolérer était peut-être plus juste, mais c'était déjà beaucoup – par la bande de Sénarens faisait de Gervais autre chose qu'un fils de bourgeois protégé par le maître en raison de l'amitié que celui-ci avait pour son père. Ces garçons n'étaient certes pas des gibiers de potence, mais tout de même de petits filous qui évoluaient en cercle fermé. Gervais y perdit sans regret le sobriquet « Topi » pour celui de « Parisien » qui, au contraire du premier, ne l'identifiait pas comme un idiot. Il le cantonnait cependant dans son statut d'étranger. De toute manière, il ne pouvait espérer mieux avec cet accent dont il ne parvenait pas à se débarrasser, sans compter les lacunes de son vocabulaire. Même s'il progressait, il lui faudrait encore longtemps pour posséder toutes les nuances de la langue, surtout dans la forme imagée et elliptique pratiquée par les garçons de la rue. La conversation à la table des maîtres lui était beaucoup plus accessible.

Elle portait, comme souvent, sur un conflit opposant des revendeurs qui dressaient leurs étals dans les rues avoisinant le marché de la Pierre aux habitants du quartier que cela gênait.

— Ils rendent la circulation difficile et encombrent l'entrée des échoppes, fulminait dame Robine. Ils nous font perdre des clients.

Émilien essaya de minimiser l'inconvénient.

— Ils n'offrent pas les mêmes produits que nous : les leurs sont de qualité bien inférieure.

— Mais s'ils n'étaient pas là, c'est chez nous que les gens achèteraient, quel qu'en soit le prix, rectifia messire Dutech que le sujet

fâchait autant que son épouse. Quand je pense que la loi qui leur interdit de s'installer dans notre quartier date de la jeunesse de mon grand-père et que nous sommes toujours en procès pour la faire appliquer! s'indigna-t-il.

Dame Robine ricana.

— On ne verrait pas cela à Gardouch. C'est comme pour attraper les assassins…

Avant qu'elle ne développe un sujet qu'elle affectionnait autant qu'il lassait ses proches, Émilien enchaîna avec son prochain départ aux foires de Pézenas. Elles avaient lieu en juin et l'objectif des Dutech, en s'y rendant, était tout autre que celui qui les conduisait en Champagne. S'ils n'allaient dans le nord du royaume que pour se procurer des tissus de luxe qu'ils revendaient à leur clientèle toulousaine, à Pézenas ils écoulaient aussi les articles de leur propre production. Émilien convoierait les charrettes de laine provenant du Haut Comminges où son père avait racheté le domaine d'un seigneur désargenté. Exploité par Arnaut Lapeyre, le mari d'Augustine, la fille cadette, leur troupeau de moutons fournissait une laine burèle destinée à fabriquer les étoffes grossières dans lesquelles étaient taillés les frocs des moines. La cité d'Avignon n'étant pas très éloignée de Pézenas, il y avait une forte demande pour ces sortes de tissus.*

La conversation ennuyait Gervais qui observait ses commensaux pour se distraire. Le changement d'attitude de dame Marie depuis l'arrivée de sa belle-mère était tangible. En l'absence de l'aïeule, elle participait aux échanges, donnait des ordres à la servante, riait aux plaisanteries. Des plaisanteries, à table, il n'y en avait plus guère, la raideur de dame Robine ne les encourageant pas. Gervais, qui avait tendance à projeter sur dame Marie ses souvenirs de Margaux, aurait souhaité pour elle une existence plus heureuse. La jeune femme devait avoir hâte que ses beaux-parents se retirent et leur laissent l'affaire, mais il ne semblait pas en être question: dame Robine était visiblement faite du bois de ceux qui s'imposent jusqu'à leur dernier souffle. Il réalisa soudain qu'il y avait un silence et que tous les regards étaient dirigés vers lui.

— Tu dors à table, Topinol ? se moqua gentiment Émilien.

— Excusez-moi, bafouilla-t-il.

Messire Dutech expliqua :

— Je disais à Émilien de t'emmener à Pézenas. Tu te familiariseras avec un autre aspect de nos activités, et au retour, on commencera ta formation de marchand à l'échoppe.

C'était si inattendu que Gervais ne sut tout d'abord s'il devait ou non s'en réjouir. Ses souvenirs de Provins l'incitaient à penser que ce serait un épisode agréable. Et puis, la foire languedocienne serait très différente de la champenoise et il avait envie de découvrir en quelle façon. Il y avait aussi, à quelques lieues, la mer dont il rêvait depuis qu'il l'avait vue sur une enluminure à laquelle la mère de Mélie apportait la dernière touche. Au premier plan un évêque bénissait un navire avant qu'il ne mette à la voile. Encore vide d'hommes, le bâtiment était prêt à accueillir quiconque souhaiterait embarquer. Comment ne pas se laisser séduire par cette invite placée sous la protection du Seigneur ? Et par la beauté de la mer qui déclinait ses bleus, du plus foncé au plus lumineux, pâle à en paraître argenté. Les montagnes au loin, la ville fortifiée entre horizon et port, également représentées dans des nuances de bleu, tout parlait de douce aventure. La mer était-elle assez proche pour espérer y aller ? Il faillit poser la question et se retint juste à temps : leur objectif était de travailler, pas de se promener. Ce qui était sûr, c'est que la ville ne ressemblerait pas à celles qu'il connaissait, à vrai dire peu nombreuses, et les marchandises échangées non plus : il y aurait les épices d'Orient aux arômes étranges, des produits de luxe exotiques en provenance d'Espagne et d'Italie, et jusqu'aux libations qui auraient un autre goût. Quel serait celui du vin du pays servi aux banquets ? Il l'avait entendu vanter et ne dédaignerait pas d'y tâter. Et puis, il n'était plus aussi naïf et découvrirait bien des choses qui lui avaient échappé lors de sa première expérience. La perspective de ce voyage présentait des aspects fort séduisants. Seulement, il y avait l'enquête qu'il menait avec la bande de Sénarens pour retrouver le meurtrier. Si le monstre frappait de nouveau en son absence, il se reprocherait de ne pas l'avoir démasqué avant. Désormais attentif à ce qui se disait, il comprit qu'il lui restait encore deux semaines avant le départ : cela laissait du temps pour trouver le coupable à condition de ne pas relâcher la surveillance.

Hélas, ils eurent beau s'y appliquer, ils n'apprirent rien de plus : leur suspect continua ses fredaines sentimentales sans montrer de prédispositions à la violence et aucun autre individu ne se fit remarquer dans les alentours de la taverne. Vint pour Gervais le moment de partir et pour les compagnons de Sénarens, celui d'un abandon tacite, car il est difficile de garder des troupes en alerte lorsqu'il ne se passe rien. Gervais finit par penser que le criminel avait quitté la ville et qu'il s'était trompé en supposant qu'il était du quartier. En revanche, il continuait de croire que cet homme, qui avait commis deux fois le même crime, recommencerait, et cela le désolait de n'avoir rien pu faire pour l'empêcher de nuire.

XVII

C'est par le cuisinier que Gervais apprit l'identité des visiteurs et le motif de leur présence: il s'agissait d'un théologien et d'un médecin, envoyés par les instances supérieures de l'ordre qui voulaient en savoir davantage sur la maladie qui avait frappé le père Côme et sa guérison prétendument miraculeuse. La rumeur en faisait déjà un bienheureux et à cet égard l'attitude de la hiérarchie était empreinte de scepticisme et de méfiance. Ce qui était en cause était de déterminer si le père Côme était un simulateur ou s'il avait été distingué par le Ciel pour revenir des frontières de la mort. Les deux religieux n'étaient ni plus ni moins que des inquisiteurs.

— Imaginez les avantages pour l'abbaye si le miracle était reconnu, dit frère Lucas en hachant ses oignons d'un poignet énergique. Elle se transformerait en lieu de pèlerinage, les érudits viendraient plus nombreux fréquenter notre bibliothèque... Mais évidemment, il faut que ce soit avéré hors de tout doute, ce qui explique le médecin pour examiner le corps et le théologien pour sonder l'âme.

Gervais en conclut que le père Côme n'était pas sur le point d'être disponible et qu'il devait renoncer à s'entretenir avec lui dans un avenir proche.

— Je ne crois pas qu'il vous aurait appris quoi que ce soit. Sa maladie remonte à plusieurs semaines.

— Avant le carême?

— Non, après Pâques.

— La dernière fois que le manuscrit a été consulté, c'était par un visiteur avant le carême. Si vous me dites le père Côme n'était pas encore souffrant il peut détenir des informations comme tout le monde.

— Mais on ignore la date de la disparition des folios.

— C'est vrai. Tout ce que l'on peut affirmer c'est que le vol a eu lieu entre le moment où le père Frémont a remis le manuscrit en place avant le carême et celui où il n'a plus trouvé son contenu, il y a quelques jours.

— Vous espériez beaucoup de cet entretien avec l'assistant de l'abbé ? essaya de savoir frère Lucas.

— Pas du tout. Je veux seulement parler avec tout le monde.

Gervais n'oubliait pas que le cuisinier était un fouineur et il n'avait pas l'intention de lui faire part de sa théorie d'un complot visant au remplacement des pères Crispin et Frémont par les pères Côme et Damien dont il était conscient qu'elle était un peu fumeuse.

— Et votre Paulin, au fait, je ne le vois pas, a-t-il trouvé quelque chose d'intéressant ?

— Peut-être. Vous allez à l'infirmerie ?

— Oui.

— Je vous l'y envoie à son retour du jardin.

Le père Jude, qui avait veillé sur le père Côme durant sa maladie, avait de fortes réticences à propos d'une éventuelle reconnaissance du caractère miraculeux de sa guérison. Lorsque Gervais les rejoignit, il était en train d'en faire part à son invité.

— Cela ne peut que lui nuire et à nous aussi, disait-il. La vie spirituelle ne s'accommode pas de la foule dont la présence entraîne bruit et désordre. Notre raison d'exister est la prière, pas l'enrichissement.

— L'abbé Crispin est-il de cet avis ? demanda Gervais. Ou bien s'est-il fait imposer cette procédure par ses supérieurs ?

— J'ignore s'il est à son origine, mais il est certain que rien n'aurait pu être engagé s'il y avait été opposé.

— Je comprends mieux sa hâte de voir résolue l'énigme de la disparition du manuscrit.

— Si les deux inquisiteurs l'apprennent, sa légitimité en tant qu'abbé risque d'être remise en question.

Il ajouta :

— Ils le savent peut-être déjà. Une bonne âme s'en sera chargée.

— Vous pensez à quelqu'un en particulier ?

— N… non.

— Tout de même, insista Gervais, vous avez à l'esprit le nom d'au moins une personne qui aurait la volonté de nuire à l'abbé et au bibliothécaire.

— J'ai seulement des antipathies et ce serait pure médisance.

— Si vous voulez bien, je vais vous exposer ma façon de voir l'affaire et vous me répondrez simplement si vous estimez ou non que ma théorie a du sens.

— Je vous écoute.

— Je me demande si ce manuscrit n'a pas été subtilisé dans le seul but de discréditer l'abbé Crispin et le père Frémont de manière qu'ils perdent leur position. Ainsi, à leur place, pourraient être nommés le père Damien, lui aussi qualifié pour devenir bibliothécaire, et le père Côme qui aurait été choisi s'il n'avait pas été malade. Qu'en dites-vous ?

— Vous excluez que le manuscrit ait été volé pour lui-même par quelqu'un qui voulait le posséder ou le vendre ?

— Je ne peux rien exclure, mais ma première théoric m'apparaît davantage plausible. Je vous repose la question : qu'en dites-vous ?

— Que je ne suspecterai jamais le père Côme d'intriguer par ambition ni par rancune.

— Et le père Damien ?

— Mes sentiments sont plus ambivalents, mais ils ne s'appuient sur rien de concret et n'ont donc aucune valeur. Vous les soupçonnez vraiment?

— Ce que je crois possible, c'est qu'un autre l'ait fait, qui y trouve son intérêt. Seulement, je ne sais pas de quel intérêt il s'agit. En conséquence, j'ignore s'il faut chercher du côté de l'abbé ou du bibliothécaire. Vous auriez une idée?

— À vrai dire, non. Je n'y ai pas réfléchi.

— Vous voudriez bien le faire?

— Pourquoi pas? Mais n'espérez pas trop. Je suis plus connaisseur des corps que des esprits.

— À propos de corps, intervint le père Joseph, que pensez-vous de la guérison du père Côme?

— Je ne sais trop. Il est vrai qu'il était inconscient depuis plusieurs jours, mais il n'est pas exceptionnel que certains comateux se réveillent, même si c'est rare.

— Nous en avons eu un à Neubourg qui a repris ses sens après deux semaines. Cependant, il était toujours malade et il a quitté ce monde le mois suivant. Le père Côme est vraiment guéri?

— Il semblerait. Il n'a plus eu besoin de revenir à l'infirmerie depuis le jour où il en est sorti, un peu faible, certes, mais en pleine possession de ses moyens.

Paulin survint à ce moment. Gervais s'excusa, disant qu'il ne pouvait rester.

— Et la suite de votre histoire? se plaignit le père Joseph.

— La prochaine fois, vous aurez droit au travail de deux jours.

— Dans ce cas, je vous libère.

Paulin conduisit Gervais à un endroit où celui-ci n'était pas encore allé: les viviers. Le cuisinier y envoyait son aide chercher des carpes qu'un convers avait capturées à sa demande, et cela tombait bien, parce que ce qu'il avait à apprendre à l'enquêteur qu'il avait la fierté de seconder concernait ce lieu. C'était là que le lendemain le secrétaire de l'abbé rencontrerait l'inquisiteur.

— Comment en as-tu eu connaissance?

— J'étais à l'atelier de menuiserie pour faire remettre un manche à un couteau quand frère Jérôme est arrivé. Il venait voir frère Janin qui est attaché au père Léonce pour qui il fait office de serviteur et de palefrenier. Il était en train de bricoler un livre pour son maître.

— Il bricolait un livre?

— Oui. Il creusait dans le bois de la couverture une place pour ranger ses lunettes.

— Les lunettes dans la couverture d'un livre! s'étonna Gervais. Je suis curieux de voir cela.

— Ah bon? Je croyais que vous vouliez savoir ce que le secrétaire avait à lui dire, s'étonna Paulin à son tour.

— Évidemment. Mais tout de même, les lunettes dans le livre… Laissons cela pour le moment et rapporte-moi ce que tu as découvert.

— Rien de plus. Il a dit à frère Janin: «Avise ton maître qu'il doit venir à la cabane des viviers demain, après none, j'ai quelque chose à lui apprendre.»

— Tu as fait du bon travail. Continue d'ouvrir l'œil et de tendre l'oreille. Je vais rôder un peu par ici pour repérer un éventuel poste d'observation.

Ils étaient parvenus au canal de dérivation lequel était alimenté par un autre ruisseau que celui de la Fontaine Saint-Évroult. Contrairement au cours d'eau que Gervais avait longé tout du long avec l'abbé et frère Benoît, et qui traversait le terrain du monastère en son milieu, celui-ci coupait le fond de l'enclos. De plus, il était au-delà du verger qui semblait aller jusqu'à la clôture, ce qui le rendait invisible des bâtiments conventuels. Pour une rencontre discrète, l'endroit était bien choisi.

— Si vous me permettez…

— Oui?

— Suivez-moi.

Paulin le conduisit à l'arrière de la cabane à laquelle un appentis avait été ajouté. Tout un bric-à-brac de matériel de pêche hors d'usage y était entassé.

— Il y aurait moyen de s'y cacher, dit-il à Gervais.

— C'est une excellente idée.

— Voulez-vous que j'y aménage un abri ?

— Je vais le faire moi-même. Ne perds pas davantage de temps, tu as à faire.

Non loin, un convers s'affairait à capturer des carpes avec une épuisette entre deux lourdes grilles de fer qui laissaient passer l'eau, mais retenaient les poissons. Tout absorbé par sa tâche, il ne les avait ni vus ni entendus. Plusieurs seilles étaient déjà remplies, et lorsqu'il remarqua la présence de Paulin, il l'accueillit rudement.

— C'est maintenant que tu arrives, galopin ? Dépêche-toi, le cuisinier doit s'impatienter.

Lorsque Gervais eut déplacé quelques outils de manière à pouvoir se dissimuler le lendemain, il flâna un moment dans le verger. La beauté des pommiers en fleurs, roses et blancs mélangés, lui emplit l'âme de joie. Pourquoi les hommes courent-ils toujours après quelque chose au lieu de se contenter du bonheur de la contemplation ? se demanda-t-il avant de se rendre, au mépris de toute logique, à l'atelier de menuiserie où il espérait trouver le serviteur du père Léonce. Cette histoire de livre et de lunettes l'intriguait au plus haut point. Il gardait les siennes dans une bourse accrochée à sa ceinture et, bien qu'elle soit en cuir rigide, il craignait que cet objet dont il ne saurait plus se passer pour lire et écrire soit insuffisamment protégé. Le frère menuisier lui apprit que frère Janin avait terminé sa tâche, mais depuis peu. Peut-être pourrait-il le rattraper avant qu'il ne remette le livre à son supérieur ?

Gervais supposa que le moine n'irait pas déranger le père Léonce pendant son entretien avec le père Côme et tenta sa chance aux écuries puisqu'il était aussi palefrenier. Son intuition avait été bonne : le convers qu'il questionna lui dit que l'homme avait sorti la mule de son maître pour lui donner de l'exercice. Ce ne serait pas une mauvaise idée, pensa-t-il, d'en faire autant avec Fiérote. Il la sella et s'en fut le long du ruisseau dans la direction qui lui avait été indiquée. Une mule et son cavalier semblaient vouloir faire le tour intérieur de la clôture. Poussant Fiérote, qui prit joyeusement le trot et qu'il fallut retenir pour l'empêcher de passer au galop dans cette enceinte où la règle était d'aller à pas comptés, il ne tarda pas à les rejoindre. Quand il fut à la hauteur de celui qu'il pensait être frère Janin, il se présenta et lui demanda si c'était bien lui qui était attaché au père Léonce. L'autre, surpris et un peu méfiant, lui répondit positivement, mais resta sur la réserve, attendant que son poursuivant lui expose ce qu'il voulait.

Gervais alla droit au but :

— J'ai appris par hasard que vous avez creusé la couverture d'un livre pour y placer les lunettes de votre maître et j'en suis fort curieux vu que j'en possède moi-même et que j'ai aussi un livre.

Le moine se détendit : la demande était honnête.

— J'ai déposé le bréviaire dans la cellule du père Léonce, mais il est occupé ailleurs et je peux le récupérer le temps de vous le montrer.

Ils firent ensemble le tour de la clôture en devisant de sujets anodins. Gervais, qui lui porta une attention particulière quand ils passèrent près des viviers, remarqua que frère Janin regardait les lieux avec intérêt. Parvenus à l'écurie, ils pansèrent leurs montures, puis se rendirent dans la partie attenante au dortoir où étaient situées les cellules réservées aux visiteurs d'importance. Pendant que Gervais attendait dans le corridor, frère Janin entra dans la pièce et en ressortit avec un bréviaire d'un format à peu près semblable au livre d'heures de Gervais.

L'intérieur de l'ais du premier plat de la reliure avait été creusé à la forme de l'objet qu'il était destiné à recevoir et qui devait pour l'instant se trouver sur le nez de son propriétaire ou, comme dans le cas de Gervais, dans une bourse à sa ceinture. C'était ingénieux et il admira le procédé, mais il avait espéré voir les lunettes en place.

— Me permettriez-vous, demanda-t-il à frère Janin, d'y mettre les miennes pour mieux me rendre compte de l'intérêt de cet aménagement ?

— Faites, je vous en prie, répondit-il en tendant vers lui le bréviaire dont il ne se dessaisit pas, le livre étant un objet de valeur, qui de plus ne lui appartenait pas, et son interlocuteur, un parfait inconnu.

Gervais comprenait bien le moine de vouloir protéger le bien de son maître et ne s'en offusqua pas. Ses lunettes ne contenaient pas tout à fait dans la niche de la couverture du bréviaire, mais il pouvait les imaginer à l'abri dans son propre livre d'heures si celui-ci était pareillement transformé.

— Vous avez la tête plus large que le père Côme, dit frère Janin, commentant l'évidence.

Gervais reprit ses lunettes.

— Le frère menuisier a dû regarder ce que vous faisiez ; croyez-vous qu'il saurait le reproduire ? En supposant qu'il ait du temps, bien sûr.

— Moi, du temps, j'en ai. Je peux m'en charger. On me donnerait de toute façon de quoi m'occuper et ce serait sans doute moins agréable que de travailler le bois.

Gervais, qui avait espéré cette proposition, lui remit son cher livre d'heures en le remerciant plusieurs fois tant il était content. Cependant, il était aussi un peu inquiet. Comme frère Janin l'avait pensé à son sujet lorsqu'il ne lui avait pas permis de prendre en mains le bréviaire du père Côme, il songea qu'il ne connaissait pas ce moine à qui il avait abandonné son livre d'heures, un objet doublement précieux en raison de sa valeur marchande et parce qu'il lui avait été offert par Mathilde. Mais pourquoi frère Janin ne serait-il pas fiable ?

XVIII

Ce matin-là, le père Joseph ne se présenta pas à la bibliothèque à l'heure où habituellement il consultait l'herbier. Quand il fut évident qu'il ne viendrait pas, Gervais quitta le scriptorium pour l'infirmerie afin d'avoir de ses nouvelles.

— Je suis un peu fatigué, lui confia le vieil homme. La perspective de monter l'escalier m'a découragé. J'y retournerai après un jour de repos.

Ses traits tirés et sa peau grisâtre disaient le contraire et ne laissèrent pas d'inquiéter Gervais. Après avoir perdu Godefroi et le père Bartolomé, il appréhendait le moment où la mort les séparerait. C'était un homme fort âgé et il savait bien que cela arriverait bientôt. Tout ce qu'il pouvait faire pour lui était le distraire et il s'y employa en lui faisant la lecture des feuillets qu'il avait apportés.

Les trois charrettes tirées par des bœufs qui transportaient la laine de Montréjeau étaient demeurées à l'extérieur de la ville sous la bonne garde des deux aides du gendre Dutech. Comme elles n'étaient pas destinées à Toulouse, il était inutile qu'elles ajoutent à l'encombrement de la rue Malcosinat. Arnaut n'était pas seul: Augustine l'avait accompagné.

En la voyant, dame Robine fronça les sourcils.

— On ne t'attendait pas. À qui as-tu laissé les enfants?

— À leur nourrice. Ne vous inquiétez pas, mère, ils sont en bonnes mains.

— Si tu le dis… Pour quelle raison es-tu venue?

— Pour respirer l'air de Toulouse.

— Il pue. Comme toujours en ville. Tu as la chance d'avoir le bon air de la campagne et tu te languis de nos odeurs de pisse et de bren. Je ne te comprendrai jamais, ma fille.*

— On voit que vous ne connaissez pas celles du purin de mouton ni du suint. Je peux vous garantir qu'à la fin de l'hiver, ces charmantes bêtes ne sentent pas la rose.

— Comme toujours, tu as réponse à tout.

Augustine, qui n'entendait pas la laisser gâcher son plaisir, répliqua joyeusement:

— Qu'importent les odeurs! Je ne suis pas ici pour longtemps, alors, je compte en profiter. Je vais explorer les nouveautés de l'échoppe de messire Dufaur.

— Il n'a rien de mieux que nous, bougonna dame Robine.

— Mais chez les autres, c'est plus excitant. Et puis, je veux voir son épouse, mon amie Nicolette.

— Elle travaille, elle n'a pas de temps à perdre.

— Je suis sûre qu'elle en trouvera un peu pour moi.

Après cet échange avec sa mère, dont l'humeur rébarbative ne semblait pas l'avoir troublée, elle fit le tour de l'échoppe, aimable et primesautière, afin de saluer tout le monde. Elle réserva à Gervais un accueil aussi chaleureux que si elle le connaissait de longue date.

— Bonjour, le petit Parisien! Tu te plais à Toulouse?

— Oh oui, beaucoup!

— J'ai hâte de t'entendre me raconter la capitale.

— Très volontiers, ma dame.

Mais elle était déjà dans l'escalier, annonçant qu'elle allait voir Marie et les enfants. Ce vent de fraîcheur ne dura pas, car elle repartit dès le lendemain et Gervais pensa que c'était dommage: si elle vivait à Toulouse, l'atmosphère de la maison serait plus agréable. C'est surtout dame Marie qui y gagnerait. Pendant la courte visite d'Augustine, elle avait cessé d'être en butte aux attaques de sa belle-mère, celle-ci ayant fort à faire avec sa fille qui la contrariait en tout. La jeune femme détestait la vie rurale et son plus cher désir était de réintégrer Toulouse. Elle intriguait auprès de son père, lequel avait des faiblesses pour sa fille unique, afin qu'il confie l'élevage à un gérant et emploie son gendre en ville. Messire Dutech atermoyait en laissant entendre que cela pourrait se faire sans qu'il fût possible de deviner s'il l'envisageait réellement ou si c'était pour la calmer; quant à dame Robine, elle s'y opposait formellement. Sans doute le refus d'un retour de sa fille était-il motivé par la crainte qu'elle ne finisse par prendre sa place, parce que sous des airs affables la jeune femme était aussi volontaire que sa génitrice. Les différences entre elles, et elles n'étaient pas négligeables, consistaient essentiellement en la contagieuse joie de vivre d'Augustine et sa bienveillance envers Marie qu'elle traitait en amie. Ces observations, Gervais les avait faites à table, comme de coutume, car c'était un bon poste pour qui n'avait pas droit à la parole. Il s'était demandé si Arnaut partageait le désir de changement de vie de son épouse et, même s'il ne s'exprimait pas sur le sujet, on pouvait deviner que ce n'était pas le cas. Il n'en disait rien dans le but de préserver la paix domestique, mais quand il parlait de son travail, il était clair qu'il l'aimait. Et puis, il était originaire de ce coin du Comminges et y était attaché, comme dame Robine l'était à Gardouch. Le souhait d'Augustine de vivre de nouveau à Toulouse risquait de ne jamais se concrétiser.

— Il faudra que vous nous envoyiez votre Parisien pour qu'il voie la laine qu'il vend sur le dos des moutons, dit-elle à son père avant de le quitter.

Messire Dutech s'y engagea, car il était beaucoup plus facile de promettre à sa fille une distraction qu'un changement d'existence.

Ceux qui retournaient à Montréjeau et ceux qui partaient à Pézenas s'en allèrent ensemble jusqu'aux charrettes où ils se séparereraient. Dame Augustine répéta à Gervais ce qu'elle lui avait dit la veille, à son arrivée :

— Quand tu viendras chez nous, tu me raconteras Paris. On n'a pas eu le temps, cette fois.

Comme Mélie, elle rêvait d'ailleurs. Lui aussi, qui pensait à la mer alors qu'on lui offrait Pézenas.

Le voyage se déroula au pas lent des bœufs de telle sorte qu'il leur fallut une semaine pour atteindre leur but à peine distant d'une cinquantaine de lieues. Émilien s'enquit de l'adaptation de Gervais à la vie toulousaine, car depuis leur arrivée, ils n'avaient pas eu l'occasion de vraiment se parler. Le fils aîné de la maison Dutech passait peu de temps à l'échoppe, affairé à rencontrer des marchands toulousains en prolongement de ses activités de Provins. Il leur apportait des messages, des lettres de change et divers produits, ce qui suffisait à l'occuper entre deux foires. Gervais lui répondit par des généralités, se gardant de mentionner l'enquête destinée à retrouver le meurtrier de Marinette. Il ne fit pas non plus allusion à la bande de galapiats qui l'avait plus ou moins adopté, se doutant qu'Émilien n'en penserait pas du bien. En revanche, il parla longuement de Mélie et de l'atelier de son père, un sujet qu'il présumait sans danger. Émilien interpréta mal cet enthousiasme pour la jeune fille et le crut séduit. Il se demanda si son protégé, qui avait été éloigné de Paris à cause de son engouement pour sa belle-sœur, n'aurait pas un cœur d'étoupe. Avant qu'il n'y ait un nouveau problème avec leurs amis libraires, dont il savait qu'ils destinaient leur fille à leur apprenti, il pensa qu'il fallait offrir un dérivatif au jeune homme pour le détourner de ses platoniques élans amoureux. La foire de Pézenas serait une occasion de le déniaiser.

À cent lieues de deviner les projets qu'Émilien nourrissait à son égard, Gervais, employé comme garçon de courses, profitait de son rôle pour explorer chaque recoin de la foire. Il n'était pas seul pour ce faire : un collègue toulousain d'Émilien était accompagné de son jeune frère avec qui il sympathisa aussitôt. Sans son sourire, le visage de Béranger eût été ingrat à cause du nez fort et busqué et des maxillaires accusés, mais dès qu'il souriait, on ne voyait plus que la brillance de ses yeux noirs et de ses dents très blanches. Le jeune garçon devait connaître le pouvoir qu'il lui conférait, car il l'arborait souvent, et il faisait merveille auprès des filles d'auberge et de toutes celles auxquelles il l'adressait. Dans son sillage, Gervais découvrait comment on parle aux femmes en langue d'oc – ce qui l'amena à penser qu'en langue d'oïl non plus, il ne savait pas le faire puisqu'il sortait tout droit de chez les moines. Il avait beaucoup à apprendre et pas seulement pour devenir drapier.

L'univers de la foire était fascinant. À première vue, c'était une Babel où se côtoyaient des gens de nombreuses contrées. Entre eux, ils utilisaient leur propre idiome, mais dès qu'un chaland paraissait, ils adoptaient sans difficulté le sien ou un autre qu'ils avaient en commun. La fréquentation annuelle, et parfois semestrielle ou trimestrielle des foires leur permettait de s'imprégner, sans presque s'en rendre compte, de la parlure du lieu et c'était donc la langue d'oc qui prédominait à Pézenas même si elle était habillée des accents les plus divers. Avec ses intonations parisiennes, Gervais ne déparait pas.

Le jeune garçon découvrit, même s'il s'en doutait déjà un peu, qu'il allait aimer le métier de drapier, car de toutes les marchandises en montre, c'étaient les étoffes qu'il préférait. Et pourtant, il y avait de tout, et en quantité. Béranger, qui ne se consolait pas d'être issu d'une famille de négociants et se rêvait chevalier, l'entraînait entre deux courses vers les forgerons et autres armuriers pour convoiter salades et hauberts*, genouillères et gantelets, lances et dagues. Il s'imaginait faire partie des troupes qui combattaient le roi ou bien de celles qui s'opposaient à l'Anglais*. Se désintéressant des enjeux du conflit, il n'était pas regardant sur ses allégeances, prêt à servir le premier qui voudrait de lui. Il rejoignait en cela les marchands qui l'entouraient, même si leurs motivations étaient fort différentes : loin d'aspirer à la gloire, ces derniers pesaient* *leurs fidélités à l'aune des bénéfices qu'ils pouvaient en tirer. Ce qui fascinait Béranger dans cette vie, c'étaient les aventures, les combats, les rapines, et aussi, ou plutôt surtout, l'attrait des femmes pour les soldats. Car avec la guerre, c'était son deuxième objet de conversation – à moins qu'il ne fût le premier. Sur ce sujet, Béranger trouvait une oreille attentive auprès de son nouvel ami, que la violence rebutait, mais que le sexe opposé intéressait fort.*

— Certaines femmes aiment peut-être les hommes d'armes, argumentait Gervais, aussitôt interrompu par le Toulousain.

— Pas « peut-être ».

— Je veux bien, mais pas toutes. En revanche, il n'y en a aucune qui ne soit pas attirée par les belles étoffes.

Pour le convaincre, il le conduisait aux étals des tissus les plus somptueux. Ces brocarts, soies et velours, que lui-même se réjouissait d'être destiné à manier sa vie durant, exerçaient sur les femmes un attrait irrésistible. Elles les caressaient, le visage éclairé, les yeux brillants, les doigts tremblants. En les observant, il pensait à Marinette et Marion qu'un fichu avait attirées au point de leur ôter toute méfiance, ce qui les avait menées à la mort.

— D'accord, grommelait Béranger, elles aiment les beaux tissus, mais regarde ceux que vend mon frère !

Il fallait admettre que l'étal de Thibout ne portait pas à rêver. Comme les Dutech, les Figarol avaient un élevage d'ovins qui donnait une laine vulgaire, et si les premiers faisaient commerce de ballots bruts, les seconds avaient transformé le produit de la tonte en toile de bure qui n'intéressait que les religieux les plus modestes. Gervais, en revanche, savait que lorsqu'il travaillerait pour sa famille, il vendrait des articles de luxe, ceux qui illuminent le regard des femmes.

Les deux garçons n'avaient pas tardé à devenir inséparables, aidés en cela par le fait qu'ils n'étaient pas accablés de travail. Leurs aînés leur laissaient la bride sur le cou, sachant l'importance de nouer des relations qui leur seraient utiles toute leur vie.

C'était ainsi qu'ils avaient fait eux-mêmes il n'y avait pas si longtemps. Gervais, irrésistiblement attiré par les plus belles des étoffes proposées aux acheteurs, revenait souvent vers les Florentins qui occupaient les deux tiers d'une place très fréquentée. L'un des étalages était plus séduisant que les autres avec les nuances moirées des satins qui étaient un régal pour les yeux. Toutes les teintes étaient là : rouge, vert, noir, gris, blanc... Celui qui composait l'étal les déplaçait fréquemment, sous le regard fasciné de Gervais, de manière à sembler toujours offrir du nouveau. C'était un garçon d'à peu près son âge à qui sa famille confiait ce rôle en raison de son talent pour les couleurs. Il aborda Gervais, curieux de savoir qui était ce badaud qui aimait tant les tissus. Ils conversèrent dans une langue d'oc mâtinée de florentin et de francien qui leur permettait de se comprendre malgré le mauvais traitement qu'elle infligeait à la grammaire. Lorenzo le Florentin avait autant de loisirs que Gervais et Béranger et le duo devint trio. Il leur confia son désir d'être peintre qui ne se réaliserait pas. Son père avait été très ferme : pas d'artiste dans sa famille, juste des commerçants. Avec Béranger qui aurait souhaité être guerrier et Gervais qui aurait dû être moine, les trois garçons aux vocations contrariées se consolaient en faisant des commentaires sur la gent féminine, un sujet inépuisable. Aucun n'avait la moindre expérience, même si les deux Méridionaux avaient une longueur d'avance sur le Parisien en matière de boniment, mais ils brûlaient d'aller plus loin, sans toutefois savoir comment s'y prendre. Ce furent leurs aînés qui les y aidèrent à l'initiative d'Émilien qui l'avait prémédité. Le frère de Béranger se laissa convaincre sans difficulté, lui-même ayant été initié à peu près au même âge et également à la faveur d'une foire. Quant au Florentin, il obtint de sa famille l'autorisation de passer la soirée avec ses amis et il suivit le mouvement.

C'est ainsi que les trois béjaunes se retrouvèrent aux étuves, au comble de l'excitation et de l'appréhension. Ils n'en revenaient pas d'accéder à l'intérieur d'un de ces lieux qu'ils guignaient sans oser* *s'en approcher. L'enseigne les avait fait fantasmer, représentant un cuveau d'où émergeait le torse nu d'un homme qu'une femme lavait. Elle était peinte habillée et de dos, comme l'exigeait la décence, mais ils l'imaginaient de face et dépoitraillée et ne furent pas déçus par les vraies, à qui les confia la maquerelle après les avoir jaugés d'un œil expert.*

— Occupez-vous de ces jeunes puceaux, leur dit-elle, qu'ils ne le soient plus en sortant d'ici.

Les garçons rougirent tandis que leurs aînés éclataient de rire et les abandonnaient à leur sort après avoir payé la maîtresse. Gervais ressentit une pointe de panique en les voyant partir: il avait cru qu'ils resteraient avec eux, ce qui, pensait-il, l'aurait tranquillisé. Par la suite, il se dit qu'ils avaient agi avec discernement, car il eût été gênant qu'ils fussent témoins de leurs maladresses.

Gervais s'en souvenait encore de cet apprentissage qu'il ne raconterait pas au père Joseph. Les trois femmes désignées par la maquerelle n'étaient pas toutes jeunes et il savait maintenant que c'était voulu: leurs manières presque maternelles étaient destinées à rassurer les garçons effrayés de sorte que leur première expérience soit une réussite. C'est pour cela qu'elle avait été payée.

Ils furent conduits à un cuveau que des servantes emplissaient d'eau chaude parfumée aux herbes et déshabillés en un tournemain par leurs initiatrices. Elles-mêmes se dévêtirent jusqu'à la taille sous les yeux exorbités des jeunes gens qu'elles invitèrent à caresser leurs seins. De ce moment, Gervais oublia ses amis, entièrement consacré à obéir en tous points à Jeanneton. Sa mémoire n'avait jamais effacé son prénom ni le grain de sa peau et la blancheur de sa poitrine pas plus que sa voix rêche et cassée qui contrastait avec son corps moelleux. Il avait joui dès qu'elle l'avait touché de ses mains expertes et, déçu, pensé que la fête s'arrêtait là. Mais elle l'avait détrompé, l'avait incité à se détendre et se laisser aller au plaisir qu'elle lui donnait. Avec ses compagnons, ils avaient souvent discouru de ce que font ensemble les hommes et les femmes; ils en avaient rêvé et l'avaient imaginé à partir de ce qu'ils avaient entendu de leurs aînés et vu des accouplements des animaux. Du point de vue de la manière, ils n'étaient pas loin du compte, mais la jouissance qu'ils en escomptaient en fonction de celle que leur procuraient leurs honteuses manipulations solitaires – dont ils ne parlaient pas parce que c'était péché et que chacun croyait être le seul à s'y livrer – n'était rien en comparaison de celui que Jeanneton fit découvrir à Gervais. Elle feignit d'en ressentir aussi, ce dont, dans sa naïveté, il ne douta pas, et son propre plaisir s'en trouva augmenté. Les trois garçons sortirent du bordel d'un pas conquérant, quoiqu'un peu amolli par un excès d'ébats et de vin, et la taille redressée comme s'ils avaient gagné quelques pouces. La soirée convainquit Gervais que le regret de la vie ecclésiastique ne le visiterait plus maintenant qu'il connaissait les joies de la chair interdites par le monastère.

La foire se termina et les marchands se préparèrent au retour. Le rêve marin de Gervais ne se réaliserait pas: elle était à un jour de marche et il aurait donc fallu en perdre deux pour un aller et retour, ce qu'il n'aurait jamais osé demander à Émilien qui le lui aurait de toute façon refusé. Lorenzo avait pris le bateau depuis Gênes, ce qui lui avait ôté toute velléité d'idéalisation de ce moyen de transport. Il avait essayé d'expliquer à son ami à quel point faire une traversée était une mauvaise idée. Ils avaient essuyé un grain et il avait cru sa dernière heure venue. Si on lui donnait voix au chapitre, il choisirait de voyager des semaines à dos de mule pour retourner dans sa ville plutôt qu'affronter de nouveau les éléments pendant quelques heures.

— Mais la couleur de l'eau? objectait Gervais. L'immensité? L'horizon qui se confond avec le ciel?

À quoi le Florentin répliquait par la hauteur des vagues, la force du vent, la peur de mourir.

— Vous l'avez finalement vue ? voulut savoir le père Joseph.

— Oui. Des années plus tard. Lorenzo avait raison de dire qu'elle est effrayante. Mais elle est belle, aussi.

Malgré sa hâte de connaître le résultat des réflexions engendrées par leur conversation de la veille, Gervais dut quitter l'infirmerie sans avoir parlé au père Jude qui avait été occupé pendant tout le temps où il y était resté.

XIX

Comme il avait rendu visite au père Joseph dans la matinée, Gervais pourrait passer la partie de l'après-midi qu'il lui consacrait d'habitude à rédiger. Seulement, il avait du mal à s'y mettre, car il pensait à ce que lui avait dit le père Jude. Avant que l'oblat de Neubourg ne lui en parle, l'infirmier n'avait pas imaginé un instant que quelqu'un veuille nuire au supérieur de Saint-Évroult ou à son bibliothécaire, mais l'idée avait fait son chemin et il trouvait qu'elle avait du sens.

— Je ne soupçonnerais jamais le père Côme d'être mal intentionné, mais il est vrai que si c'était lui le supérieur, le bibliothécaire serait le père Damien.

— Pourquoi cela ? Le père Frémont a des compétences équivalentes.

— Pour des raisons qui remontent à leur enfance : les pères Côme et Damien ont été élevés ensemble et, par la suite, ils ne se sont jamais quittés. Même s'ils ne sont pas apparentés – en réalité, ils sont frères de lait : la mère du père Damien a été la nourrice du père Côme –, à leur entrée dans la vie ecclésiastique, ils ont choisi parmi les noms des saints ceux de deux frères pour afficher des liens aussi forts que ceux de la fratrie.

— Donc, tout pointe vers le père Damien.

— Ce qui me gêne beaucoup. Je n'ai guère de sympathie pour lui, mais je ne le crois pas malhonnête.

Si le père Damien n'était pas coupable – ce dont Gervais était moins sûr que le père Jude dont la bienveillance pouvait sans doute se confondre avec de l'aveuglement –, qui donc l'était ? Et quel mobile avait motivé le vol ? Il allait devoir continuer de s'entretenir avec les uns et les autres en espérant que quelqu'un le mette sur la voie. À commencer par frère Augustin, le grand bavard. Mais en raison du rendez-vous à la cabane des viviers, il devrait attendre au lendemain pour faire le tour du cloître, ce moment si propice aux ragots. Son attention fut attirée par le regard de son voisin étonné de le voir rester si longtemps la plume en l'air. Il afficha l'attitude confuse de qui est pris en flagrant délit de distraction et s'attaqua sans plus tarder à la suite de son récit.

Pendant la parenthèse de Pézenas, Gervais avait oublié les jeunes filles assassinées, mais tout lui revint quand il fut sur le chemin du retour pendant les longues heures vides bercées au pas de Loyale. En quittant la foire, il s'était séparé de Lorenzo, mais pas de Béranger, car ils faisaient partie de la même caravane. Ils devisaient de choses et d'autres pour tromper l'ennui de la route et se promettaient de continuer leur fréquentation à Toulouse, ce qui serait facile, parce qu'ils vivaient dans des rues voisines. Comme pour Gervais, la foire de Pézenas avait été pour Béranger un intermède avant sa formation à l'échoppe. Gervais hésita à lui parler de l'enquête qu'il menait avec le garçon de courses des Dutech et les garnements de la place de la Pierre, mais il pensa que ce serait intéressant d'avoir un auxiliaire supplémentaire. D'autant qu'il consacrait ses temps libres à la recherche du meurtrier et qu'il ne voulait ni y renoncer ni cesser de fréquenter Béranger avec qui il était en train de nouer une amitié. Mis au courant, le garçon s'enthousiasma pour l'affaire. Comme tout le monde, il avait eu connaissance de l'assassinat de Marinette, mais lui aussi ignorait celui de Marion. Il émit une hypothèse que Gervais et les autres n'avaient pas eue : le coupable pouvait être quelqu'un qui vend du tissu plutôt qu'un teinturier. Lorsqu'il l'eut énoncée, elle parut pleine de bon sens à Gervais qui se demanda pourquoi il n'y avait pas pensé. Béranger, très excité à la perspective d'investiguer, connaissait parfaitement le milieu des drapiers : l'enquête, qui était au point mort, comme Gervais le découvrit sans surprise en arrivant à Toulouse, pouvait redémarrer sur de nouvelles bases.

Fréchou et Sénarens eurent des réticences à accueillir Béranger : un fils de bourgeois, c'était déjà beaucoup, mais deux c'était trop. D'autant que le rejeton des drapiers toulousains possédait cette assurance que donne la richesse, ce qui se traduisait par une propension à vouloir commander. Gervais le modéra, lui qui avait appris la diplomatie dans sa fréquentation des ecclésiastiques, et ils finirent par l'accepter tout en étant prêts à déguerpir et les laisser mener seuls leur affaire si Béranger devenait trop directif. Surtout qu'ils n'y croyaient plus à cette enquête : pendant les cinq semaines de l'absence de Gervais, ils avaient continué en vain de surveiller la taverne et le teinturier suspect. Celui-ci avait poursuivi sa vie de séducteur, y compris avec la fille de l'individu qui l'avait malmené, mais il n'avait jamais eu le moindre geste violent et personne n'avait été assassiné. Quant à l'auberge, il ne s'y était rien produit non plus.

— C'étaient sans doute des hommes de passage, conclut Fréchou.

— DES hommes ? Deux hommes différents auraient procédé de la même façon ?

— À moins que le même homme ait été conduit par deux fois à Toulouse pour son travail.

— Ce serait plus vraisemblable.

Sur un signe de Gervais, qui jusque-là l'avait incité à patienter, Béranger suggéra que le coupable pourrait appartenir au monde des drapiers. Le fait qu'il soupçonne quelqu'un de son univers aida les autres à lui accorder une certaine confiance, car ils s'attendaient à ce qu'il fasse porter la faute aux miséreux comme c'était trop souvent l'habitude.

— On va commencer par faire la liste des échoppes qui vendent des tissus teints au pastel, proposa Béranger, ce n'est pas le cas de toutes. Chez mon père, il y en a, je le sais.

— Chez Dutech aussi, ajouta Fréchou.

— Pour les connaître toutes, j'interrogerai mon frère. Il sera content: il me reproche toujours de ne pas m'intéresser au commerce. Avec cette information, on pourra avoir une idée de ceux qui pourraient être suspectés.

L'enthousiasme de Béranger leur donna un nouvel élan. En attendant les noms des vendeurs d'étoffes pastel, ils observèrent les hommes de leur entourage en se demandant s'ils auraient pu séduire les jeunes filles. Si la réponse était positive, il serait temps de se poser la question du fichu. En premier lieu, Gervais étudia la maison Dutech. Il élimina d'emblée Émilien et les deux employés qui couraient les foires avec lui, car ils étaient absents au moment des crimes. Restaient ceux qui vivaient à Toulouse: messire Dutech, qui avait été comme un père pour l'orpheline et au sujet duquel Gervais ne se posa même pas la question, le vieux Castagnon, bien trop décati, et Lasserre et Samaran, dont les visages disgraciés ne pouvaient être que répulsifs. La maison du drapier comptait un autre individu de sexe masculin, Peirol, homme à tout faire à qui il n'avait jamais encore prêté attention et qu'il regarda de plus près.

Gervais constata que cet employé tenu par tous en quantité négligeable à cause de sa situation subalterne n'était ni vieux ni laid. De plus, il travaillait essentiellement sous les ordres d'Hervise, et donc, le lieu qu'il fréquentait le plus était la cuisine. Étant donné que Marinette y passait une partie de son temps, ils étaient souvent au même endroit et devaient bien se connaître. Il se demanda si elle se comportait avec lui comme tout un chacun, sans lui accorder la moindre considération, et soupçonna que ce n'était pas le cas. D'après ce qu'il avait appris sur cette jeune fille, elle était aimable avec tous et compatissante envers les malheureux. Il lui fallait découvrir quelles relations Peirol avait entretenues avec elle, si par exemple elle avait pu repousser ses avances, ce qui expliquerait qu'il se soit vengé. Il s'en ouvrit à Fréchou qui réagit violemment.

— Parce qu'il est pauvre, il est forcément coupable, c'est ce que tu penses ? Et moi, tu ne m'accuses pas ? J'étais là aussi, ne l'oublie pas.

Gervais tenta de le calmer en disant qu'il s'était posé la question au sujet de tout le monde sauf lui, justement, car il avait compris à sa façon de parler de la jeune morte qu'il avait de l'affection pour elle et ne lui aurait jamais fait de mal. Mais le garçon de courses, fâché, bouda plusieurs jours. Cela n'empêcha pas Gervais, qui ne lâchait pas facilement une idée, de suivre la piste Peirol.

Il ne fut pas aisé de nouer une relation avec l'homme à tout faire à qui il n'avait jusque-là accordé aucune attention. Comme de soudaines manifestations d'intérêt l'auraient mis en éveil, il fallait créer une situation où cela paraîtrait normal de lui parler. L'idéal serait de lui rendre un service, mais lequel ? C'était le rôle de Peirol d'aider tout le monde et personne n'aurait songé à lui prêter une quelconque assistance dans l'accomplissement de l'une de ses tâches. Aucune occasion ne se présentant, Gervais réfléchit à la manière d'en provoquer une. Avec une pointe de culpabilité, il poussa sur son chemin un tabouret alors que les bûches dont il était chargé montaient au-dessus de ses yeux. Ne s'attendant pas à un obstacle dans cet angle du corridor ordinairement vide, Peirol trébucha et lâcha son fardeau qui se répandit. Gervais s'empressa de ramasser les bûches avec lui avant que quelqu'un s'en aperçoive et le réprimande - non sans avoir escamoté le tabouret du pied hors de vue de sa victime.

Peirol voulut refuser son aide.

— Ne vous mettez pas en peine, messire Gervais, je m'en occuperai bien tout seul.

— Mais ce n'est rien, protesta celui-ci. Tends tes bras, je vais poser les bûches dessus.

Ainsi fut fait tandis que Peirol grommelait qu'il ne comprenait pas ce qui s'était passé. Malgré sa hâte de l'interroger pour découvrir son éventuelle culpabilité, Gervais se retint. Il commença par le saluer chaque jour et lui dire un mot sur le temps qu'il faisait avant de saisir l'occasion de l'accompagner au verger un jour où Hervise l'envoyait cueillir les cerises.

— Et ne les mangez pas toutes! leur recommanda-t-elle. J'en veux assez pour le dîner.

Cette période d'apprivoisement de l'homme à tout faire avait permis à Gervais de faire la connaissance de la jeune fille que dame Robine avait ramenée de Gardouch. Comme sa maîtresse souhaitait que fût une servante, Ramone était fiable, pieuse et travaillante. Mais comme elle était bête! C'était du moins l'opinion d'Hervise qui n'en revenait pas qu'elle soit incapable d'exécuter ses consignes sans de multiples explications.

— Marinette comprenait du premier coup, se lamentait-elle. Parfois, il ne fallait même pas lui montrer comment faire.

Avec son visage allongé et son menton étroit qui avançait, on eut dit une chèvre si ce n'était que Ramone avait une physionomie apeurée, alors que ces animaux effrontés ne craignent rien. Prêt à la croire demeurée comme le serinait la cuisinière, Gervais eut l'occasion de réviser ce jugement quand il la vit hors de la cuisine, car Hervise la harcelait et la dénigrait en permanence de telle sorte que la jeune fille, qui avait toujours peur de mal faire, en perdait ses moyens. Le jour où il accompagna Peirol au verger, elle sortit avec eux quérir du persil au potager. Tout d'abord intimidée par Gervais, elle resta silencieuse, mais finit par répondre à Peirol qui s'informait de son acclimatation à l'hôtel Dutech. Elle ne s'exprima guère, sauf pour prétendre que tout allait bien, mais son visage s'était éclairé d'être traitée comme un être humain et il s'avéra qu'elle n'était pas stupide contrairement aux affirmations de la cuisinière. Gervais lui demanda si elle avait été avertie du risque de rencontrer un meurtrier. Elle le rassura: Hervise s'en était chargée et lui avait tellement fait peur qu'elle n'accepterait jamais de parler à quelqu'un d'étranger à la maison. Voilà qui est parfait, se dit Gervais, à condition que le coupable ne soit pas Peirol. Il semblait être la seule personne en qui elle eût confiance et, s'il le souhaitait, il n'aurait aucun mal à l'entraîner dans un endroit isolé pour l'étrangler. À cette pensée, il eut un frisson d'horreur : il fallait protéger cette fille.

Elle se rendit au potager et les deux jeunes gens firent le tour des dépendances à la demande de Gervais qui n'en avait pas encore eu l'occasion. Sa timidité passée, Peirol se révéla assez bavard pour raconter que lui aussi venait de Gardouch.

— Tu connaissais donc Ramone avant qu'elle arrive ?

— À Gardouch, tout le monde se connaît. C'est la fille de la Froucarde.

— Qui est la Froucarde ?

— La cuisinière de messire Jaufré.

— Alors, elle est un peu de la famille. Comme Marinette.

— La différence, c'est avec Hervise. Elle aimait Marinette, mais avec Ramone, elle est toujours méchante.

— Pourquoi, à ton avis ?

Il se contenta de hausser les épaules.

— Et toi, tu es à Toulouse depuis longtemps ?

— L'an dernier. Celui que j'ai remplacé était trop vieux.

— Que faisais-tu à Gardouch ?

— La même chose, mais à l'auberge.

— La ville te plaît ? C'est beaucoup plus animé que Gardouch, je suppose.

Il haussa de nouveau les épaules.

— Dans une auberge, il se passe toujours quelque chose. Je m'ennuyais pas. Ici, je connais personne. À part Ramone, maintenant. Mais j'aime les chevaux et les mules.

Il précisa fièrement :

— À l'auberge, je donnais un coup de main au palefrenier, là j'en suis responsable.

Gervais caressa Loyale qu'il n'avait pas montée depuis le retour de la foire.

— Une bonne bête, commenta Peirol.

— Mon père l'a choisie docile parce que je n'étais pas habitué à chevaucher.

— Hervise raconte que vous auriez dû être moine.

— Oui, mais tout cela est bien loin de moi, je n'y pense plus.

Ce qui était presque vrai.

Ils firent le tour des recoins et lieux cachés derrière le bûcher, les tonneaux et les charrettes de la remise, puis grimpèrent au grenier où était gardé le foin.

— C'est un bon endroit pour être tranquille, dit le guide avec un clin d'œil.

Gervais, surpris, se demanda qui venait là pour être tranquille, mais comprit que Peirol ne répondrait pas à la question et ferait comme s'il avait parlé en général. Il aurait parié cependant que l'homme pensait à un couple précis, parce que c'était de cela qu'il s'agissait: un nid d'amour qui fleurait l'herbe sèche. Il fit mentalement le tour des femmes de la maison et n'en trouva qu'une: puisque cela ne pouvait être ni dame Robine ni dame Marie ni Ramone, il ne restait qu'Hervise. Il l'avait vue comme une vieille femme, mais à l'évidence, elle ne l'était pas. Qui pouvait bien être son amant? Voilà un mystère que Gervais aurait plaisir à élucider.

Au-delà des remises et de l'écurie, il y avait le jardin et le verger, un morceau de campagne au cœur de la ville, comme chez lui, à Paris. Là-bas aussi, les cerises devaient être mûres. Émoustillé, il imagina Margaux la bouche barbouillée du jus rouge et sucré. Son passage aux étuves l'avait aidé à mettre du concret dans ses fantasmes, et la nuit, quand il rêvait de la jeune femme, il lui prêtait les gestes de Jeanneton.

C'était une bonne année pour les cerises, un avis partagé par les pies et les guêpes. La présence des cueilleurs chassa les oiseaux vers la cime de l'arbre sans toutefois les effrayer assez pour qu'ils s'enfuient, mais les guêpes continuèrent de se goinfrer et il fallait faire très attention pour ne pas se faire piquer. Ils en mangèrent beaucoup sur place, ce qui ne les empêcha pas de remplir le panier de la cuisinière ni de poursuivre leur bavardage. Lancé sur le sujet de Gardouch, Peirol était intarissable. À l'entendre parler avec une nuance de mélancolie de gens qu'il connaissait depuis l'enfance, Gervais pensait que cet homme n'était pas méchant. Il ne pouvait imaginer ces mains qui prenaient soin de ne pas meurtrir les cerises en train de serrer un fichu autour du cou d'une jeune fille dont les yeux s'exorbitaient jusqu'à ce qu'elle perde le souffle. Non, Peirol n'avait pas l'air d'un assassin. Mais de quoi avait l'air un assassin ? Celui qui avait incité les victimes à lui faire confiance n'affichait certainement pas une expression cruelle. S'il avait ressemblé aux diables grimaçants du portail de Notre-Dame, elles ne l'auraient pas suivi. Il ne fallait pas oublier la teneur des textes qui disaient l'art du Démon pour se travestir et séduire. Dans le cas de ces assassinats, il devait prendre les traits d'un beau jeune homme aimable. Peirol pouvait-il entrer dans cette catégorie ? Il eût été exagéré de le qualifier de beau : l'ossature de son visage était grossière et sa stature peu imposante quoiqu'il eût un buste développé et des bras musclés. Mais son sourire était gentil et on avait envie de lui faire confiance. Ce n'était pas un sourire de séducteur, comme celui de Béranger, mais bienveillant. À première vue, Peirol était la dernière personne à soupçonner, mais Gervais décida de ne pas s'y fier, car donner cette impression-là était la qualité que devait posséder l'assassin pour entraîner une jeune fille à le suivre.

L'heure de none approchait, il était temps pour Gervais de ranger ses feuillets et de se rendre à la cabane des viviers. Afin d'avoir le loisir de s'installer avant l'arrivée des comploteurs, il n'irait pas prier à l'église. Sous les yeux agacés du bibliothécaire, que ses allées et venues ne débouchant pas sur la récupération du manuscrit devaient horripiler, il déposa son travail du jour dans l'armoire qui serait cadenassée. Puis il sortit, suscitant l'envie des copistes qui, eux aussi, auraient bien lâché leur plume au milieu de l'après-midi pour aller se dégourdir les jambes. Se dirigeant à grands pas en direction du verger, il se félicitait de la vigilance de Paulin grâce à laquelle il ne tarderait pas à savoir ce que le secrétaire avait de si secret à confier au père Léonce que cela nécessitait un rendez-vous à l'abri des regards.

XX

Bien protégé par les vieux outils de l'appentis entre lesquels il avait ménagé un interstice pour voir arriver les deux religieux, Gervais consacra le temps de l'attente aux prières que le reste de l'abbaye était en train de réciter en commun à l'église. Frère Jérôme se montra le premier. À le regarder approcher, Gervais fut frappé par sa jeunesse. Le secrétaire de l'abbé commençait tôt sa carrière d'intrigant! Parvenu à la cabane, il la contourna de manière à être invisible pour un éventuel promeneur, ce qui le plaçait tout près de l'endroit où Gervais était tapi. Ainsi, comme il l'escomptait, il ne perdrait rien de l'échange. Le père Léonce ne tarda pas à arriver. Avec une démarche qui disait son assurance et son autorité, il avançait à grands pas sans accorder d'intérêt au verger fleuri. Sa posture était si rigide que l'on ne remarquait pas d'emblée sa petite taille.

Il interpella frère Jérôme sans même le saluer:

— Eh bien, qu'avez-vous à m'apprendre?

L'aplomb que le secrétaire affichait d'ordinaire se fractura et il se mit à bredouiller, s'attirant l'ire de son interlocuteur.

— Je n'y comprends goutte! Parlez clair et ne me faites pas perdre mon temps.

Frère Jérôme prit une inspiration et se lança:

— Le manuscrit des *Annales* d'Orderic Vital a disparu.

L'inquisiteur eut un sursaut.

— Disparu ? Quand ?
— Nul ne le sait.
— L'événement est-il connu ?
— L'abbé Crispin aurait bien voulu le cacher, mais la nouvelle s'est répandue et tout le monastère est au courant.
— Dans ce cas, pourquoi m'en informer en secret ?
— L'abbé vous en a parlé ?
Son interlocuteur concéda que le supérieur de Saint-Évroult ne lui en avait dit mot.
— Il espère qu'il sera retrouvé avant la cérémonie en l'honneur d'Orderic Vital qui aura lieu le dimanche après la Pentecôte, expliqua frère Jérôme, ce qui lui éviterait d'en aviser sa hiérarchie.
— Comment compte-t-il remettre la main dessus ?
Le secrétaire eut un ricanement de mépris.
— Un oblat de Neubourg qui séjourne ici aurait, dit-on, des talents d'enquêteur, mais il n'aboutira pas.
— Vous en paraissez bien certain. Est-ce parce que vous connaissez la vérité ?
— Pas du tout, se récria frère Jérôme, mais cet oblat cherche depuis plusieurs jours et n'a rien trouvé. De toute façon, le manuscrit dérobé doit être loin à l'heure qu'il est. Tout porte à croire que le coupable était étranger à Saint-Évroult.
— Qu'espériez-vous en me mettant au courant ?
Le secrétaire se troubla.
— Rien. Enfin, rien pour moi-même. Mais la vérité ne doit pas être dissimulée.
— Vous manquez singulièrement de loyauté envers votre supérieur, frère Jérôme. Je me demande ce qu'il en pensera.
Le jeune moine pâlit.
— Vous allez…
Il toussota et termina péniblement sa phrase.
— … le lui dire ?
— Peut-être.

Sur cette flèche du Parthe, l'inquisiteur tourna les talons, laissant son vis-à-vis effondré.

Gervais qui était accroupi depuis longtemps avait hâte de se relever, mais frère Jérôme s'attardait. Secoué par l'issue d'une entrevue qu'il avait imaginée autre, il devait prendre la mesure de son erreur de jugement et mit du temps à trouver la force de s'éloigner. Il le fit d'un pas beaucoup moins conquérant que celui qui l'avait conduit à son rendez-vous. Quand il fut enfin parti, Gervais se redressa. Son genou droit était ankylosé et il dut se raccrocher au premier objet qui lui tomba sous la main pour éviter le déséquilibre, provoquant de ce fait l'effondrement des outils hors d'usage amoncelés autour de lui. Ils se répandirent et firent apparaître une besace en parfait état qui tranchait au milieu des vieilleries.

Se pourrait-il que… ? Gervais n'avait pas fini de formuler mentalement sa question qu'il avait déjà ouvert la besace et s'était saisi de son contenu. Le parchemin avait durci, l'écriture était à la mode d'autrefois, l'épaisseur des folios correspondait au format de la reliure vide qu'il avait manipulée à la bibliothèque : c'était bien le manuscrit volé. Son premier sentiment fut de révérence envers un document rédigé par un ancien vénéré et ses mains tremblèrent un peu comme si elles étaient indignes de le toucher. Puis vint la satisfaction de l'avoir retrouvé. Il avait accompli la mission confiée par l'abbé Crispin. Il ne restait qu'à lui apporter le manuscrit. Ainsi libéré, il se consacrerait entièrement à la rédaction de son aventure toulousaine qu'il pouvait sans doute terminer avant de quitter Saint-Évroult. Le père Joseph avait programmé leur retour au bercail pour le jour d'après la fête. Comme il se sentait aussi en forme qu'il pouvait l'espérer et qu'à ce moment-là il aurait fini de consulter l'herbier, il n'aurait plus de raison de s'attarder.

Gervais songeait qu'aller porter sa trouvaille au supérieur de Saint-Évroult était la meilleure chose à faire, pourtant, il avait des réticences. Retrouver l'objet du larcin était certes son mandat, mais s'il ne démasquait pas le coupable, le dénouement lui laisserait un sentiment d'insatisfaction. La question était trop grave pour se décider sans y avoir réfléchi. À condition de mettre le manuscrit à l'abri, il n'y avait aucun inconvénient à attendre un peu avant d'informer l'abbé Crispin de son succès. Seulement, il lui fallait trouver un lieu sûr, car même s'il ne croyait pas que le voleur vienne le reprendre dans l'immédiat, il ne pouvait courir le risque de le laisser là. Où le ranger ? Sous sa paillasse ? Non. Un dortoir ouvert à tous les vents n'était pas une bonne cachette. L'heure avançait et le scriptorium était fermé. De toute manière, il n'aurait jamais pu l'y introduire discrètement et encore moins l'y dissimuler. Aux écuries ? Sous le foin, peut-être ? Non plus : ce serait manquer de respect au livre. Où, alors ? Mais oui ! À l'infirmerie. Il allait lui faire réintégrer la besace quand il se ravisa : d'une part elle était trop volumineuse pour passer inaperçue et d'autre part, il valait mieux qu'elle reste là pour que le voleur, s'il venait à le vérifier, la voie au même endroit et ne se doute de rien. Il glissa le document sous sa cotte puis remit la besace à sa place et redisposa les outils selon ses souvenirs.

Il espérait avoir la chance de trouver le père Joseph seul. Si c'était le cas, il le prierait de cacher la nouvelle à son confrère pour limiter le risque d'indiscrétion. Son souhait fut exaucé : le père Jude était absent. L'infirmier de Neubourg, émoustillé à l'idée de partager un secret, accueillit volontiers le manuscrit dans sa propre besace qui retrouva ensuite sa place au-dessus de sa couche, comme si elle n'en avait jamais bougé. Gervais ne s'attarda pas, craignant le retour du père Jude qui s'étonnerait de sa visite à cette heure de la journée. Comme il restait du temps avant le souper, il s'arrêta aux cuisines.

Frère Lucas était occupé à la confection d'un dessert, qui pour être modeste n'en était pas moins savoureux. Les miettes de pain qu'après chaque repas les moines ramassaient sur la table avec la tranche de leur couteau étaient à la base de la préparation. Ce pain rassis, mélangé à des œufs, du miel et quelques herbes aromatiques selon la saison ou les goûts du cuisinier, était très apprécié des moines qui le dégustaient jusqu'à la dernière cuillerée. Frère Lucas accueillit Gervais avec un sourire content: son aide lui avait parlé du rendez-vous et il en attendait le compte-rendu. Paulin aussi était présent et sa curiosité égale à celle de son maître.

— Si le pari n'était pas un péché, lança le cuisinier, je gagerais que frère Jérôme a appris à l'inquisiteur la disparition du manuscrit.

— Et ce serait gagné.

— J'en étais sûr ! Quel hypocrite !

Gervais n'hésita pas à leur rapporter la conversation qu'il avait entendue, puisqu'ils avaient de toute façon deviné en quoi elle consistait, mais ne dit mot de sa découverte de la besace et de son contenu.

— Il a aussi émis l'avis que le manuscrit avait été volé par un étranger et qu'il ne serait pas retrouvé.

— Hum…

— C'est également ce que pense le père Damien. Frère Augustin, en revanche, n'y croit pas. J'avoue que j'ai du mal à me faire une opinion… Et vous ? Vous semblez sceptique.

— Oh moi, je ne suis qu'un pauvre cuisinier. Sorti de mes chaudrons, je n'ai guère d'idées. Comment le père Léonce a-t-il réagi ?

— Il a été étonné et il a servi une leçon au secrétaire pour son manque de loyauté.

— Bien fait ! Je suppose qu'il n'a pas dit de quelle manière il allait utiliser l'information.

— C'est évident.

Paulin avait suivi l'échange sans en perdre un mot, tellement intéressé qu'il en oubliait ses panais. Frère Lucas le ramena à l'ordre et il se remit à gratter les racines avec frénésie.

— Tu n'as rien appris de nouveau ? lui demanda Gervais.

— Il se murmure que l'inquisiteur annoncera à la fête s'il est convaincu ou non du caractère miraculeux de la guérison du père Côme.

— Pourvu qu'il le soit! espéra le cuisinier. Imaginez le bénéfice pour Saint-Évroult d'avoir une procédure de béatification à l'égard d'un moine vivant!

Gervais approuva, malgré le mal qu'il en pensait. Quelques heures plus tard, les yeux ouverts sur sa paillasse, trop excité pour trouver le sommeil, il songeait aux changements que cela entraînerait: de nombreux visiteurs, du bruit, du désordre, de la cupidité. D'après ce qu'il avait appris de la personnalité du père Côme, celui-ci ne devait pas le souhaiter et il y avait sans doute bien d'autres religieux de cet avis, à commencer par l'infirmier. Le père Jude avait été très clair à ce sujet. Il réfléchit ensuite à l'affaire du manuscrit dérobé, se reposant toujours la même question: quel était l'objectif du voleur? Le père Damien et frère Jérôme exprimaient une semblable croyance en la culpabilité d'un étranger à Saint-Évroult. Gervais possédait maintenant la preuve que c'était faux, mais ne se demandait pas moins ce que leur position signifiait. Peut-être étaient-ils de connivence et voulaient-ils brouiller les pistes? Ou bien l'un des deux était responsable du larcin et l'autre avait abouti à une conclusion erronée. En réalité, tout était envisageable, et la possibilité que le voleur ne soit ni l'un ni l'autre également plausible. L'explication résidait dans le mobile du méfait. Il en revenait toujours là et n'en voyait pas d'autres que le désir de déconsidérer le supérieur et le bibliothécaire, ce qui le ramenait au père Damien et au père Côme. Quoique pour ce dernier les témoignages convergeassent: ils étaient tous à son avantage. Et qu'en était-il de frère Jérôme? Était-il complice ou voulait-il seulement se faire valoir? Dans ce cas, avec le père Léonce, il avait échoué. L'unique moyen de résoudre l'énigme était de tendre un piège au coupable dans l'appentis de la cabane des viviers, mais sans le concours de l'abbé, Gervais ne pouvait rien faire. Il décida de le mettre au courant le lendemain et de lui proposer son plan, ce qui l'apaisa et lui permit de s'endormir.

XXI

Gervais se présenta au bureau de l'abbé Crispin dès après tierce. Il n'y trouva que frère Jérôme qui lui fit part de l'absence de son supérieur. Fidèle à son habitude, le secrétaire resta muet sur les raisons de cette absence et sa durée tout en affichant une agaçante satisfaction à être dans le secret des puissants. Cependant, pour Gervais, qui avait assisté à sa déconvenue et l'observait avec acuité, l'assurance du jeune moine semblait moins ferme que de coutume. Il savait pourquoi : puisque l'abbé Crispin n'était pas là, le père Léonce ne pouvait pas lui révéler la trahison de frère Jérôme. Celui-ci devrait encore attendre, peut-être jusqu'au lendemain, avant d'être fixé sur son sort. Le jeune moine allait passer une journée difficile à se demander si l'inquisiteur le dénoncerait, pensa Gervais avec une pointe de mesquinerie qu'il se reprocha.

En ce qui le concernait, cette absence représentait un contretemps, mais pas trop fâcheux puisque le manuscrit était à l'abri. À part le père Joseph qui resterait muet, personne n'était dans le secret. La cérémonie n'aurait lieu qu'à la fin de la semaine et il n'y avait aucune raison que le voleur veuille le récupérer d'ici là. Trop obsédé par cette histoire pour se concentrer sur ses prières, l'enquêteur, à force d'y réfléchir, était arrivé à la conclusion que l'individu avait l'intention de faire un coup d'éclat lors de la célébration. Cependant, il ne devinait pas quelle forme il prendrait. S'il s'agissait simplement de brandir le manuscrit en déclarant qu'il l'avait retrouvé, à quoi cela avancerait-il le voleur qui, de plus, pourrait difficilement justifier le fait qu'il l'avait trouvé dans l'appentis où personne n'était censé aller ?

Sur le chemin du scriptorium, Gervais rencontra Paulin qui lui apprit tout ce qu'il y avait à savoir au sujet de l'abbé Crispin : le supérieur rendait la justice dans un village voisin où il serait occupé jusqu'au soir. Il ne le verrait donc pas avant le lendemain. Son temps désormais libre, il retourna en Languedoc.

Les Dutech étant conviés à une réception, Gervais prit son repas à la cuisine, une bonne occasion d'observer tout un chacun pour tenter de découvrir avec qui la cuisinière s'ébattait dans le foin du grenier. Si la position occupée à la table des maîtres correspondait à des impératifs hiérarchiques – messire Dutech à la place d'honneur, son épouse d'un côté, son fils de l'autre, plus loin sa bru et, au bas bout, le vieux Castagnon et lui-même –, la subordination n'était pas moins forte chez le personnel. Il y avait une nette différence entre ceux qui travaillaient à l'échoppe et les domestiques, les premiers étant servis par les seconds. Lasserre et Samaran se trouvaient sur un pied d'égalité avec au-dessus d'eux Castagnon, qui mangeait d'ordinaire avec les maîtres. Lui-même, Gervais, était inclassable : enfant de bourgeois, mais apprenti, futur patron, mais employé non rémunéré, frayant avec le fils aîné de la maison et avec le garçon de courses, il était traité avec une familiarité nuancée de respect. Pour les autres, il y avait aussi des échelons avec Hervise au sommet, Peirol et Fréchou ensuite et, à la toute fin, Ramone, méprisée de tous. Dans quelle tranche d'âge situer la cuisinière ? Du fait de sa fonction et de sa propension à l'autorité, il l'avait assimilée à celle de l'hôtel d'Anceny qu'il jugeait très vieille. Cependant, à la mieux regarder, Hervise, le visage gras dépourvu de rides et les cheveux bruns de fils blancs, était sans conteste encore fraîche. Il eut la surprise de constater qu'elle n'était pas plus âgée que la Jeanneton des étuves, laquelle, il est vrai, ne pouvait être qualifiée de tendron. Ce rapprochement qu'il fit entre les deux femmes l'incita à regarder son corps, et il découvrit une poitrine avenante et un fessier agréablement rebondi. Le doute n'était pas permis : Hervise pouvait être jugée désirable. Mais par qui autour de cette table ? Il n'y avait que trois candidats possibles : Lasserre, Samaran et… Peirol.

Comme au repas des maîtres la veille au soir la conversation portait sur les routiers qui ravageaient la sénéchaussée de Toulouse. Le roi ayant conclu une trêve avec l'Anglais, les mercenaires inemployés et de ce fait privés de subsides pourvoyaient à leurs besoins par le pillage. Non contents de voler, ils violaient et incendiaient. La ville elle-même ne risquait rien, mais les campagnes souffraient. Ces nouvelles étaient propagées au marché par des gens vivant hors les murs. Tandis que les maîtres se désolaient que le pouvoir du roi ne soit pas assez fort pour leur épargner la guerre dont les aléas nuisaient tant au commerce, le peuple, plus réaliste ou plus cynique, soulignait que ces pendards ne se conduisaient pas autrement que lorsqu'ils étaient sous la gouverne d'un chef. Ils perpétraient leurs exactions pour eux-mêmes au lieu de le faire sur l'ordre d'un prince et les pauvres n'y voyaient pas de différence. Pendant la discussion, Gervais resta en éveil dans l'espoir de découvrir une attitude ou un jeu de regards qui le renseigneraient. Il en fut pour ses frais : soit il avait mal interprété la confidence de Peirol, soit les amants s'obligeaient à une grande discrétion. Il se demanda si Lasserre ou Samaran pourraient garder secrète l'un pour l'autre une telle relation. Ce n'était possible que s'ils se divertissaient chacun de leur côté pendant leurs temps libres, ce qu'il ignorait. Il nota mentalement que c'était un élément à vérifier. Quant à Peirol, qui était tout de même nettement plus jeune que la cuisinière, elle le traitait comme s'il était son domestique personnel. Dans ces conditions, il imaginait mal qu'ils pussent partager une intimité. Peirol était donc à garder à l'œil alors qu'il l'aurait abandonné s'il l'avait cru physiquement comblé.

Béranger fournit la liste des marchands offrant des étoffes teintes au pastel. Ils étaient quatre en comptant sa propre famille et les Dutech, ce qui représentait un nombre conséquent d'hommes à surveiller. Béranger se chargeait des siens, Gervais et Fréchou des Dutech, Sénarens et ses amis des deux autres. Chez chacun de ces drapiers, il y avait des individus de tous âges dont certains semblaient à mettre hors de cause. Ainsi, ils furent d'accord pour éliminer ceux qu'ils jugeaient trop vieux, ou trop laids comme c'était le cas d'un bossu employé par le père de Béranger. Il en restait quand même une douzaine, car Sénarens et Fréchou tenaient à garder les chefs de famille alors que Béranger et Gervais les auraient écartés.

— C'est toujours celui qui a le plus d'autorité dans une maison qui abuse des servantes et des filles de cuisine, asséna Fréchou à la stupeur des deux jeunes bourgeois à qui cela faisait entrevoir un monde méconnu.

Dans l'absolu, ses alliés avaient peut-être raison, mais Gervais refusait de suspecter messire Dutech qu'il respectait comme son propre père. Marinette, quoique servante, avait été considérée comme un membre de la famille et il avait vu à son arrivée à quel point tous les Dutech, y compris le patriarche, étaient affectés par sa mort. Il n'excluait cependant pas le personnel, à l'exception de Fréchou qu'il connaissait un peu mieux que les autres et qui était sincèrement peiné de la perte de Marinette. Il réexamina la possible culpabilité de Lasserre et de Samaran qu'il n'aimait pas et au sujet desquels il craignait que son inimitié n'influe sur son jugement. Il les croyait capables des pires mesquineries, surtout Lasserre, mais d'un meurtre ? Ou plutôt de deux. La découverte de leurs habitudes lui permettrait de se faire une opinion valable, aussi bien en ce qui concernait l'assassin que l'amoureux de la cuisinière. Il décida de les suivre dès qu'il les verrait sortir, ce qu'ils firent le lendemain, comme tout le monde d'ailleurs, parce que c'était un jour chômé.

La journée commença par la messe à laquelle se rendit toute la maisonnée, à l'exception de Peirol qui gardait le logis. L'office le plus couru était celui de l'église Saint-Pierre des Cuisines. Ce temple revêtait pour les Toulousains une importance particulière, car bien des événements significatifs pour la ville y avaient été officialisés, de la reconnaissance des privilèges de Toulouse par les comtes à la promulgation des Coutumes. Il y en avait eu aussi que les citadins préféraient oublier, comme la reddition aux mains de Simon de Montfort. Mais de cela, on ne parlait point. Les Dutech y retrouvèrent tous les bourgeois du quartier, et leurs employés, ceux qui travaillaient pour eux. Gervais aperçut Mélie, qu'il n'avait pas vue depuis son retour de la foire. Elle était entourée d'une cohorte de très jeunes filles et il se contenta de lui faire de loin un signe auquel elle répondit. Il regretta de l'avoir négligée, car elle était d'une compagnie plaisante et lui donnait accès à l'atelier de copie et d'enluminure de son père, le type d'environnement où il avait cru passer sa vie monastique et dont il gardait une certaine nostalgie. La vue du groupe joyeux et excité dont Mélie faisait partie lui évoqua un vivier pour l'assassin. Sa résolution de le démasquer en fut renforcée.

Après la messe, maîtres et employés se séparèrent, les premiers pour participer à un banquet offert par l'association des notables, les autres pour la ripaille populaire de la place du marché de la Pierre financée par ces mêmes notables. Gervais, qui espérait s'esquiver après l'office, put le faire grâce à la complicité d'Émilien. À la vue de sa déception lorsque dame Robine le convia à les suivre, il suggéra qu'il serait mieux avec des garçons de son âge. Opportunément hélée par une voisine, dame Dutech se désintéressa de lui et Gervais s'en alla avec Fréchou retrouver la bande de Sénarens à laquelle s'adjoignit Béranger, également parvenu à fausser compagnie à sa famille.

Les tonneaux en perce sur la place étaient entourés de nombreux adeptes et les garçons se faufilèrent parmi eux pour remplir leurs gobelets sous le regard indulgent des adultes que la libéralité des notables mettait de belle humeur. Il y en eut bien pour les traiter de chenapans, mais sans acrimonie. Les deux jeunes bourgeois tout excités de s'encanailler ne boudèrent pas leur plaisir: ils burent, se goinfrèrent de mouton grillé, participèrent à la farandole qui tournait autour des tables au son des flûtes et des tambourins. Enivrés de vin et de rires, ils s'amusèrent beaucoup jusqu'à ce qu'un incident dessille le regard porté par Gervais sur ses compagnons. Il s'était douté que leurs moyens d'existence n'étaient pas honnêtes, mais n'avait pas voulu y penser. Quand il surprit Sénarens en train de subtiliser une bourse qui pendait à une ceinture avec l'aisance d'une longue habitude, il dessoûla d'un coup. Si l'un des voleurs se faisait prendre, ceux qui avaient été vus avec lui risquaient d'être arrêtés aussi. Béranger ne s'était aperçu de rien et Gervais eut du mal à l'arracher à son plaisir, mais lorsqu'il lui eut raconté ce qu'il avait découvert, son ami comprit le bien-fondé de ses réticences à demeurer avec la bande. Le désir de s'amuser ayant disparu, ils repensèrent au meurtrier et à leur résolution de le démasquer, ce fut pourquoi ils se séparèrent de manière que Gervais puisse surveiller les employés des Dutech et Béranger, ceux de sa famille.

Gervais repéra Hervise qui s'éloignait de la place avec dans une main une écuelle débordante de viande et un gobelet dans l'autre. Intrigué, il la suivit. Lorsqu'elle ressortit les mains vides de l'hôtel Dutech peu après y être entrée, il comprit: elle venait d'approvisionner Peirol privé de fête. Si elle avait eu avec lui une relation intime, ils auraient profité de la maison vide, mais elle ne s'était pas attardée; cela confirmait que son amant n'était pas Peirol. De retour place de la Pierre, elle se mêla à un groupe de femmes dont les vêtements indiquaient une condition semblable à la sienne. Se désintéressant de la cuisinière, il chercha Lasserre et Samaran qu'il trouva, eux aussi, avec des employés du quartier, mais ils n'étaient pas ensemble. Chacun avait ses propres amis, ce qui semblait répondre à la question qu'il s'était posée au sujet de leurs rapports: l'un d'eux pouvait très bien avoir des activités ignorées de l'autre.

Malgré sa vigilance, il ne découvrit rien de suspect: les deux hommes ripaillèrent avec leurs compères et n'eurent pas *d'attitude équivoque. Béranger n'obtint pas plus de résultats, mais ils convinrent que cela ne prouvait rien, car les assassinats se perpétraient plus difficilement au grand jour et au milieu d'une foule qu'au cœur de la nuit dans une ville désertée par le couvre-feu comme cela s'était passé pour Marinette et Marion. Sénarens et ses comparses chargés d'observer les autres drapiers, prétendirent n'avoir rien vu non plus, mais les deux jeunes bourgeois savaient que les tire-laine* avaient été trop occupés à détrousser les fêtards pour effectuer une surveillance sérieuse.*

Le lendemain, Gervais apostropha Fréchou au sujet des activités illicites de la bande. Le garçon de courses réagit violemment : il sauta à la gorge de Gervais, tordit le haut de sa cotte pour bloquer sa respiration et le secoua en le menaçant.

— Si tu le dis, méfie-toi !

Gervais se débattit avec une énergie que son adversaire n'escomptait pas : un futur moine n'est pas censé savoir se battre. C'était ignorer qu'avant son engagement dans la vie religieuse, le jeune parisien avait écumé les ruelles de la Cité avec des compagnons dont son père, s'il les avait connus, n'aurait pas approuvé la fréquentation. S'étant débarrassé de son agresseur, il lui expliqua que s'il avait voulu les dénoncer, il l'aurait fait la veille afin qu'ils soient pris en flagrant délit. Fréchou l'admit en maugréant, mais répéta qu'il ne fallait en parler à personne.

— Je t'assure qu'on ne dira rien.

— On ? Qui d'autre que toi est au courant ?

— Tu oublies que j'étais avec Béranger.

— Il saura se taire ? Si Sénarens l'apprend…

— Tu n'es pas obligé de l'en informer.

— Hum…

— N'as-tu pas peur de te faire prendre ? Tu es nourri et habillé chez Dutech, tu n'as pas besoin de voler.

Fréchou eut un haut-le-corps.

— Mais moi, je ne vole pas ! Quand ils le font, je m'éloigne. Pour ne pas risquer de me faire prendre, justement. Je suis trop content d'avoir une place.

— Seulement tu te tiens souvent avec eux. En soi, c'est déjà dangereux.

— On était voisins. On a grandi ensemble.

— Tu devrais quand même y penser : la plupart des voleurs finissent mal.

— Eux n'ont pas le choix.

Gervais n'en était pas sûr, à qui sa famille avait inculqué le respect de la propriété d'autrui, mais que savait-il vraiment de la vie des garçons des rues ? Il avait été content de les côtoyer avec Fréchou, parce qu'avoir une compagnie de son âge lui manquait, mais l'envie lui en était passée. Et puis maintenant, il avait Béranger.

Jaufré arriva de Gardouch avec une charrette de cocagnes pour ses clients teinturiers. Il était difficile d'imaginer que les belles nuances de bleu pastel qui coloreraient des étoffes précieuses provenaient de ces boules brunes, dures et légèrement malodorantes. Curieux de tout, Gervais avait posé une série de questions à Jaufré. Ravi de son intérêt, celui-ci avait proposé à son père d'emmener le Parisien à Gardouch pour lui montrer tout le processus. Il pourrait revenir à Toulouse avec la prochaine livraison. Messire Dutech donna son accord, et c'est ainsi que Gervais se retrouva en route pour la campagne lauragaise, ce à quoi il ne s'était pas attendu. Quitter son nouvel ami Béranger l'ennuyait et cela l'obligerait à mettre une fois de plus son enquête en veilleuse, mais Jaufré, persuadé de lui faire plaisir, ne lui avait pas demandé son avis. Sa contrariété, cependant, fut de courte durée, car il fut heureux de renouer avec le pas confortable de Loyale, les curiosités du chemin et les repas d'auberge animés par les récits de voyageurs.*

Le fils cadet de messire Dutech et ses accompagnateurs, le bayle et les deux conducteurs de bœufs qui s'occupaient aussi du déchargement des cocagnes et les quatre gardes qui assuraient leur sécurité n'avaient passé que deux jours à Toulouse. Sachant qu'ils étaient attendus, Ramone s'était fait une joie d'avoir par leur entremise des nouvelles de ses parents, de ses petits frères et également de Patou, le chien qu'elle avait quitté avec tant de chagrin.

— Il dormait avec moi, au pied de ma paillasse, avait-elle confié à Gervais avec qui elle avait fini par perdre sa timidité. En hiver, il se couchait sur mes pieds pour les réchauffer.

Mais elle n'eut pas l'occasion de les rencontrer, dame Robine ayant malencontreusement promis aux clarisses de leur prêter sa fille de cuisine. Ramone resta deux jours au monastère à plumer des volailles pour les religieuses qui recevaient des personnalités d'une communauté pyrénéenne les deux jours que les visiteurs passèrent à Toulouse. Gervais chargea Peirol de lui dire qu'il s'informerait de chacun pour tout lui rapporter fidèlement.

Même si Gardouch n'était pas très éloigné, le trajet dura trois jours à cause de la lenteur des bœufs. Gervais fit la connaissance de Giraud Davezac, le bayle, que Jaufré traitait avec égards en raison de sa compétence à le seconder dans l'administration du domaine. Il n'avait pas encore eu l'occasion de le rencontrer parce qu'à Toulouse, Davezac logeait chez un sien parent. D'un âge proche de celui de Jaufré, que Gervais situait aux alentours de la trentaine, il présentait bien. Cependant, il ne se départissait pas d'une expression sévère. Alors que Gervais était à l'aise avec Jaufré, avenant comme son frère, il évitait Davezac qui l'effrayait un peu. Il put se rendre compte à l'étape que le bayle ne produisait pas le même effet sur tout le monde : les femmes ne le trouvaient pas repoussant, bien au contraire. Sans doute était-il plus aimable avec elles qu'avec les hommes pour expliquer qu'elles le servent en priorité et en minaudant. Les plus revêches s'y laissaient prendre.

Jaufré le plaisanta à ce sujet :

— Si Perrine voyait comment les filles d'auberge s'occupent de toi, elle serait jalouse.

— Mon épouse sait qu'elle n'a rien à craindre, répliqua le bayle.

Jaufré profita du chemin pour décrire à Gervais la culture du pastel. La plante, c'était peu fréquent, était bisannuelle, lui apprit-il.

— Pour ne pas passer un an sans récolte, nos terres sont partagées en deux parties : la moitié des champs fleurit une année, l'autre l'année d'après.

— Je suppose que les fleurs sont bleues.

— Pas du tout : elles sont jaunes ! Et elles ne servent pas à faire les cocagnes, ce sont les feuilles que l'on utilise. On laisse les fleurs produire les graines avec lesquelles on fait de l'huile. Les feuilles, comme je viens de te le dire, sont pour la teinture et le reste de la plante va à la nourriture des moutons. Comme tu peux le constater, cette plante est une bénédiction : on l'exploite au complet. Tu verras, je te montrerai tout.

La maison Dutech de Gardouch était bien plus modeste que l'hôtel de la rue Malcosinat à Toulouse, mais elle était agréable et bien tenue : Blanca, l'épouse de Jaufré y veillait. Cette femme de caractère n'était pas sans rappeler dame Robine, ce qui expliquait les commentaires élogieux de sa belle-mère à son endroit. Néanmoins, se dit Gervais, il était impensable qu'elles puissent cohabiter sans s'affronter. Même s'il n'y avait aucun point commun entre la douce épouse de l'aîné et l'énergique compagne du cadet, les deux fils Dutech semblaient heureux en ménage. Dame Blanca reçut aimablement le jeune Parisien, mais contrairement à dame Marie, si ouverte aux nouveautés, elle ne s'intéressa pas à ce qu'il aurait pu raconter de sa vie dans une grande ville du nord. Ancrée dans son pays et sa terre, elle n'avait aucune curiosité pour ce qui en différait. À sa décharge, elle était accaparée par un bébé qui réclamait le sein à longueur de jour. De nuit aussi, peut-être, mais Gervais, logé dans les combles, ne l'entendait pas.

Il alla rencontrer la Froucarde à la cuisine pour lui donner des nouvelles de sa fille. Le père Froucard vint également écouter le garçon qui leur raconta que Ramone s'était bien adaptée à l'hôtel Dutech et se plaisait à Toulouse. Il passa sous silence l'animosité d'Hervise, car il était inutile de les chagriner avec cette information alors qu'ils ne pouvaient rien faire pour y remédier. Un chien de berger était entré sur les pas de Froucard et Gervais devina qu'il s'agissait de celui que la jeune fille regrettait.

— J'imagine que c'est Patou ? dit-il en le caressant. Elle en parle souvent, il lui manque.

Ce fut le détail qui convainquit les parents de Ramone qu'il avait réellement eu des échanges avec leur fille et ne se contentait pas de débiter des nouvelles qui auraient pu s'appliquer à n'importe qui. De ce fait, tout le temps qu'il resta à Gardouch, il fut le bienvenu à la cuisine. La Froucarde avait toujours quelque douceur à lui offrir, qu'elle avait mise de côté à son intention. Gervais trouvait plus d'intérêt à la conversation des employés qu'à celle de la maîtresse et de Perrine, l'épouse du bayle qui l'aidait dans la tenue de la maison, et il traînait souvent à la cuisine où il donnait tout naturellement un coup de main à l'épluchage comme il le faisait avec Hervise, ce qui lui permit d'apprendre tous les ragots des environs.

Il ne tarda pas à découvrir que le bayle n'était guère aimé : non seulement il faisait peur à tous ses subalternes, mais, selon la Froucarde, à sa femme elle-même.

— Perrine n'est pas heureuse, affirmait-elle, on le voit à ses yeux tristes.

Gervais n'en était pas si sûr. Il pensait que cette expression jugée triste par la cuisinière venait de la forme de son visage aux paupières et aux commissures des lèvres retombantes.

— Je sais ce que je sais, s'obstinait la Froucarde.

Mais ce qu'elle savait, elle ne voulait pas le dire, de sorte que Gervais la soupçonnait de ne rien savoir du tout. Pour ce qu'il avait pu observer dans ses visites de l'exploitation faites avec Jaufré et le bayle, il en avait conclu que l'homme était respecté, ce qui tendait à prouver qu'il était respectable. De plus, lors de la messe dominicale, sa ferveur, par ailleurs égale à celle de son épouse, l'avait impressionné. La cuisinière avait trop d'imagination.

Dès leur arrivée, Jaufré avait montré au Parisien les champs en cours de récolte. Elle se poursuivrait tout l'été, jusqu'à la fin du mois de septembre. Les feuilles, qui formaient une rosette à la base d'une tige atteignant presque la taille d'un homme, n'étaient pas prélevées d'un coup: seules celles qui commençaient de sécher étaient à maturité. Dans un autre champ, il découvrit le pastel à une étape différente de son cycle: les tiges arboraient à leur sommet des grappes de petites graines brunes. La floraison était finie et Gervais ne put qu'imaginer, à l'aide de quelques plants retardataires, l'étendue jaune qui aurait frémi sous ses yeux peu de temps avant, car les fleurs, reliées à la tige principale par une queue très fine, bougeaient sans cesse.

Dans le ruisseau qui traversait la propriété, des hommes lavaient les feuilles récoltées pour enlever la terre qui les souillait puis les mettaient à sécher. L'étape suivante avait lieu au moulin pastellier où elles étaient broyées par une grosse meule dans une auge de pierre. Un jeune garçon était chargé de fouetter l'âne dont la force actionnait le mécanisme. Il s'en acquittait avec conviction, agrémentant ses coups d'une impressionnante théorie d'insultes. Gervais, qui ne les connaissait pas toutes, se promit de demander au garçon de les lui apprendre.

Jaufré éprouvait une grande fierté à faire les honneurs du moulin à son invité: l'achat de Gardouch, qui était une seigneurie, avait donné à la famille Dutech un droit de ban et tous ceux qui produisaient du pastel étaient tenus d'utiliser ce moulin. Non seulement c'était une belle source de revenus, mais cela nantissait le bourgeois ayant acquis des prérogatives de seigneur d'un prestige enviable.*

Lorsque la pâte résultant du broyage avait fini de sécher dans le hangar avoisinant, elle était écrasée et mise en boule à la main.

Jaufré désigna ces boules disposées sur des claies.

— Voilà les cocagnes : quand elles seront tout à fait sèches, on pourra les vendre.

Portée par une brise, une pestilence provenant de l'arrière du hangar agressa l'odorat de Gervais. Il la reconnut pour l'avoir sentie dans la rue des Teinturiers.

— Vous teignez aussi les tissus ? s'étonna-t-il.

— Juste pour nous.

— Comment cela ? Vous n'êtes pas vêtus de bleu.

Le commentaire amusa Jaufré.

— Bien sûr que non. Tu me vois avec un manteau comme celui de la Sainte Vierge ? On se contente d'un essai sur quelques pièces pour vérifier la qualité des cocagnes. Évidemment, on ne fait pas de gaspillage : on utilise des habits qui seront portés par ma femme ou donnés à des clients. L'année dernière, on a teint le voile de la statue de l'église pour la fête de l'Assomption.

La Froucarde en parla à Gervais de cette fête de l'Assomption qui avait marqué les esprits de bien des manières.

— Une cérémonie magnifique ! Il y a eu une procession derrière la statue de la Vierge parée du nouveau voile offert par les maîtres. Elle était superbe ! D'abord dans les rues de Gardouch puis dans toute la campagne. On s'arrêtait à chaque croix et on chantait. Tout le monde avait mis ses meilleurs atours. Et après la célébration, les réjouissances ! Des moutons, du vin, de la danse ! Ah oui, c'était une belle fête...

Le visage de la femme s'était attristé et Gervais comprit que cela s'était mal terminé.

— Qu'est-il arrivé ?

— C'est trop horrible, il vaut mieux l'oublier.

Il insista, mais elle s'était fermée et ne voulut pas en dire davantage. Il lui faudrait interroger quelqu'un d'autre. Si l'événement était horrible à ce point, tout le monde devait être au courant. Seulement, il ne pouvait poser la question ni à Jaufré ni à Davezac, encore moins à Dame Blanca ou à Perrine. Il songea au garçon qui fouettait l'âne. Peut-être serait-il content d'avoir de la compagnie?

Sa prestation avait gagné en mollesse depuis qu'il n'y avait plus personne dans les environs pour le voir. En découvrant l'invité du maître, il eut un regain d'ardeur du geste et de la voix.

— Je m'appelle Gervais, dit celui-ci en l'abordant. Et toi?

— Constant.

— Comme tu peux t'en rendre compte à mon accent, je viens d'ailleurs. Je ne parle pas très bien ta langue. J'ai entendu les mots que tu adressais à l'âne et j'aimerais bien les apprendre. Je crois qu'ils me serviraient à Toulouse.

Le garçon pouffa.

— Si vous les dites à la table de dame Robine…

Imaginant le tableau, Gervais rit aussi.

— Je m'en garderai bien. Mais Fréchou avec qui je fais les courses serait impressionné.

— Si vous voulez, vous pouvez le traiter de vietdason ou de cagarèl*, de putanassa*, de barcajaire* ou de macarèl*. Enfin, s'il n'est pas plus fort que vous.*

Ils rirent de nouveau, puis, à sa demande, Constant fit répéter chaque mot à Gervais jusqu'à ce que celui-ci parvienne à une prononciation acceptable.

— Me voilà avec les moyens de lui clouer le bec, dit le Parisien avec satisfaction.

— Vous connaissez Ramone? s'enhardit le jeune valet à qui la leçon donnée à l'invité du maître avait fait perdre sa réserve.

— Bien sûr! Je la vois chaque jour et je lui parle souvent.

— Comment elle vit?

Gervais lui décrivit ses attributions.

— Elle a des amies?

— Pas encore, mais elle va s'en faire quand il y aura une fête dans le quartier. Elle rencontrera des filles qui travaillent dans les autres maisons.

— Elle doit s'ennuyer de Gardouch.

— Un peu. Mais elle en parle avec Peirol.

— Et lui, il est content?

L'homme à tout faire était-il satisfait de son sort? Gervais n'aurait su le dire, et le valet n'insista pas.

— La Froucarde a fait allusion à un événement terrible qui a eu lieu à la fête de l'Assomption l'an dernier, mais elle n'a pas voulu me raconter de quoi il s'agissait.

— C'est parce qu'elle a trop de chagrin. C'était la fille de sa sœur.

— Que lui est-il arrivé?

Constant se signa.

— On l'a trouvée morte dans le bief du moulin.

— Noyée?

— Étranglée. Et violentée.

— Dame Robine en a parlé. Elle a dit que c'était un colporteur et qu'il avait été pendu. Mais je croyais que c'était récent.

— C'est pas la même.

— Il y a eu deux mortes de la même façon?

— Le premier assassin a dû donner l'idée à l'autre.

— Et pour la nièce de la Froucarde on a également trouvé le coupable?

— C'est sûr qu'on en a pendu un.

— Que veux-tu dire? Ce n'était pas lui?

— Il y avait une preuve. C'est ce qu'ils ont dit.

— Tu le connaissais?

— Comme tout le monde. C'était le pèc du village. Pourtant, on aurait juré qu'il n'aurait pas fait de mal à une mouche.*

— Et cette preuve, qu'est-ce que c'était?

— Un fichu qu'on a trouvé dans sa cabane.

Gervais tressaillit.

— Bleu pastel?

— Je sais pas. On a dit qu'il l'avait volé.

— Ici? Chez messire Jaufré?

— Je sais pas non plus.
— Et pour la première, il y avait un fichu ?
— Oui, mais autour de son cou, la pauvre.
— Tu la connaissais aussi ?
— Bien sûr ! Elle était du village.
— Toutes les deux étaient jeunes ?
— Pas encore en âge de se marier.

La conversation avec Constant avait troublé Gervais, mais il se gourmanda : comment aurait-il pu y avoir un lien entre deux meurtres commis à Toulouse et deux autres à Gardouch, un lieu distant de plusieurs jours de marche ? D'autant que les coupables de Gardouch avaient été découverts et punis.

La matinée, finalement, avait passé sans que l'oblat s'en rendît compte et le tas de feuillets où courait son écriture appliquée était épais. Cela ferait plaisir au père Joseph.

XXII

De son pupitre, Gervais jeta un regard perplexe à frère Augustin. Leur conversation de la veille autour du cloître l'avait troublé. Il se demandait ce que le moine savait exactement. Frère Augustin l'avait abordé afin d'apprendre si son enquête l'avait finalement convaincu que le forfait n'était pas imputable à un étranger, une hypothèse que lui-même tenait pour invraisemblable. Gervais avait jugé cette fois plus habile de laisser entendre qu'il n'excluait pas une culpabilité interne.

Tandis que son interlocuteur l'encourageait d'un hochement de tête approbateur, il lui avait dit sur le ton de la confidence :

— J'ai perçu des allusions, deviné des rivalités qui pourraient indiquer une sorte de complot alambiqué…

— Ah quand même ! Vous y venez.

Pour voir sa réaction, Gervais avait ajouté :

— Mais je crains, si j'approche de la vérité, de créer une inquiétude qui aboutirait à la destruction du manuscrit.

— Ils ne feraient jamais cela ! protesta frère Augustin. Pas eux !

— Eux ?

Il se rétracta aussitôt.

— Des gens de Saint-Évroult. Ici, tout le monde a un profond respect pour les écrits d'Orderic Vital. Je peux imaginer qu'on les dissimule en vue d'un objectif précis, mais les détruire, en aucun cas.

Sur ces mots, Frère Augustin s'était éloigné, laissant Gervais persuadé qu'il connaissait le fond de l'affaire. Le scribe avait-il reçu des confidences? Avec sa réputation de bavard, c'était peu probable. Faisait-il partie du complot? Dans ce cas, il n'attirerait pas l'attention de l'enquêteur. Il avait dû voir un geste ou entendre une conversation qui lui avait révélé la vérité, mais il refusait de jouer le rôle du délateur, ce qui pouvait induire qu'il avait peur des coupables. Car ils étaient au moins deux: frère Augustin le lui avait appris avec la fin de sa phrase indignée: « Pas eux! »

Se sentant observé, frère Augustin leva la tête et surprit le regard de Gervais sur lui. Pour ne pas attirer davantage son attention, il se mit à écrire.

Ils retrouvèrent Toulouse après une petite semaine. Le séjour à Gardouch avait été plaisant et le retour le fut aussi. Chaque fois que l'occasion s'en présenta, avec sa mule ou les bœufs qui tiraient le chargement, un désagrément du chemin, une ornière particulièrement profonde d'où il était difficile de sortir la charrette ou bien l'arbre foudroyé écroulé en travers de la voie, Gervais avait essayé son vocabulaire d'injures récemment acquis au grand amusement de ses compagnons de voyage. Son accent devait être moins au point qu'il ne l'avait espéré, mais qu'importe, il obtenait un petit succès de bateleur dont il n'était pas peu fier. Son examen de conscience lui fit valoir qu'il ajoutait la vanité à tous les autres défauts ayant éclos en lui depuis qu'il avait quitté la vie religieuse. Et ce n'était pas le pire: depuis le bordel de Pézenas, il aspirait à un nouvel épisode de luxure, s'en repentait, puis retombait dans son fantasme dès la nuit suivante. Jaufré lui demanda d'où il tenait cette science inattendue et fort documentée de l'insulte en langue d'oc. Il ne voulait pas le dire, mais Davezac reconnut la litanie de Constant qu'il entendait à cœur de jour.

— Tu fréquentes les âniers? s'étonna Jaufré que son statut de presque seigneur incitait à prendre ses distances avec le commun.

— Tous ceux qui sont susceptibles de m'apprendre quelque chose m'intéressent.

— Et que t'a-t-il appris d'autre? s'informa le bayle.

— Rien de plus. C'est plutôt moi qui lui ai donné des nouvelles de Ramone et de Peirol.

— Tu frayes avec eux aussi?

— Quand on vit dans la même demeure, on se croise souvent.

En dépit de ses grands airs, auxquels Gervais échappait à titre de fils de bourgeois, Jaufré était un homme de bonne compagnie à l'affût d'histoires drôles dont il riait sans se faire prier. Démesurément fier d'avoir engendré un héritier mâle, il s'informait du petit Robin dès qu'il l'avait quitté quelques heures tant il craignait de le perdre. Les jeunes enfants sont si fragiles! Quoiqu'elle fût entièrement dévouée à sa progéniture, dame Blanca semblait moins inquiète, et c'était elle qui le rassurait. Afin de retrouver sa famille au plus tôt, Jaufré comptait demeurer le moins possible à Toulouse, comme au voyage précédent. En conséquence, les deux jours qu'il resta furent débordants d'activité. Outre la livraison, il fallut charger quantité de marchandises que messire Dutech avait achetées à sa demande pour la maison de Gardouch, et tous les bras libres furent requis pour que cela avance rondement. Ces moments très occupés ne se prêtèrent pas aux bavardages, de sorte que ce ne fut qu'après le départ des Gardouchois que Gervais apprit qu'il y avait eu un nouveau meurtre.

La victime avait travaillé à la taverne de la Trilhe, comme Marion, mais ce n'était pas Berthe, la deuxième sœur de Sénarens, laquelle avait un physique ingrat, ce qui, pensa Gervais, lui avait peut-être sauvé la vie, car l'assassin ne choisissait pas des laides. Au sujet de Marinette, plusieurs sources avaient fait état de sa joliesse, et pour Marion, Fréchou l'avait confirmé. La nouvelle s'appelait Marthe, était arrivée de la campagne depuis peu et n'avait pas eu le temps de nouer des amitiés à qui elle aurait fait des confidences susceptibles de mettre les enquêteurs sur la piste du coupable. Cette fois cependant, ils avaient été frappés par les similitudes entre les trois meurtres. Gervais le découvrit à table où messire Dutech raconta à sa femme la visite du prévôt sans que les autres commensaux se mêlent à la conversation. Émilien était reparti pour quelques semaines, dame Marie, triste et muette, baissait les yeux sur son écuelle et, à son habitude, Castagnon ne disait rien.

— Il y avait eu une fille tuée avant Marinette ! s'exclama dame Robine en apprenant ce que le prévôt avait confié à son mari. Comment se fait-il que nous ne l'ayons pas su ?

— Ils n'avaient pas établi le rapport entre les deux.

— Pourquoi l'ont-ils fait maintenant ?

— Parce que les deux autres filles travaillaient à la taverne de la Trilhe.

— Mais Marinette n'avait rien à voir avec cet endroit.

— Elles ont été supprimées de la même façon.

— Étranglées ?

— Puis jetées à l'eau.

— Et il les avait… ?

— Oui. Toutes violentées.

— Le fichu était bleu pastel ? lança Gervais sans réfléchir.

Tous les regards se tournèrent vers lui et il regretta son impulsivité.

— Pourquoi cette question ? s'étonna messire Dutech.

— C'était le cas pour Marinette et Marion, répondit-il sans épiloguer.

— Comment le sais-tu ?

Il demeura vague.

— J'ai entendu des rumeurs. C'était il y a plusieurs semaines, je ne me souviens pas d'où elles venaient.

— Il était bleu ? demanda dame Robine à son mari.

— Je l'ignore. Il m'a simplement dit qu'il y avait assez d'éléments pour qu'ils soient assurés d'avoir affaire au même assassin. Quand je verrai le prévôt, je lui poserai la question.

— Et moi, je vais reparler à Ramone. Elle est naïve, il ne faudrait pas qu'elle soit la prochaine victime.

Gervais apprit avant messire Dutech que le fichu qui avait étranglé Marthe était bien bleu pastel. Fréchou le savait par l'entremise de Sénarens qui avait vu le corps lorsqu'il avait été repêché. Même si Marinette était étrangère à la taverne de la Trilhe, les deux autres filles y étaient rattachées, ce qui permettait de supposer que le meurtrier était lié à cet endroit. Ils découvrirent que c'était aussi ce que pensait la police puisque désormais, elle effectuait une surveillance particulière de la Trilhe. Ce n'était pas au goût du tavernier, qui voyait sa clientèle se clairsemer. La sœur de Sénarens avait entendu la conversation de son patron avec le prévôt et la lui avait rapportée.

— Il n'y a pas d'assassin chez moi, avait affirmé l'homme. Je connais ma pratique et j'en réponds.

— Vous n'avez jamais de passage ?

— Peu. Alors les étrangers, je les remarque.

— Et un client qui vient rarement, mais qui justement aurait été présent au moment des meurtres ?

— Je n'en ai pas souvenir.

— Pensez-y. Et demandez au personnel qui vous reste. Si vous les perdez à ce rythme, vous ne trouverez plus de filles pour travailler chez vous.

Effectivement, avait dit Sénarens, Berthe, terrorisée, souhaitait quitter la Trilhe et était à l'affût d'une place ailleurs, sans succès jusque-là. Son manque d'attraits rebutait, les éventuels employeurs préférant les belles pour attirer la gent masculine.

Dame Robine avait rappelé à Ramone qu'un danger menaçait les filles de son âge et Gervais aussi lui en parla. Comme la première fois, elle lui affirma qu'elle n'accepterait jamais de répondre à quelqu'un d'étranger à la maison qui s'adresserait à elle. De toute manière, elle sortait peu et toujours avec Hervise qui lui faisait porter les paniers lorsqu'elles se rendaient au marché. Ramone avertie, il s'en fut rencontrer Mélie qu'il avait négligée depuis son retour de Pézenas. Contente de l'apercevoir devant l'atelier de ses parents, elle s'empressa de le rejoindre et ils s'en allèrent flâner dans les rues environnantes.

Mélie parla aussitôt de ce nouveau meurtre qui alimentait toutes les conversations depuis qu'il était devenu évident que la victime était la troisième d'un unique assassin.

— À moi, il ne m'arrivera rien, fanfaronna-t-elle.

Comme Ramone, elle affirma qu'elle ne répondrait jamais à un inconnu qui l'aborderait.

— Ce n'était pas forcément un inconnu pour ces trois filles.

— Pour les deux qui travaillaient à la taverne, peut-être, mais Marinette ?

— Il y a un lien qu'on doit découvrir.

— Tu veux dire que la prévôté doit le trouver ? Tu ne te prétends pas plus futé que les sergents ?

— Pour le moment, ils ne sont pas parvenus à grand-chose.

— C'est vrai…

— Toi qui es une fille, comment penses-tu qu'il s'y prenne pour les attirer ?

— Je ne sais pas…

— En leur offrant un beau fichu ?

— Peut-être avec les servantes de la taverne, mais pas Marinette. Je la connaissais, elle ne se serait jamais laissée séduire par un piège aussi grossier.

Grossier, voire… Mélie semblait sûre de cela, mais Gervais l'était moins. Selon lui, le meurtrier avait fait le pari qu'un fichu beau comme le manteau de la Sainte Vierge avait de quoi faire tourner la tête de pauvresses, et il l'avait gagné. De plus, Gervais n'était pas certain que des filles d'origine aisée y résistent davantage. Pour avoir souvent vu dans l'échoppe de son père des femmes palper de riches étoffes avec un désir irréfrénable, il était persuadé que certaines d'entre elles étaient prêtes à tout pour les obtenir.

Il demanda à Fréchou de lui organiser une rencontre avec Berthe. Il avait interrogé Simone sur le meurtre précédent, mais pas la sœur de la victime. Peut-être Berthe révélerait-elle un détail qu'elle n'aurait pas confié aux sergents ? La jeune servante était réticente, intimidée par la condition de bourgeois de Gervais. Pour la persuader, il proposa qu'ils s'entretiennent en présence de son frère. Malgré l'envie de Béranger d'assister à l'entrevue, ils convinrent qu'il valait mieux l'éviter, car cela l'inhiberait encore davantage.

— Je sais rien ! affirma-t-elle vigoureusement avant même qu'une question lui soit posée. J'ai rien vu. Elle m'a rien dit.

Ils étaient à proximité de la taverne dont elle ne pouvait s'éloigner et elle jetait des coups d'œil inquiets vers la porte.

— Bien sûr, répondit Gervais d'un ton apaisant. Le meurtrier est un malin, il ne se fait pas remarquer et ne laisse pas de traces.

— Alors, qu'est-ce que vous me voulez ? Je vais avoir des ennuis si le patron s'aperçoit que je suis pas au travail.

— Que tu réfléchisses au comportement de Marthe le dernier jour.

— Je l'ai dit : c'était une nouvelle venue, on était pas amies.

— Je suppose qu'elle semblait un peu perdue. Se retrouver dans cette taverne en pleine ville, pour une fille qui arrive de la campagne ce doit être un choc.

— Vous pouvez le dire ! Elle était complètement ahurie. À se demander si elle était pas idiote.

— Le dernier jour aussi ?

— C'était mieux. Maintenant que j'y pense, elle avait même un air content. Sur le moment, j'y avais pas vraiment fait attention. Vous croyez que c'était parce qu'elle avait rencontré cet homme et qu'il lui avait fait des promesses ?

— Probablement.

— Il serait donc venu ces jours-là… Et ce n'est pas un habitué…

— Il y a un visage dont tu te souviens ?

— Non, mais je vais y réfléchir. Et aussi ouvrir l'œil. S'il se représente, peut-être que quelque chose me reviendra.

— Je l'espère. Il faudrait l'attraper avant qu'il recommence. Méfie-toi si un beau parleur te conte fleurette.

— Oh moi, dit-elle avec dérision, je risque rien: je suis trop laide.

— Tu es jeune. Je pense que pour lui, c'est le plus important. Je te le répète, prends bien garde à toi. Et si tu remarques quelque chose d'anormal, même si ce n'est presque rien, avertis ton frère. Il vaut mieux perdre un peu de temps à vérifier une information inutile que regretter ensuite de n'avoir rien fait.

Elle acquiesça puis s'empressa de retourner à sa tâche.

— La façon d'agir de cet individu est toujours la même, déduisit Gervais: il séduit les filles avec des promesses. Sinon, elles n'auraient pas cet air épanoui juste avant que le drame se produise.

— Et tout se passe à la Trilhe, ajouta Sénarens.

— À part pour Marinette. Ce qui signifie qu'il y a un lien entre la maison Dutech et la taverne. On doit le découvrir.

Béranger émit la conclusion qui s'imposait:

— On se concentre donc sur ces deux lieux et on arrête de surveiller la rue des Teinturiers et les autres échoppes qui vendent des étoffes pastel.

Lui-même de ce fait se trouvait exclu de l'action puisque la Trilhe était du domaine de la bande de Sénarens et la maison Dutech de Gervais et Fréchou. Il le regrettait, car cette chasse au meurtrier mettait du sel dans son existence. Gervais le consola en lui promettant de tout lui raconter. Sénarens, pour sa part, ne fut pas fâché que le jeune bourgeois toulousain soit obligé de prendre ses distances. Contrairement au Parisien, Béranger était incapable de les traiter, lui et ses amis, autrement qu'en inférieurs, ce qu'il n'appréciait pas.

Comme on laissait à Gervais une grande liberté de mouvement, il convint avec Fréchou que ce dernier ferait seul les livraisons alors que lui-même passerait plus de temps à l'échoppe. Pour faire oublier sa présence, il se fit discret de sorte qu'il pouvait rôder en quête de conversations ne lui étant pas destinées. Cela lui permit d'apprendre que Lasserre et Samaran attendaient avec impatience la fête du dimanche suivant. Ce serait une occasion qui nécessiterait d'être sur le qui-vive. Les deux hommes ne lui paraissaient pas crédibles en séducteurs, mais il aboutissait toujours au même point : qui, dans la maison, pourrait l'être ? La phrase de Fréchou sur les maîtres qui abusent des jeunes employées vulnérables lui revint. Mais messire Dutech ? Non, il ne pouvait y croire.

S'il passait les matinées à l'échoppe, les après-midi, il était requis pour promener et distraire Martin, car une surcharge de travail dans la tenue des comptes exigeait de dame Marie qu'elle y consacre la journée complète. Dame Robine, en revanche, n'avait rien changé à son emploi du temps. La jeune mère regardait avec mélancolie l'enfant dont elle était privée partir avec Gervais lorsqu'elle s'avisa que le Parisien était instruit, bien plus qu'elle d'ailleurs et que n'importe qui dans la maison Dutech. Au lieu de l'occuper à ranger des pièces de tissu et à remplacer la nourrice, fit-elle valoir à son beau-père, il serait plus avantageux de le former aux écritures. Messire Dutech, qui n'y avait pas songé, en convint, et Gervais partagea désormais la table de travail de dame Robine tous les après-midi à la satisfaction de sa bru qui retrouva sa routine. Il y avait un excellent côté à son nouvel emploi : l'emplacement de leur bureau lui permettait d'entendre toutes les conversations. À tenir ainsi les comptes, il ne tarda pas à savoir le prix de chaque chose, les préférences des clients de messire Dutech et leur niveau de fortune d'après de ce qu'ils dépensaient et les objets qu'ils choisissaient. Alors que les prêtres connaissent l'état des âmes, se dit-il, les marchands savent celui des goussets. Avantage non négligeable, cette fonction lui valait le respect des autres employés. Le dépit que Lasserre en concevait était du miel pour celui auquel il n'osait plus s'attaquer. Malgré tout, s'il avait dû passer toute la journée assis à l'intérieur, Gervais aurait regretté ce changement de statut, car, même si ses années d'études l'avaient habitué à rester des heures penché sur un parchemin, les quelques mois où il avait connu une façon de vivre différente lui avaient donné le goût de bouger, marcher en ville, varier les activités.

Quand ses jambes fourmillaient d'impatience, il prétextait un besoin de se rendre aux latrines qui étaient situées au fond de la cour afin d'éloigner les odeurs de la maison. Dame Robine ayant quitté un moment sa place comme elle le faisait parfois, c'était l'occasion d'en profiter. Il se glissa à l'extérieur où il fit quelques exercices pour dérouiller son dos et ses membres trop longtemps soumis à l'immobilité, puis visita le prunier qui croulait sous les fruits. Il ne pleuvait guère, et ils avaient une saveur inégalée.

— Si vous mangez trop de prunes chaudes, l'avertit Peirol qui venait de le rejoindre avec un panier, vous ne ferez pas juste semblant d'aller aux latrines.

C'était la voix de la raison. À regret, il mit fin à son festin, mais avant de retourner à sa tâche, il aida Peirol à remplir le panier.

— Hervise veut faire des confitures, lui apprit-il.

Comme ils revenaient, ils entendirent des bruits provenant de la remise. Cela ressemblait à une plainte.

— Il faut aller voir, dit Gervais, quelqu'un a l'air de souffrir.

Peirol essaya de le retenir, mais il était déjà à l'intérieur. Les gémissements venaient du grenier à foin, et Gervais, confus, comprit ce qui se passait au-dessus de sa tête. Le clin d'œil de Peirol le lui confirma et il se souvint du commentaire de l'homme à tout faire : c'était un bon endroit pour être tranquille. Ils se replièrent en silence. Gervais brûlait de savoir de qui il s'agissait, ce qui aurait été possible en se cachant derrière une futaille pour attendre que les amants redescendent, mais son absence avait déjà beaucoup duré et il devait retourner à l'échoppe. Comme il franchissait la porte de la remise, une voix d'homme dit avec conviction : « Tu me rends ma jeunesse, friponne ! » Un rire féminin lui fit écho. Gervais eut ainsi la moitié de sa réponse, car si le rire n'était pas identifiable, la voix était incontestablement celle de messire Dutech. Éberlué, Gervais regarda Peirol qui lui refit un clin d'œil. Pour lui, ce n'était pas une surprise. Il devait également savoir qui était sa partenaire, mais la gêne empêcha Gervais de le lui demander.

Courbé sur le parchemin, il notait de sa plus belle écriture que la dame de Guillaumo, femme du seigneur Pons Guillaumo, devait un doublet de lin qu'elle avait pris, mais sa tête était ailleurs. Qui partageait les ébats de messire Dutech ? Ce n'était pas Hervise, qui selon les dires de Peirol l'attendait à la cuisine. Alors qu'il avait eu l'ambition de découvrir l'identité de l'amant de la cuisinière, il venait d'apprendre que ce n'était pas elle qui utilisait le grenier à foin. Qui était-ce ? Serait-il possible que le maître ait circonvenu Ramone, la petite campagnarde sans défense ? Et avant elle Marinette ? Et… ? Il délirait. Messire Dutech était adultère, mais de là à conclure qu'il assassinait des jeunes filles, c'était aller trop loin. Sans doute quelque servante d'une maison voisine le rejoignait-elle en passant par les jardins. C'est alors que Gervais pensa à dame Robine. Si par malheur elle avait besoin de se rendre aux latrines avant de reprendre sa place, elle aussi les entendrait. Il essaya de repousser son inquiétude en se concentrant sur son travail, mais que lui importait que Monseigneur Ratier de Montpezat, damoiseau, seigneur de Corbarieu, doive une paire de mitaines en laine ?

Lorsque dame Robine réintégra son siège sans montrer le moindre signe de contrariété, Gervais en conçut du soulagement. Messire Dutech ne reparut qu'au souper où il parla du confrère chez qui il s'était rendu. Parmi ses commensaux, Gervais était le seul à savoir qu'il n'y était pas allé directement. Il observa messire Dutech comme il ne l'avait encore jamais fait. Pour lui c'était un homme de la trempe de son père et au physique assez semblable : sévère à l'échoppe, débonnaire en famille, il affichait une bedaine confortable et un visage rubicond. Comment un tel homme pouvait-il séduire ? Car la femme, ou la jeune fille, qui était dans le foin avec lui l'après-midi n'était pas contrainte. Il entendait encore son rire, complice et satisfait. Peut-être la notoriété du marchand le parait-elle de charmes dont, pauvre, il eût été dépourvu ? Et le cadeau d'un beau fichu bleu pastel serait un attrait de plus. Plus il y pensait, moins cela lui semblait crédible. C'était comme accuser son propre père. Et pourtant, il n'avait pas d'autre suspect.

XXIII

Après tierce, l'abbé se dirigea d'un pas pressé vers le moulin. Gervais le suivit en se donnant l'air de flâner et se posta à l'abri d'un arbre pour l'aborder à son retour.

— Vous m'attendiez? demanda le prélat en le découvrant. J'espère que vous avez une bonne nouvelle à m'annoncer.

— Elle l'est. Si vous voulez continuer jusqu'au verger en ma compagnie, je vous montrerai quelque chose.

— Vous m'intriguez.

— Je vous promets que vous ne serez pas déçu.

— Alors, allons-y.

À la lisière des pommiers, Gervais lui apprit qu'en réalité c'était jusqu'à la cabane des viviers qu'il fallait se rendre, plus précisément à l'appentis.

— Ne me dites pas que le manuscrit est caché dans ce débarras!

— C'est bien là qu'il était dissimulé.

— Était? Il n'est pas perdu de nouveau, au moins?

— Non, pas du tout. Je l'ai mis en lieu sûr.

— Alors, que voulez-vous me montrer?

Gervais dégagea les outils et fit apparaître la besace. L'abbé pâlit.

— Il était là-dedans?

— Oui.

— Cette besace m'appartient.

— Elle vous a été volée?

— Non. J'ai demandé à frère Jérôme de l'apporter au cordonnier pour consolider une couture.

— Il y a longtemps ?

— Quelques semaines. Il ne me l'a pas rapportée, mais comme je n'en ai pas eu besoin, je n'y ai pas repensé. Quelle conclusion en tirez-vous ?

— La même que vous, je suppose : quelqu'un a l'intention de faire réapparaître le manuscrit dans votre besace pour vous incriminer. Une personne qui veut prendre votre place.

— Le seul qui ait pu se sentir lésé par ma nomination est le père Côme. Il est incapable d'une telle manigance.

— Quelqu'un qui y trouverait son intérêt peut l'avoir fait pour lui.

— Le père Damien ?

— Qui sait ? Quant à frère Jérôme, il n'est pas très fiable.

— Ce n'est quand même pas parce qu'il ne m'a pas rapporté la besace…

— Il n'y a pas que cela.

Gervais raconta à l'abbé Crispin l'échange qu'il avait surpris entre son secrétaire et l'inquisiteur, une conversation qui lui avait permis la découverte de l'objet volé.

— Je comprends mieux. Je me souviendrai que je dois me méfier de lui. Au fait, où avez-vous mis le manuscrit ?

— Il est à l'infirmerie dans le bagage du père Joseph. Personne d'autre n'est au courant, même pas le père Jude.

— Fort bien. Il nous faut arrêter une marche à suivre. Y avez-vous réfléchi ?

Gervais lui expliqua que selon lui, ceux qui voulaient lui faire du tort comptaient révéler sa prétendue culpabilité en présence de l'abbé Giraud lors de la fête en l'honneur d'Orderic Vital. Le seul moyen de les confondre était de laisser la besace ici et de voir qui viendrait la chercher.

— Mais comment faire réapparaître le manuscrit sans donner l'impression de l'avoir volé moi-même ?

— On pourrait le remettre discrètement sur le rayonnage de la bibliothèque, ce qui permettrait de l'y retrouver.

L'abbé compléta sa phrase sur un ton ironique :

— Par miracle ?

— Si l'on veut.

— Alors, il faut que le père Frémont soit dans la confidence.

— Je pense qu'il vaut mieux pas. Le père Frémont dissimule mal ses sentiments. S'il savait que le manuscrit est sauvé, il arborerait une expression de soulagement qui alerterait ceux que nous devons confondre.

— Dans ce cas, puisque j'ai les clés, nous irons le rapporter ensemble quand tout le monde dormira. C'est bien ce que vous avez en tête ?

— Si cela vous convient.

— Parfait. J'ai hâte qu'il soit en lieu sûr. Apportez-le-moi après none à mon bureau. Je n'irai pas au réfectoire : je resterai à le surveiller jusqu'à ce que nous le remettions en place. Quand plus rien ne bougera dans votre dortoir, vous viendrez me rejoindre à l'église.

Quelle que soit son impatience, Gervais ne pouvait accélérer le temps. Pour se distraire de l'expédition à venir et éviter de se perdre dans des supputations stériles au sujet des coupables, il n'y avait que le travail. Il s'y plongea.

Les jours passèrent, la vigilance retomba et la routine prit le dessus. Même Gervais, pourtant le plus acharné à trouver le meurtrier et le plus convaincu de pouvoir y parvenir, n'y pensait désormais que sporadiquement. Il fut décidé qu'il accompagnerait Émilien aux foires d'automne et il s'en réjouissait, car la tenue des comptes ne le passionnait guère. Finalement, alors qu'il avait cru souhaiter une vie d'étude, il découvrait que la fréquentation du monde le séduisait davantage que la sédentarité monastique. Béranger, attaché à son frère, serait du voyage. Dès que Gervais sut qu'il partirait aussi, ils se promirent monts et merveilles de cette expédition. Même si par pudeur ils n'en parlaient pas, chacun d'eux espérait en secret que ce serait l'occasion d'une nouvelle visite aux étuves.

Gourmand et curieux de la fabrication des plats, Gervais fréquentait volontiers la cuisine. Hervise se plaisait à lui expliquer ses préparations, persuadée que dans les contrées lointaines d'où il venait, il n'y avait rien de bon à manger. Il avait suffi pour cela qu'il découvre l'existence de certaines cochonnailles, de sauces parfumées à l'ail plutôt qu'à l'oignon, d'une variété de prunes inconnue dans le verger de sa famille. Si la cuisinière était aimable avec lui, en revanche, elle ne l'était pas avec Ramone qu'elle rudoyait, la comparant à Marinette, toujours à son désavantage. Accablée de reproches, la jeune campagnarde perdait toute assurance et accumulait les erreurs tellement elle était terrorisée. Gervais était persuadé que mise en confiance elle ferait vite une aide acceptable, mais il aurait fallu que l'attitude d'Hervise change du tout au tout. Il aurait souhaité intervenir, mais ne savait comment. Il n'osait pas affronter Hervise qui n'aurait pas admis qu'il critique son comportement et ne voulait pas davantage en parler à dame Robine, car il se serait conduit en délateur. C'était sans issue, et cela l'attristait.

Un après-midi, Gervais était occupé à faire la somme des différents achats de dame Talazac qui avait pris du voile de soie d'Alès, du fil vermillon, un chapeau de feutre pour son époux et une paire de gants en peau de lièvre, lorsque messire Dutech lança qu'il se rendait chez messire Furton. Non seulement il n'était pas vraiment dans ses habitudes d'annoncer sa destination à la cantonade, mais le timbre de sa voix était guilleret, ce qui intrigua Gervais. Il se souvint que c'était ce même client qui avait servi d'alibi le jour où il l'avait entendu forniquer dans le grenier à foin. Est-ce que par hasard… ?

— J'ai oublié de donner une consigne à Hervise, dit dame Robine à Gervais en se levant à son tour. Si tu arrives au mémoire de messire Lafforgue, laisse-le-moi.

La curiosité éveillée par l'attitude de messire Dutech et en proie à une vague inquiétude au sujet de dame Robine, qui pouvait être amenée à se rendre dans la cour et découvrir le pot aux roses, Gervais attendit un peu puis sortit à son tour. Son intuition en ce qui concernait le but du maître ne l'avait pas trompé : les bruits qui provenaient du grenier ne pouvaient avoir d'autre source. Il se dissimula derrière une futaille, décidé à y demeurer jusqu'à ce que les amants redescendent. La récréation que messire Dutech s'offrait n'en finissait pas. Gervais, exposé à ses ahanements et aux gémissements enamourés de sa partenaire, sentait, à sa grande confusion, que son corps réagissait. Des images précises de son initiation à Pézenas lui revenaient et, à son corps défendant, il glissa sa main dans ses chausses.

Au-dessus de sa tête, les craquements du bois changèrent : c'étaient maintenant des pas qu'il entendait. Il risqua un œil entre deux futailles et distingua messire Dutech qui descendait précautionneusement l'échelle. Le bras tendu, il tenait la main de la femme pour l'aider à descendre à son tour. Les yeux exorbités, Gervais attendait qu'après cette main, ce bras, cette épaule, le visage apparaisse, mais déjà, et il n'y croyait pas, il avait reconnu le tissu de la manche. Sa stupéfaction était telle qu'il se mit à béer comme un idiot. Car la femme qui venait de s'ébattre dans le foin n'était autre que dame Robine dont l'époux ôtait maintenant les brindilles de ses cheveux avec de petits rires complices. Gervais n'y comprenait goutte : que faisait dans le grenier un couple marié, et depuis si longtemps, alors qu'il disposait de ses aises dans la maison ? De plus, jamais il n'aurait imaginé qu'à leur âge ils avaient encore ce type de relations. Cela signifiait-il que ses parents le faisaient aussi avant la mort de Gildas ? Il chassa cette vision obscène. Et ceux-ci s'y adonnaient dans le foin, en plus ! Honteux, il considéra sa main poisseuse, l'essuya sur sa cuisse, puis sortit à son tour. Dans la cour, il croisa Peirol qui lui fit un clin d'œil égrillard.

— Maintenant, vous savez qui c'est, et je vois que vous êtes étonné.

— Tu peux le dire ! Je ne comprends pas pourquoi ils le font là.

— Pour se rappeler leur jeunesse. Ils trouvent que c'est excitant.

Il fallait donc inventer des stratégies pour s'exciter passé un certain âge ? Curieux. Lui y pensait tout le temps, ou presque, son corps réagissant de manière inconsidérée à la moindre sollicitation : joli minois ou tournure affriolante remarqués dans la rue, voix voluptueuse distinguée parmi d'autres dans la foule, souvenir inopiné de Jeanneton.

Dame Robine avait repris tout bonnement sa place et messire Dutech ne reparut pas. Peut-être était-il chez un client, sans doute pas messire Furton, ou bien à la taverne, ou même en train de faire une petite sieste réparatrice sous un arbre, dans le verger ? Une chose était sûre, mais au fond de lui, Gervais n'en avait jamais douté, messire Dutech n'était pas un assassin ni un suborneur de fillettes : c'était un vieil homme encore amoureux de sa femme, et cela, il ne l'aurait jamais deviné. Au repas, face à dame Robine si austère, si sévère avec sa bru, il avait du mal à admettre que son époux puisse la traiter de friponne avec ce ton lourd de sous-entendus qu'il avait en mémoire. Et pourtant, c'était parfaitement accordé avec les gémissements langoureux et les brindilles dans la chevelure. Une belle illustration du proverbe : « L'habit ne fait pas le moine ».

Depuis la veille, les yeux de Ramone brillaient : un attelage était attendu de Gardouch. Son plaisir anticipé était tel qu'elle en oubliait sa crainte d'Hervise. Elle qui d'ordinaire ne disait rien en présence de la cuisinière, accueillit l'entrée de Gervais par cette joyeuse exclamation :

— Messire Gervais, ils vont me donner des nouvelles de mes parents ! Et de Patou !

Hervise, étonnée que se manifeste celle qui était toujours atone, lui demanda :

— Patou ? Qui est-ce ?

— Mon chien.

Elle haussa les épaules et prononça avec dérision :

— Un chien…

— Un animal magnifique, s'empressa Gervais, désolé de voir l'enthousiasme de la jeune campagnarde retomber sous la rebuffade. J'aimerais beaucoup en avoir un comme celui-là.

Hervise n'insista pas. L'intérêt du Parisien pour Ramone lui paraissait incompréhensible, mais elle avait appris depuis longtemps que le monde des maîtres ne pensait pas comme celui des serviteurs.

Gervais aurait du plaisir à revoir Jaufré. Il se rappelait les rires partagés lors de leur retour, quand il s'essayait aux insultes enseignées par Constant, l'ânier de Gardouch. Comme il l'escomptait, elles avaient également obtenu du succès avec Fréchou et Béranger. Il se souvint aussi de la tristesse de la maison, affligée par le nouvel assassinat qui avait eu lieu en leur absence.

— Non, rectifia Fréchou à qui il en parlait en allant livrer des chandeliers au couvent des Hospitaliers, c'était avant.

— Comment cela ? Je croyais…

— On l'a trouvée juste après votre départ. Vous n'aviez sans doute pas encore franchi les portes.

Avant… Les gens de Gardouch étaient donc à Toulouse au moment du dernier meurtre… Est-ce que par hasard c'était également le cas lors des précédents ? Fréchou ne s'en souvenait pas. Peut-être Peirol le saurait-il ?

Il le savait. Les visites des gens de Gardouch comptaient pour lui autant que pour Ramone et de ce fait étaient des repères auxquels il associait les événements survenus à ce moment-là.

Il confirma :

— Ils étaient là chaque fois. Quelle malchance !

« Voire… » songea Gervais. Trois fois sur trois, cela méritait que l'on s'interroge. Le hasard est d'ordinaire moins assidu. Les gens de Gardouch étaient présents, ils connaissaient au moins une des victimes et ils avaient accès aux tissus teints en bleu pastel puisqu'ils testaient

la qualité de leur production. Il faudrait savoir si c'étaient toujours les mêmes qui accompagnaient Jaufré à Toulouse. Le bayle devait en être chaque fois et aussi les deux bouviers. En était-il de même des quatre mercenaires engagés pour les protéger? C'était à vérifier.

Dès l'arrivée des Gardouchois, une atmosphère de fête se propagea dans la maisonnée sous l'impulsion de dame Robine pour qui sa contrée d'origine et ceux qui en venaient étaient supérieurs au reste du monde et, de ce fait, avaient droit aux meilleurs égards. Tel qu'en lui-même, Jaufré apparut joyeux et entreprenant, distribuant les ordres pour ne pas perdre de temps et allant ensuite saluer chacun. Avec Gervais, il se conduisit à son ordinaire en grand frère, amical et taquin. Comment soupçonner un homme aussi ouvert et chaleureux d'être un assassin? se dit le Parisien. Si le meurtrier des jeunes filles était l'un des Gardouchois, ce ne pouvait être Jaufré. L'observation des autres lui permit de reconnaître les soudards: c'étaient les mêmes que lors de son propre voyage. En attendant d'apprendre s'ils étaient également là les fois précédentes, il était déjà assuré de leur présence au moment de la dernière agression.

Les nouveaux venus n'étaient à Toulouse que pour trois jours et il fallait livrer les cocagnes aux teinturiers avant de charger les marchandises qui seraient ramenées à la campagne, ce qui représentait un gros travail auquel furent adjoints les deux plus jeunes employés de l'échoppe, Gervais et Fréchou. C'était supervisé par le bayle pendant que Jaufré s'occupait des achats. Déterminé à bien observer les mercenaires, Gervais fut déçu: tandis qu'avec Fréchou il accompagnait le chargement dans le quartier Saint-Cyprien, les gardes se dirigeaient d'un pas martial vers la taverne de la Trilhe où ils seraient nourris et logés pendant leur séjour toulousain. Comme il s'en étonnait, le bayle expliqua qu'ils étaient là pour assurer leur sécurité et ne s'abaisseraient jamais à accomplir la besogne d'un portefaix. Fréchou fit à Gervais un signe d'intelligence et s'esquiva.

— Sénarens les surveille, chuchota-t-il lorsqu'il reparut.

En attendant, Gervais essaya d'en apprendre davantage sur ces hommes par l'entremise de Davezac, mais les monosyllabes du bayle et son expression rébarbative le dissuadèrent d'insister. À la place, il alla marcher à côté de celui des bouviers qui lui semblait le plus avenant. Pour éviter de l'effaroucher, il commença par s'enquérir des gens qu'il avait rencontrés à Gardouch. Il put se féliciter pour le choix de son interlocuteur: l'homme était bavard. Ferdinand, c'était son nom, lui parla des employés du domaine, rapportant les derniers ragots - qui était en chicane, qui était trompé par sa femme, qui fréquentait quelqu'un d'un village voisin. Puis il disserta sur les orages ayant détruit une partie de la future récolte de raisins ce qui réduirait notablement la production de vin à venir, une catastrophe d'après l'opinion générale. Quand il fut bien lancé et satisfait de l'oreille attentive de son interlocuteur, Gervais l'aiguilla sur Ramone.

— Les Froucard sont bien tristes, allez, que leur fille soit à Toulouse. Ils auraient préféré la garder avec eux. Mais dame Robine voulait quelqu'un de Gardouch et Ramone était la seule qui faisait l'affaire. Elle est heureuse, ici, la petite Froucard?

— Vous lui demanderez vous-même en lui donnant des nouvelles de sa famille.

— Oh, je sais pas si je pourrai l'approcher. Je suis qu'un bouvier, je dors à l'écurie avec les bêtes.

— Mais vous allez manger à la cuisine.

— J'oserais pas lui parler. Elle me regardera pas, pensez-vous, c'est maintenant une fille de la ville.

Son ton attristé incita Gervais à lui porter mieux attention. Là où il n'avait vu qu'un paysan fruste vêtu de hardes laides et usées, il découvrit un homme dans la première vingtaine au physique assez agréable.

— Elle vous plaît bien, Ramone? hasarda-t-il.

— Elle est pas pour moi, répondit-il, un peu amer. De toute façon, elle en a que pour son cousin.

Gervais, qui avait trouvé cela sans intérêt sur le moment, pensa qu'avant son départ pour Gardouch, Ramone lui avait recommandé de donner le bonjour à son cousin. Comment s'appelait-il, déjà ? Justin ? Colin ? Et à son retour, elle s'en était enquise. Il ne s'était pas douté que cela avait autant d'importance pour elle. Comment était-il, ce cousin ? Il n'en avait aucun souvenir.

— Justin ?

— Firmin. Elle est pas pour lui non plus, d'ailleurs. Ses parents auraient été bien contents, mais pas dame Robine. Elle veut la garder à Toulouse et elle la mariera pas.

Gervais ne s'était donc pas trompé au sujet du bouvier : Ramone ne le laissait pas indifférent. Mais était-ce vraiment Ramone qui l'attirait, ou bien s'intéressait-il à toutes les jeunes filles ? Et s'y intéressait-il au point de les forcer si elles le repoussaient ? Finalement, les soudards n'étaient pas les seuls à surveiller. À propos de ces derniers, son interlocuteur lui apprit qu'ils étaient fort peu recommandables.

— Il y a des mois qu'ils traînent à Gardouch et on ne sait même pas d'où ils sortent.

— Ils étaient sans doute attachés à un seigneur qui n'a plus besoin de mercenaires.

— C'est ce qu'ils disent. Ils se vantent beaucoup d'avoir participé à des batailles. À les entendre, c'est eux qui les ont gagnées. Mais ils restent toujours dans le vague. On ne sait pas de quelles batailles il s'agit ni de quel seigneur. Au village, on pense que s'ils avaient été aussi bons qu'ils le prétendent, ils seraient pas sans emploi.

— De quoi vivent-ils ?

— Parfois, ils font un travail comme celui-ci et puis ils vont boire leurs sous à l'auberge. Le reste du temps, on les soupçonne de rançonner les voyageurs. Et puis, ils courent les filles. Ceux qui en ont feraient bien de les garer.

— C'est toujours eux que messire Jaufré engage pour vous escorter ?

— Oui. Personne d'autre à Gardouch n'a cet air à faire peur. Rien qu'à les voir, les malintentionnés passent leur chemin.

— Ils sont violents?

Le bouvier haussa les épaules, fataliste.

— Comme des soldats. Ils parlent fort, cherchent querelle, toujours la menace à la bouche et la main sur l'épée.

La conversation, qui les avait menés à la rue des Teinturiers, avait été fort instructive: les gardes faisaient d'excellents suspects et le bouvier aussi. Les premiers, avec leur réputation de violence et de lubricité, avaient selon toute vraisemblance commis les pires méfaits lorsqu'ils étaient soldats. Le viol et le meurtre étaient pour la soldatesque des actes de guerre banals et il n'était pas impossible qu'ils continuent leurs pratiques en temps de paix. Quant au deuxième, frustré dans son désir d'épouser Ramone, pourquoi n'aurait-il pas assouvi ses impulsions sur d'autres jeunes filles? Tous étaient présents au moment des trois meurtres, les soudards à la taverne de la Trilhe, le bouvier à l'écurie.

De plus, il s'en souvenait, il y avait eu également des crimes à Gardouch. Deux hommes avaient été pendus, qui avaient avoué leur culpabilité, mais étaient-ils réellement les assassins? Une question bien appliquée faisait confesser n'importe quoi.

Au repas du soir, la conversation porta essentiellement sur Gardouch. Les deux habitants du lieu, Jaufré le prolixe et Davezac le silencieux, étaient aussi différents que possible. Dame Robine voulait des nouvelles de son petit-fils, et l'heureux père en parla jusqu'à ce que messire Dutech, que les pouparts n'intéressaient guère, le coupe au milieu d'une phrase pour s'enquérir de l'état de la vigne. Gervais, qui savait tout cela pour l'avoir entendu de la bouche de Ferdinand, rongea son frein. Il avait tellement hâte de retrouver Fréchou pour apprendre comment les soudards se comportaient à la taverne qu'il en avait des fourmis dans les jambes.

Après avoir mangé, le bayle quitta la maison pour celle de son cousin chez qui il avait coutume de séjourner. À entendre dame

Robine lui recommander la prudence, Gervais comprit qu'il se rendait dans un quartier éloigné et plutôt mal famé. Puisqu'il y dormait chaque fois, il n'avait pu être présent lors des meurtres, ce qui permettait de l'exclure d'une liste de suspects dans laquelle, de toute manière, il n'y avait pas eu de raison de le faire figurer.

Les soudards s'intéressaient de fort près aux servantes de la taverne, rapporta Fréchou qui s'était éclipsé avant le repas pour aller aux nouvelles.

— Les servantes ? s'étonna Gervais. Je croyais qu'il n'y avait que Berthe.

— Simone est en renfort. Elle a hésité parce que l'endroit lui fait peur, mais son ancien patron a marié son fils et c'est maintenant la bru qui fait l'ouvrage. Tant qu'elle trouvera pas mieux, elle sera bien obligée de rester là.

— Les soldats de Gardouch essaient de les lutiner toutes les deux ?

— Disons qu'ils préfèrent Simone, mais comme ils sont quatre…

— Simone se méfie, mais Berthe ? Elle n'a pas l'habitude d'être courtisée, il ne faudrait pas que cela lui tourne la tête.

Fréchou ne cacha pas son souci.

— Cette sotte frétille comme une ablette. Elle sait bien, pourtant, ce qui est arrivé aux autres. Sénarens veille avec sa bande, mais ils sont dehors, ils voient pas tout.

Ils se couchèrent très inquiets, craignant d'apprendre au réveil qu'un nouveau drame s'était produit.

XXIV

Pendant qu'il dégustait avec ses commensaux la soupe de fèves au lard de frère Lucas qui leur tirait des soupirs de bien-être, Gervais pensait à l'abbé Crispin. Son absence du réfectoire excitait la curiosité, d'autant plus que les deux inquisiteurs, des visiteurs de marque auprès desquels il était d'ordinaire empressé, étaient toujours là. Faute de supérieur, il aurait dû y avoir à la table d'honneur au moins son adjoint, le père Côme, mais lui non plus n'était pas présent. Le père Léonce et le frère Paul se demandaient-ils pourquoi ils devaient ce soir-là se contenter de la compagnie du père Frémont ? Pour sa part, le bibliothécaire ne semblait pas s'en plaindre.

À l'expression du supérieur de Saint-Évroult quand il avait vérifié que les folios découverts à l'appentis étaient bien les *Annales* d'Orderic Vital, Gervais avait deviné sa crainte de se trouver devant le mauvais document. Il était allé le récupérer à l'infirmerie, profitant d'un moment où le père Jude soignait un malade pour le glisser sous sa cotte. Cela lui faisait un torse bombé, comme si une bedaine lui avait poussé brusquement ; quand il s'était présenté au bureau de l'abbé, il avait été soulagé de l'absence de son secrétaire pour qui cette anomalie ne serait pas passée inaperçue. Le père Jude, quant à lui, n'avait rien remarqué lorsqu'il était revenu s'asseoir avec eux le temps d'une infusion. Il leur avait appris que son malade n'était autre que le père Côme qui avait perdu connaissance pendant un entretien avec les inquisiteurs.

— C'est curieux, j'étais persuadé qu'il était tout à fait guéri. Subir plusieurs jours d'interrogatoires l'aura sans doute épuisé.

Quelques heures plus tard, lorsque le niveau de ronflements l'eut convaincu que tout le dortoir était plongé dans le sommeil, Gervais sortit en tapinois. Personne ne broncha et il atteignit la cour sans encombre. Après le couvre-feu, les risques de rencontre étaient infimes, mais ce n'était pas à exclure et il se dépêcha de traverser l'espace découvert de manière à ne plus être exposé à la vue. L'abbé Crispin l'attendait déjà dans l'église, le manuscrit serré contre sa poitrine. Dès l'arrivée de son complice, il déverrouilla la poterne du corridor menant à la salle capitulaire, puis celle de la salle et enfin du scriptorium. La pleine lune, dehors un handicap, fut d'une grande aide à l'intérieur: sa clarté pénétrant par les hautes fenêtres leur permit de se déplacer sans avoir recours à une chandelle, ce qu'il valait mieux éviter. L'abbé ouvrit l'ultime porte, celle de l'escalier dans lequel ils s'engagèrent. Il y faisait noir, mais dans la bibliothèque, ils retrouvèrent la lumière de la lune. De nuit, le scriptorium était déjà impressionnant, mais la salle des livres l'était bien davantage. Ils étaient seuls dans ce bâtiment qui d'ordinaire accueillait de nombreuses personnes et n'était jamais silencieux, car on y entendait toutes sortes de voix. Celles des lecteurs qui dictaient leur texte aux scribes écrivant sous la copie, d'autres des copistes marmonnant les mots qu'ils étaient en train de tracer, parfois une conversation avec le bibliothécaire. Il y avait aussi le pas lourd du convers chargé de bûches, le tintement du tisonnier sur la plaque du foyer, les raclements de gorge et la toux des uns et des autres. Quand il s'appliquait à sa rédaction, Gervais ne prêtait pas attention à ces bruits, mais avec le silence qui régnait maintenant, il en ressentait le manque. Les uniques sons qu'il percevait étaient ténus: le vent, très assourdi par l'épaisseur des murs, un insecte grugeant la charpente, une souris qui s'attaquait à l'un des précieux livres. Où était donc le chat résidant en ces lieux d'où il était censé éradiquer les rongeurs ? Il n'était pas loin : les intrus sursautèrent lorsqu'il sauta à leurs pieds. Ces derniers l'intéressaient plus que la vermine : il se frotta à leurs jambes en ronronnant, espérant peut-être une friandise, habitué à voir apparaître croûtes et rogatons de sous les replis des bures monacales.

En entrant dans la pièce, les deux hommes s'étaient arrêtés, saisis de respect devant les livres, mais l'irruption du chat les ramena à la conscience de leur mission.

— Ne perdons pas de temps, dit l'abbé Crispin en se dirigeant vers le fond de la salle.

La reliure vide était toujours en place. Il allait simplement y glisser les folios quand Gervais suggéra de nouer les nerfs qui pendaient des ais à ceux qui tenaient encore aux cahiers cousus ensemble.

— Ce sera une réparation sommaire, mais elle permettra de donner l'illusion que le contenu n'a jamais été ôté.

L'abbé lui tendit le tout.

— Faites-le, je ne suis pas habile de mes mains.

Le manuscrit et sa reliure de nouveau réunis furent déposés à leur emplacement et les deux hommes redescendirent.

— Je vais prendre un paquet de papier sur mon pupitre pour le mettre dans la besace. Ainsi, elle aura le même poids et le même volume.

Le papier trouva place à son tour sous la côte de Gervais.

— Auriez-vous idée d'un endroit où je pourrais le dissimuler en attendant de le récupérer discrètement demain ?

L'abbé réfléchit.

— À l'église. Elle n'est jamais fermée.

Quand ils y furent retournés, il lui désigna l'arrière des fonts baptismaux.

— Là, personne ne le verra.

Ils se saluèrent avant d'entrer dans le bâtiment où ils dormaient et se quittèrent à l'angle d'où partaient le corridor menant aux cellules et celui qui conduisait aux dortoirs.

Au matin, encore sous le coup de sa nuit écourtée, Gervais bâillait sur son pupitre. Après la ponction de la veille, son paquet de feuilles vierges avait diminué de manière significative et il redoutait que quelqu'un s'en aperçoive et l'interroge, car il avait l'esprit trop embrumé pour trouver une réponse plausible. Heureusement, le matin ses confrères n'étaient pas vifs eux non plus. Il relut sa dernière phrase d'un œil ennuyé :

Ils se couchèrent très inquiets, craignant d'apprendre au réveil qu'un nouveau drame s'était produit.

Replonger dans l'épisode qu'il était sur le point de relater, l'un des plus tragiques de l'affaire languedocienne, lui rendit son allant.

Le lendemain, il n'y avait pas de cadavre, mais il restait encore une nuit au meurtrier s'il était bien l'un des membres de l'équipe de Gardouch. Gervais, qui pensait avoir tiré du bouvier tout ce qu'il pouvait lui apprendre, réussit à se faire adjoindre à Jaufré qu'il accompagna dans ses visites chez les fournisseurs. Il voulait surtout aller avec lui à la taverne de la Trilhe où il avait compris qu'il prendrait son repas de midi avec un teinturier du quartier Saint-Cyprien pour s'accorder sur une prochaine livraison. Maître Boyer était déjà là en compagnie de Daran, son contremaître séducteur, et Jaufré s'assit avec eux après avoir signifié à Gervais que l'entretien était confidentiel. Celui-ci s'installa à un bout de table où Simone lui apporta une pinte de vin et une assiette de soupe sur un signe de Jaufré.

— Qu'est-ce que tu fais ici ? lui chuchota-t-elle en le servant.

— Je suis venu avec messire Dutech. Comment les gardes se comportent-ils ?

— Comme tous les soudards, répondit-elle avec mépris. Ils nous mettent la main aux fesses et croient qu'on est prêtes à tomber

toutes rôties entre leurs sales pattes. S'ils espèrent me trousser derrière le bûcher, ils se fourrent le doigt dans l'œil.

— Tu as raison de te méfier. Et Berthe, elle est prudente ?

— C'est une idiote. Tout ce qu'elle va y gagner, c'est une marotte sous la gonelle.*

— Ou un foulard autour du cou.

Simone eut un haut-le-corps.

— Tu crois que c'est un de ces hommes ?

— Ce n'est pas impossible.

Le tavernier la rappela à l'ordre.

— Simone ! Tu es pas là pour parler. Occupe-toi de la table du coin.

Maintenant seul, Gervais eut tout loisir d'observer les gardes. Ils se comportaient comme en pays conquis. Le patron, sûr d'être payé par Dutech, laissait faire, mais les servait lui-même. Gervais devina que ce qui aurait pu être considéré comme de la prévenance, puisque c'était également lui qui s'occupait de la table des deux négociants, les seuls notables de sa clientèle du jour, était plutôt dû à la volonté de protéger les servantes de leurs avances. Il avait déjà eu deux filles assassinées, désormais, il veillait au grain. Gervais le comprit lorsque Berthe apparut. L'un des soudards lui fit signe d'approcher, mais le tavernier, qui avait intercepté le geste, la renvoya sèchement à la cuisine. L'homme n'osa pas protester même si son dépit était visible. C'était sans doute le pire des quatre : outre un physique disgracié, la rudesse de ses manières le distinguait de ses camarades qui pourtant n'étaient guère policés. Berthe avait tout à perdre dans cette fréquentation et Gervais s'étonna qu'elle n'en soit pas consciente. Puis il se souvint que les hommes la dédaignaient. Si le soudard était le premier à faire attention à elle, il était naturel qu'elle y soit sensible. D'après Fréchou, Sénarens la surveillait, mais il lui en parlerait quand même pour s'assurer que c'était bien celui des gardes qui présentait un péril pour la jeune fille qu'il tenait à l'œil. Si Berthe n'était pas en danger de mort, elle risquait pour le moins d'être déshonorée et abandonnée.

Ensuite, Gervais porta son regard sur Daran. Bien qu'attentif à la négociation menée par le producteur de pastel et le teinturier, il lorgnait Simone, laquelle n'avait pas envers le contremaître les mêmes réticences qu'avec les soudards. Elle devait se méfier, il faudrait le lui dire. C'était peut-être une erreur d'avoir cessé de soupçonner cet homme. Il pouvait se procurer facilement un foulard pastel et, vivant à Toulouse, il était sur place au moment des trois meurtres alors que la présence des Gardouchois pourrait n'avoir été qu'une coïncidence. Quoi qu'il en soit, Simone ne devait rien attendre de Daran : avec les femmes, il ne tenait pas les belles promesses qui lui servaient à les attirer.

À la sortie de la taverne, pendant que Jaufré faisait ses adieux à messire Boyer, Gervais rejoignit Sénarens qu'il avait repéré, à l'affût dans une encoignure. Il lui décrivit le soudard qui avait des vues sur sa sœur et lui conseilla d'être attentif. La colère crispa le visage du garçon. Il avait du mal à se contenir, mais était assez sage pour savoir qu'avec sa bande, ils ne feraient pas le poids contre quatre mercenaires. Cependant, pensa Gervais, le garde n'avait pas intérêt à fréquenter seul des lieux isolés sous peine de recevoir une bonne correction.

Le repas des maîtres se déroula sensiblement comme celui de la veille. La conversation porta sur les activités de Jaufré. Il se déclara satisfait de sa négociation avec messire Boyer, même s'il avait dû lui concéder un prix plus bas qu'escompté. Un autre producteur de pastel avait essayé de lui voler son client en proposant un tarif moindre et il avait dû s'ajuster pour le garder. Il conservait cependant une marge de bénéfice correcte. Par ailleurs les achats de marchandises étaient terminés. Les fournisseurs les avaient apportées hors les murs, à l'auberge où les bouviers attendaient avec l'attelage. Le chargement avait été effectué sous la supervision du bayle qui confirma que tout était prêt pour un départ tôt le lendemain. Les Gardouchois ne reviendraient pas avant plusieurs semaines et il était visible que dame Robine en était attristée. Jaufré, en revanche, avait hâte de retrouver son épouse et son enfant et ne s'en cachait pas.

La présence de Ramone, d'ordinaire effacée, s'imposa à l'attention de Gervais. Depuis peu, elle servait à table sous la supervision bienveillante de la maîtresse de maison qui avait décidé de ne pas la cantonner à l'épluchage. Loin des critiques d'Hervise, qui avait toujours une vétille à lui reprocher, la jeune servante se débrouillait bien. On la sentait encore nerveuse, mais elle gagnait chaque jour en assurance. Ce soir-là, cependant, il y avait quelque chose de plus : un éclat dans le regard, une langueur dans les gestes, une distraction, comme si elle était réfugiée dans un univers intérieur. Elle resta debout avec la soupière à côté de dame Robine qui avait fini de remplir son écuelle et s'attira une remarque. C'était moins qu'une réprimande, parce que la maîtresse était de bonne humeur lorsque ses deux fils étaient présents, mais un étonnement accompagné d'un léger reproche. Ramone s'excusa, fut désormais plus attentive, mais l'impression qu'elle dégageait n'avait pas changé. Il parut à Gervais qu'elle semblait en attente d'un événement. Heureux ? Sans nul doute. De quoi pouvait-il bien s'agir ? Saisi d'une inquiétude, il résolut de la surveiller pour le cas où elle déciderait de sortir de la maison à la nuit tombée.

Dès qu'il fut levé de table, alors que chacun s'apprêtait à rejoindre sa couche, Gervais tint un conciliabule avec Fréchou. Celui-ci n'avait rien remarqué de particulier chez Ramone, mais fut d'accord pour l'avoir à l'œil. Il fallait établir un stratagème, car ils ne pouvaient pas se confier à leurs compagnons de paillasse ni éviter de se mettre au lit en même temps qu'eux sous peine d'éveiller leur suspicion.

— On va attendre qu'ils dorment pour sortir du galetas, décida Gervais. Cela ne tarde jamais beaucoup.

— Et si entre-temps elle nous échappe ?

— Elle non plus ne pourra pas s'en aller tant qu'Hervise ne dormira pas.

— Pourvu qu'elle s'endorme pas trop vite !

— On va avoir besoin d'aide. Peux-tu parler à Sénarens avant la fermeture de la porte ?

— J'y vais. En sortant, j'avertirai Peirol pour qu'il ne m'enferme pas dehors.

Les occupants du galetas étaient couchés depuis un moment et la chandelle brûlait toujours en attendant Fréchou qui était censé être aux latrines à cause d'un détraquement intestinal. Samaran marmonnait parce qu'il voulait dormir, mais Lasserre l'interrompit :

— On préfère qu'il le fasse pas dans le pot, la chiasse, c'est une infection.

Il aurait dû être déjà là, et Gervais commençait d'être anxieux. Pourvu qu'il ne soit pas bouclé à l'extérieur ! Quand enfin il entra, Lasserre dit avec un rire gras qu'il le croyait tombé au fond du trou.

— Mais…, balbutia le garçon qui n'y comprenait rien.

Heureusement, l'autre interpréta mal sa surprise et lui donna la clé.

— Ne fais pas l'étonné : on le sait que tu as la courante, le Parisien nous l'a dit.

Fréchou, qui avait saisi, confirma :

— C'est vrai, je suis dérangé. Le chou de midi, sans doute.

— On en a tous mangé et tu es le seul malade.

— Alors, c'est autre chose.

Il souffla la chandelle en disant qu'il espérait que ce serait fini le lendemain, ce qui coupa court à toute velléité d'explorer d'autres hypothèses. Avant de faire l'obscurité, il avait adressé un clin d'œil à Gervais : tout allait bien. Il ne restait plus qu'à attendre les ronflements pour s'esquiver. Ils ne tardèrent sans doute pas plus que d'habitude, mais cela leur parut long.

La cuisinière et son aide, qui étaient logées à proximité, ne pouvaient quitter l'étage sans passer devant eux, de sorte que les garçons devaient se cacher afin de ne pas être vus de Ramone, en supposant qu'elle sorte. Ils s'accroupirent dans un recoin particulièrement sombre. Gervais voulut se faire confirmer que Sénarens avait été alerté.

— Oui, je l'ai trouvé. Ils se mettront là où la barrière du verger est brisée. C'est le seul endroit pour entrer ou sortir. Ils resteront dans la rue, mais ils pourront arriver très vite si on a besoin d'eux.

— Comment le sauront-ils?

— Je sifflerai.

— Bien. Taisons-nous maintenant.

L'attente commença. Tenus à l'immobilité et au silence, ils trouvaient que le temps passait très lentement. Fréchou bâilla. Par contagion, Gervais en fit autant, puis se fut un véritable concours à qui bâillerait le plus largement. Ils peinaient à ne pas s'endormir. Gervais n'était pas loin de penser qu'il s'était trompé et qu'ils feraient mieux de retourner se coucher quand un léger bruit le mit en éveil. Il serra le bras de Fréchou, dont il ne distinguait pas le visage, et celui-ci lui répondit par une pression signifiant que lui aussi avait entendu. C'était une sorte de glissement. Un pas? Oui, c'était bien quelqu'un qui venait: une silhouette frêle qui ne pouvait être que Ramone.

Elle passa devant eux, pieds nus et en chemise, ses souliers à la main. Lorsqu'elle fut assez loin des pièces occupées pour ne plus risquer de réveiller les dormeurs, elle se chaussa et avança avec moins de précautions. L'escalier du galetas, qui n'était guère plus qu'une échelle, descendait directement dans la cour. Craignant de l'alerter, les deux garçons attendirent un peu avant de s'y engager à leur tour. Maintenant qu'elle était dehors, Ramone marchait vite, aidée par la lune qui éclairait suffisamment les lieux pour se repérer sans difficulté. Elle se dirigeait vers le couvert des arbres fruitiers, ce qui semblait exclure qu'elle veuille gagner la rue. Elle n'allait pas non plus vers les écuries où logeait le bouvier, mais cela ne prouvait rien, car ils étaient trois à l'intérieur: les deux bouviers et Peirol. Des gens en quête de tranquillité ne s'abriteraient pas à proximité d'autres personnes qui les entendraient à coup sûr. Où donc allait-elle?

Un homme l'attendait à la lisière du verger. Il était dans l'ombre et son visage demeurait invisible. Sa silhouette ne suffisait pas à le faire reconnaître. Les garçons se tapirent à proximité, regrettant de ne pas être assez près pour comprendre leur échange, mais s'ils s'approchaient, ils risquaient d'être découverts. Rien ne prouvait que Ramone était en danger et que le rendez-vous n'était pas innocent. Quoique… Une jeune fille en chemise qui retrouve en secret un homme en pleine nuit a forcément quelque chose à cacher. Seulement, si c'était une histoire d'amour, les garçons n'avaient aucune raison de troubler la rencontre: ils n'étaient là que pour la protéger d'un éventuel danger. Ramone, cependant, ne s'était pas jetée dans ses bras, ni même approchée tout près de lui: ils n'étaient pas, ou pas encore, des intimes. Elle parla, puis ce fut au tour de l'homme qui mit la main sous son pourpoint et en sortit un objet fluide que Gervais n'identifia pas aussitôt, ce qu'il se reprocha par la suite. Car c'était un fichu. Ramone tendit la main comme pour le prendre, puis elle recula dans un mouvement d'effroi et voulut s'enfuir. L'homme se jeta sur elle et passa brusquement le tissu autour de son cou. Gervais et Fréchou comprirent en même temps ce qui se produisait et ils se précipitèrent en criant. Surpris, l'individu lâcha sa proie et partit en courant vers la brèche de la clôture. Fréchou siffla pour alerter ses amis, mais n'essaya pas de le suivre, Gervais non plus, car il fallait en priorité porter secours à Ramone. La jeune fille était tombée au sol quand l'assassin l'avait lâchée pour détaler, et elle ne bougeait pas. Gervais craignait qu'elle ne soit déjà morte. Il s'escrima à lui ôter le fichu que le meurtrier avait serré très fort. Lorsqu'il fut parvenu à le desserrer, il se pencha sur elle et crut l'entendre respirer, mais il n'en était pas sûr.

Du côté de la clôture, on perçut des cris, puis il y eut des pas qui couraient et puis plus rien. Tout cela ajouté aux hurlements des deux garçons avait fait assez de bruit pour réveiller les dormeurs. Les premiers à arriver sur les lieux furent ceux qui logeaient à l'écurie. Ils étaient au complet. Le coupable n'était donc pas l'un d'eux. Puis survinrent ceux de la maison. D'abord les employés parce que leur échelle les menait directement dehors. Les maîtres ensuite. Il ne manquait qu'Hervise qu'on dut aller secouer tant elle dormait profondément, ce dont elle se montra fort marrie. Le meurtrier s'était enfui et les habitants de l'hôtel Dutech étaient tous présents: le mystère restait complet. Ramone seule connaissait son identité, mais elle était inconsciente et, selon le docteur Castex que dame Robine avait envoyé chercher malgré le couvre-feu, il y avait peu d'espoir qu'elle reprenne ses sens.

XXV

Alors que les scribes retournaient à leur tâche après le repas de midi, Gervais se dirigea vers l'église comme s'il allait prier. Elle était déserte et il put récupérer son papier. La difficulté résidait dans la traversée de la cour. Les deux personnes qu'il craignait le plus de croiser étaient le secrétaire et l'aide-cuisinier, deux fouineurs qui s'intéresseraient à sa silhouette alourdie et à sa destination. Dissimulé dans l'encoignure du portail, il sortit une tête prudente et ne vit ni l'un ni l'autre. Sans songer que c'était le meilleur moyen de se faire remarquer dans une enceinte où la démarche compassée était de rigueur, il traversa l'espace vide le plus rapidement possible et ne ralentit qu'arrivé au verger. Il était à peine entré sous le couvert des arbres qu'il sursauta, effrayé : de ce lieu ordinairement si paisible s'élevait une voix forte qui semblait s'adresser à une foule. Sa première pensée fut qu'il assistait à un événement surnaturel, mais son pragmatisme de marchand reprit vite le dessus : c'était un homme qui s'exprimait, un prédicateur. Mais pourquoi prêcher dans un verger ? Et à qui ? Poussé par la curiosité, il s'avança, tout en restant dissimulé derrière les troncs, vers la voix qui enflait et s'amplifiait. Il distinguait maintenant les mots : ils parlaient de justice divine et de punition des péchés. Lorsqu'il le vit, les bras levés vers un ciel caché par les ramures, il reconnut le moine pour l'avoir aperçu au réfectoire. Le religieux était seul et s'adressait aux pommiers. Gervais comprit qu'il procédait à une répétition loin des oreilles du monastère et que pour cela il avait choisi le meilleur des publics : des arbres. Ils ne bavardaient pas au lieu de l'écouter et ne mettaient pas en doute ses déclarations. L'oblat ne s'attarda pas à prêter attention à cette homélie dont il bénéficierait au complet au prochain office et s'en fut déposer les feuilles dans la besace. Elle n'avait pas bougé. Lestée du papier, son apparence et son poids étaient sensiblement les mêmes que lorsqu'elle abritait le manuscrit : tout allait bien.

L'après-midi commençait à peine. Sa mission accomplie, il avait le temps de travailler à sa chronique avant de se rendre à l'infirmerie où à cette heure, le père Joseph faisait la sieste. Il repartit vers le scriptorium d'un pas léger.

On avait placé Ramone sur une paillasse dans un angle de la grande salle où elle gisait, hébétée et muette. Contre toute attente, elle avait repris connaissance, mais s'était murée dans un monde auquel les autres n'avaient pas accès. Quand elle percevait un bruit de pas, elle se recroquevillait, ses yeux roulaient dans ses orbites et sa bouche se crispait. Il lui fallait du temps pour se convaincre que la personne se tenant à ses côtés ne présentait aucun danger ; elle ne s'apaisait qu'alors. D'après le médecin, sa gorge avait été endommagée par la strangulation, et il ne semblait pas croire à l'éventualité qu'elle recouvre la voix. Au moins, espérait-on qu'elle manifesterait le désir de se lever et de bouger. Hervise la nourrissait à la cuillère et elle avalait docilement, mais elle se désintéressait de ce qui l'entourait. Dans la maison, tout le monde se sentait un peu coupable : dame Robine de l'avoir arrachée à la quiétude de Gardouch, Hervise de l'avoir rudoyée, messire Dutech d'avoir négligé de faire réparer la clôture ayant permis à l'assassin de s'introduire puis de s'enfuir, les garçons d'avoir attendu qu'elle soit agressée pour crier. Chacun faisait le peu qu'il pouvait pour l'aider, ce qui consistait à venir plusieurs fois le jour lui parler gentiment en lui caressant la main. Elle la retirait brusquement, puis finissait par l'abandonner, de guerre lasse. Le petit Martin, que son aspect effrayait, évitait ce coin de la salle, mais alors que les adultes baissaient la voix, il jouait bruyamment et cette manifestation de vie faisait du bien à la maisonnée. L'affreuse ligne rouge cerclant le cou de Ramone était devenue noire puis jaune. Dame Robine aurait souhaité dissimuler aux regards cette preuve insoutenable de l'agression, mais quand elle avait voulu couvrir la gorge de la jeune fille d'un fichu, l'affolement de celle-ci avait été tel qu'il lui avait fallu y renoncer.

Quand Gervais partit pour la foire, il n'y avait eu aucune évolution ni de l'état de Ramone ni de l'enquête. Pendant les longues heures du chemin, il repassa à l'infini les éléments connus dans l'espoir d'y trouver quelque fait significatif lui ayant échappé jusque-là. Malheureusement, Sénarens et ses amis avaient été incapables de décrire l'individu qu'ils avaient affronté, car il faisait trop sombre et cela s'était produit trop vite. Béranger, qui au début avait prêté à Gervais une oreille complaisante, était las de l'entendre ressasser. Il ne lui en parlait donc plus, mais ne cessait pour autant d'y penser.

Comme le fichu avec lequel l'agresseur avait tenté d'étrangler Ramone était bleu pastel, il n'y avait pas de place pour le doute : l'assassin était bien celui qui avait déjà sévi trois fois. Ramone, dûment avertie de se méfier, avait affirmé à plusieurs reprises qu'elle n'accepterait jamais de répondre à un inconnu. Sans oublier qu'elle ne sortait jamais seule. Cela tendait à prouver que le meurtrier était rattaché à la maison Dutech. De plus, Jaufré avait l'impression que ce fichu avait été teint à Gardouch, non pas tant à cause de la couleur, qui ne permettait pas de déterminer dans quelle ferme le pastel avait été cultivé, mais de l'étoffe utilisée. Il s'agissait d'une laine assez grossière semblable à celle que produisait l'époux de sa sœur qui lui en avait fourni pour habiller les serviteurs et dont on avait prélevé quelques lés pour les essais de teinture. Seulement, il y avait une objection, et de taille : personne n'était blessé.

Or, la bande de Sénarens, si elle n'avait pu l'arrêter, avait réussi à frapper l'individu comme en témoignaient les taches de sang au sortir du verger. Ils étaient quatre, armés de bâtons, mais c'étaient des garçons des rues malingres qui avaient été balayés par la puissance d'un adulte fort et musclé. Cet homme cependant avait reçu des coups et en portait obligatoirement des traces puisqu'il avait saigné. Les bouviers et Peirol n'avaient aucune marque. De toute façon, ils avaient été là très vite et ils venaient du côté opposé à la clôture vers laquelle l'agresseur s'était enfui. Dans le désordre qui s'était ensuivi, un homme de la maison aurait pu revenir subrepticement du fond du verger et faire comme s'il provenait du même endroit que les autres, mais eux aussi affichaient le lendemain des visages et des bras exempts de contusions. Du moins, Gervais le croyait-il. Les avait-il tous vus ? Il n'en était pas certain.

La prévôté n'avait rien trouvé, comme d'habitude. Il est vrai qu'elle n'avait pu interroger la bande qui s'était égaillée avant l'arrivée des sergents. Tout le monde avait eu vent de la tentative d'intercepter le meurtrier, mais personne ne savait qui en étaient les auteurs. L'anonymat avait été la condition de Sénarens pour participer à l'opération, et Gervais l'avait respectée. De ce fait, la police était aussi incapable de trouver les témoins que le coupable.

Bien que cet homme qui avait essayé de l'assassiner vienne de l'extérieur de la maison, Ramone avait accepté de le rencontrer en secret, de nuit, dans le verger, ce qui signifiait qu'elle le connaissait. Gervais en revenait toujours à cette conclusion, car il n'y avait pas d'autre explication possible au comportement de la jeune fille. Contrairement à ce que tout le monde croyait, elle devait parfois sortir seule, de sorte qu'elle avait pu établir une relation avec lui et que, de ce fait, il n'était plus un inconnu. Béranger convenait que ce raisonnement avait du sens. Peut-être n'approuvait-il son ami que pour l'inciter à changer de conversation, mais celui-ci devait se contenter de cet unique interlocuteur. Dans la caravane, personne d'autre ne s'interrogeait sur l'agression de Ramone et le sujet n'avait pas été abordé depuis leur départ.

Les activités de la foire, marchandages, rencontres, banquets, visite aux étuves organisée cette fois encore par les aînés, toute cette agitation avait relégué les meurtres assez loin dans les préoccupations de Gervais. À vrai dire, quand ils se mirent en route pour rentrer à Toulouse, il n'y avait plus repensé depuis des semaines, mais en approchant de la ville, tout lui revint et il se demanda comment allait Ramone, et aussi, s'il y avait eu un nouvel assassinat.

Pour le deuxième point, il fut aussitôt rassuré, mais l'état de la jeune fille, s'il était meilleur qu'à son départ, laissait fort à désirer. Bien qu'ayant repris ses activités dans la maison, elle n'avait toujours pas prononcé un mot depuis la nuit de l'agression. Son visage perpétuellement effrayé faisait peine à voir. Pourtant, elle était aussi protégée que possible, ne sortant plus du tout, même accompagnée. L'attitude d'Hervise à son égard avait changé du tout au tout : la cuisinière lui parlait avec gentillesse, ne lui reprochant plus ses erreurs, mais lui expliquant patiemment ce qu'elle aurait dû faire. Tout le monde la traitait avec douceur et précaution, et malgré cela, rien ne pouvait la rassurer. Gervais, qui s'adressa à elle de la même manière qu'avant, n'obtint en retour qu'un regard égaré, comme si elle ne le reconnaissait pas.

Désireux de revoir Mélie après ses semaines d'absence, Gervais se rendit à la librairie Andrieu. Il eut l'impression que l'accueil de ses parents manquait singulièrement de chaleur, mais comme il n'imaginait pas de raison à cela, il supposa qu'ils avaient subi une contrariété et que cette froideur ne lui était pas destinée. Quant aux regards hostiles de leur apprenti qui le jalousait, ils étaient coutumiers. Gervais demanda à la mère de Mélie si elle pouvait faire une promenade avec lui, mais il essuya un refus :

— Tant que l'étrangleur n'a pas été arrêté, elle n'est plus autorisée à quitter la maison sans un adulte.

— On peut quand même rester sur le pas de la porte ? quémanda la jeune fille qui avait fort envie de bavarder avec son ami.

Dame Bertrande hésita avant d'acquiescer, comme à regret. Aux regards qu'elle lui jetait, Gervais comprit qu'il y avait un problème et que celui-ci le concernait. Il voulut savoir ce qui se passait. Mélie prétendit d'abord que tout était normal, mais comme sa mère continuait de la surveiller ostensiblement, elle finit par lui avouer que tous ceux qui touchaient de près ou de loin aux Dutech étaient devenus persona non grata.

— Et pourquoi donc ?

— À cause des meurtres, bien sûr. Sur les quatre victimes, il y en a deux de chez vous, dont une qui a été attaquée à l'intérieur.

— Mais il y avait une brèche dans la clôture et l'assassin s'est enfui par là. Il ne manquait personne à la maison.

— Il n'empêche que c'est troublant, c'est du moins ce que les gens pensent. Ils disent aussi que la Trilhe est une taverne que fréquentent les hommes de la draperie Dutech et que c'est trop pour être un hasard. D'après ce qui se murmure, celui que tout le monde appelle maintenant « l'étrangleur » ne peut venir que de chez vous.

Gervais ne voulut pas en convenir, mais en réalité, il était du même avis.

— On ne se méfie pas de moi, quand même ? Je n'étais pas à Toulouse au moment du premier assassinat.

— Moi, je sais que je peux te faire confiance, mais mes parents ne font pas d'exception.

Sur ces entrefaites, dame Bertrande appela sa fille.

— Mélie, viens ! J'ai besoin de toi.

Gervais comprit qu'elle voulait l'éloigner de lui et il s'en fut, attristé. Ce monstre pourrissait la vie de tous. Pourvu qu'il finisse par se faire prendre ! Il parla de sa mésaventure à Fréchou qui lui confirma que la draperie était en butte à une suspicion générale, non exprimée, mais parfaitement perceptible. La fréquence du passage des sergents dans leur rue et les arrêts qu'ils faisaient devant la *boutique montraient qu'à la prévôté, on ne pensait pas autrement. La situation avait un effet désastreux sur le commerce, car désormais, même les vieux clients évitaient l'échoppe. Messire Dutech était d'une mauvaise humeur chronique, dame Robine aussi, et en fait, tous les habitants de la maison.*

Ayant perdu tout espoir de voir Ramone recouvrer son état normal, dame Robine se résigna à la renvoyer à Gardouch. Jaufré, qui venait la semaine suivante, se chargerait de l'y ramener. Quand elle l'eut décidé, elle se rendit à la cuisine pour l'annoncer à la jeune fille. Sa réaction la sidéra: elle avait escompté de la joie, ou du moins du soulagement, mais ce fut tout le contraire. Ramone se mit à trembler, à hoqueter et, alors qu'elle n'avait pas essayé une seule fois de parler depuis l'agression, elle émit des sons inarticulés qui voulaient exprimer quelque chose. Elle regarda tour à tour la maîtresse et la cuisinière et vit qu'elles ne saisissaient pas ce qu'elle croyait dire. Elle tenta encore de prononcer des mots. Sa bouche se tordait, elle faisait tous les efforts possibles, mais il n'en sortait qu'une bouillie incompréhensible. Désespérée par son impuissance, les traits crispés de terreur, elle courut se réfugier derrière le tas de bois du coin de l'âtre, en boule, comme pour donner moins de prise au danger.

— Je croyais qu'elle s'ennuyait de ses parents, s'étonna dame Robine.

— C'est bien le cas, confirma Hervise. Elle a toujours pleuré la nuit. Maintenant, pardi, c'est pour une autre raison.

La cuisinière en tira la conclusion qui s'imposait:

— Elle a peur de quelqu'un de Gardouch.

Dame Robine alla se pencher sur Ramone et lui demanda d'une voix douce si c'était bien cela. Elle se rencogna plus encore derrière la caisse.

— Ne t'inquiète pas, Ramone, je te garderai ici si c'est ce que tu veux.

La jeune fille leva les yeux et posa sur sa maîtresse un regard incertain.

— C'est ce que tu veux?

Elle hocha la tête et, peu à peu, se calma.

Au cours du repas, dame Robine apprit à son époux et au reste de la tablée ce qu'elle avait découvert au sujet de Ramone.

— Ainsi donc, commenta messire Dutech, c'est quelqu'un de Gardouch. Voilà qui explique qu'elle lui ait fait confiance.

— Tout de même, remarqua Émilien, elle aurait dû se méfier et se demander pourquoi leur rendez-vous devait demeurer secret.

— Les secrets et les rendez-vous amoureux vont bien ensemble, rétorqua sa mère qui s'y connaissait.

— De toute manière, intervint dame Marie enhardie par la présence de son époux, elle vivait dans un état de frayeur permanent: elle n'aurait pas osé retrouver quelqu'un en plein jour parce qu'elle aurait dû justifier son absence de la cuisine.

— Comment cela? s'étonna sa belle-mère. De qui aurait-elle eu peur?

— D'Hervise, évidemment.

— Hervise lui montre une grande compassion.

— Maintenant.

— Je ne peux pas croire qu'elle ait pu l'effrayer.

— Oh si! Notre cuisinière ne se remettait pas de la mort de Marinette. Elle faisait sans cesse la comparaison avec Ramone, toujours à son désavantage. La pauvre fille était tellement craintive qu'elle accumulait les maladresses et Hervise lui criait après au moindre prétexte.

Dame Robine afficha un air sceptique et Gervais, qui d'ordinaire n'ouvrait pas la bouche à table, n'y tint plus.

— C'est vrai, ma dame. J'avais mis Ramone en confiance et elle éprouvait du réconfort à me parler. Je sais qu'elle avait toujours peur de mal faire, ce qui la rendait malhabile et lui valait des reproches continuels.

— Pauvre fille, déplora dame Robine. Dire que je croyais améliorer son existence en l'emmenant à Toulouse!

— Ce qu'il faut faire pour essayer de réparer le dommage, intervint messire Dutech, c'est démasquer le meurtrier, et ensuite, la ramener à ses parents.

Alors qu'il revenait des latrines, Gervais croisa Peirol qui lui parut bizarre. Les bras ballants, appuyant son corps sur une jambe puis l'autre, l'homme à tout faire, l'air embarrassé, semblait l'attendre.

— Qu'est-ce qui se passe ? lui demanda-t-il.

— Messire Gervais, il faut que je vous dise…

Et il s'arrêta.

— Je t'écoute.

— C'est que…

— Oui ?

— C'est à propos de Ramone…

— Tu sais quelque chose ?

Il acquiesça d'un hochement de tête.

— Tu connais le coupable ?

— Non ! Non !

— Alors que sais-tu ? Dis-le-moi !

— Le jour où c'est arrivé, elle était pas comme d'habitude, vous vous souvenez ?

— Oui, elle avait un air content. On a supposé que c'était à cause des nouvelles de sa famille.

— De sa famille, oui, mais pas juste de ses parents.

— Que veux-tu dire ?

— Je l'ai taquinée. Je lui ai dit qu'elle avait la tête de quelqu'un qui a reçu un message de son amoureux. Elle a répondu : « Mieux que des nouvelles, il m'a envoyé un présent. » Mais le présent, elle l'avait pas encore, elle devait attendre le soir.

— Le porteur du cadeau, c'était l'assassin…

— Forcément.

— Qui est-ce ?

— Elle a pas voulu m'en dire plus parce que c'était un secret.

— Et l'amoureux, c'est son cousin ?

— Vous le saviez ?

— C'est le bouvier qui m'en a parlé. Tu crois que c'est à lui que le cousin avait remis le présent ?

— Non, Firmin ne fréquente pas les bouviers, ils sont pas assez bien pour lui.

— Que fait-il ?

— Il a la confiance de messire Jaufré. Quand le maître s'absente, il le remplace.

— Penses-tu qu'il aurait donné son cadeau à Jaufré ? Et que ce serait lui… ?

— Non, messire Gervais ! Dites pas une chose pareille !

— Non, bien sûr. Pourquoi n'en as-tu pas parlé avant ?

— J'ai pas osé. Comment dame Robine l'aurait pris ? Il faut rien lui dire de mal de Gardouch. Maintenant qu'elle a compris, c'est pas la même chose. Vous allez lui répéter ? Je vais avoir des problèmes ?

Gervais le rassura :

— Puisque tu n'en sais pas plus, c'est inutile.

Peirol, soulagé par son aveu et plus encore par la promesse que son silence ne lui vaudrait pas d'ennuis, réintégra la cuisine. En retournant à sa propre tâche, Gervais pensait à ce qu'il venait d'apprendre. Si le cousin était aussi proche de Jaufré, il était normal que ce soit à lui qu'il confie son cadeau. D'après ce que Peirol en avait dit, il ne frayait pas avec les bouviers, trop humbles. Il ne devait pas davantage fréquenter les soudards. Mais Jaufré ? Un assassin, Jaufré ? Cet homme affable et amoureux de sa femme ? Il ne pouvait y croire.

XXVI

Le père Côme n'allait pas mieux, apprit Gervais à l'infirmerie de la bouche du père Jude qui n'en paraissait pas affecté. Cela le surprit, car l'infirmier avait jusque-là toujours montré de la compassion envers ses patients. Sans doute celui-ci ne tenait-il pas à la vie, de sorte que son soignant ne se permettait pas d'y tenir pour lui. Il y avait une autre raison, que lui découvrit sa remarque :

— Les inquisiteurs seront obligés de constater qu'il n'a pas été miraculé et on va échapper à tout le désordre qu'un avis contraire aurait entraîné.

Il serait intéressant de connaître les réactions du cuisinier à ce propos, se dit Gervais qui fit un détour par son antre après avoir fait la lecture au père Joseph. L'infirmier de Neubourg aurait aimé en savoir davantage sur les tribulations du manuscrit qu'il avait hébergé quelques heures, mais son confrère était à proximité et risquait d'entendre. Gervais lui promit de tout lui raconter lorsqu'ils seraient seuls.

Frère Lucas était au courant de l'état de santé du père Côme et s'en affligeait.

— Comment espérer que le miracle soit validé alors qu'il retombe malade si peu de temps après ?

— On ne sait jamais, dit Gervais pour le réconforter, s'il guérit de nouveau…

— Non. Paulin les a entendus.

— Comment s'y est-il pris ?

— Il a proposé au convers qui porte les bûches de le remplacer. L'homme avait mal au dos, je crois, et il a accepté sans se demander comment un aide-cuisinier pouvait être assez désœuvré pour remplir une charge qui le tiendrait occupé toute la journée. Le résultat est que notre Paulin se faufile partout et entend toutes les conversations parce que personne ne fait attention à lui. Le porteur de bois n'est qu'une bûche parmi les autres.

— Ce garçon est fort habile.

— Il a davantage de qualités pour faire carrière dans l'espionnage que dans l'épluchage des légumes, si vous voulez mon opinion. Si un intrigant en avait connaissance, à eux deux, ils iraient loin.

Le fameux espion surgit à ce moment-là, bondissant comme une puce.

— Les inquisiteurs restent jusqu'après la fête, annonça-t-il. Ils repartiront avec le prieur de Nocé.

— On s'en doutait, répliqua placidement le cuisinier, il n'y a pas de quoi s'exciter à ce point.

— Vous ne savez pas tout.

— Alors, dis-le-nous, chenapan !

— Quand l'abbé Giraud sera présent, ils demanderont à voir le manuscrit des *Annales* d'Orderic Vital !

— Ho là là ! commenta frère Lucas en agitant la main pour appuyer son propos, on ne va pas s'ennuyer à Saint-Évroult ce jour-là. Tu as appris aussi quel moment ils choisiront ?

— Oui : ce sera au réfectoire à la fin du repas de midi la veille de la fête. Ainsi, ceux qui sont à côté de la table d'honneur l'entendront et tout le monde sera au courant dans l'instant qui suivra.

Gervais complimenta Paulin :

— Tu es un informateur remarquable.

Le garçon rosit de plaisir avant de détaler :

— Je n'ai pas le temps de rester, dit-il, j'ai des bûches à porter.

Le cuisinier commenta la nouvelle :

— Nous allons voir de grands changements à Saint-Évroult. Après ce scandale, ni le père Crispin ni le père Frémont ne pourront garder leur place. Le nouveau bibliothécaire sera le père Damien, mais le supérieur ? Sans doute encore quelqu'un de l'extérieur. Mais avant, dit-il en se remettant à étaler la pâte qu'il avait abandonnée sous le coup d'une information aussi capitale, on va avoir du spectacle.

« En effet », pensa Gervais quand il l'eut quitté, « mais il sera un peu différent de celui que tu prévois. »

Il se rendit au bûcher où Paulin ne manquerait pas de venir se réapprovisionner.

— Vous avez une mission à me confier ? lui demanda le garçon plein d'espoir.

— Oui, mais cela doit rester un secret entre nous deux. Tu en es capable ?

— Évidemment !

— Bien. Aujourd'hui, tu continues ce que tu fais, mais demain, sans en avertir personne, j'insiste : personne, tu iras te poster aux environs de la cabane des viviers. Il devrait s'y passer quelque chose dans la journée ou dans la matinée suivante. Dès que cela se sera produit, viens-m'en informer, et moi seul. Nous sommes d'accord ?

— D'accord, vous pouvez compter sur moi.

Il lui restait deux jours de travail avant la fête et Gervais escomptait que ce serait suffisant pour terminer la rédaction de sa chronique. Il s'y attela sous le regard désabusé du père Frémont qui ne lui parlait plus de son enquête. Selon toute vraisemblance, il avait perdu espoir qu'il parvienne à un résultat.

Il fallut élaborer une stratégie pour amener Ramone à désigner son agresseur sans qu'elle soit obligée de se trouver en sa présence, car il était évident qu'elle serait incapable de le supporter. Comme souvent, la discussion eut lieu à table entre messire Dutech, dame Robine et Émilien. Gervais se mourait de donner son avis, mais ne l'osait pas. Messire Dutech proposa d'inviter tous les arrivants de Gardouch dans la grande salle sous prétexte de leur servir à boire et de cacher Ramone derrière une tapisserie pour qu'ils ne la voient pas. Dame Robine objecta que d'ordinaire, les bouviers et les gardes étaient dirigés vers la cuisine et que déroger à cette habitude leur mettrait la puce à l'oreille. Dame Marie se départit de sa réserve pour faire remarquer que la cuisine était le seul endroit qui rassurât Ramone et que la présence de son agresseur en ce lieu la déposséderait de son refuge.

— Faisons-le dans la cour, proposa Émilien. Elle regardera depuis la fenêtre du galetas qui la surplombe. Il sera dehors et elle dedans, elle devrait se sentir en sécurité.

Il y eut ensuite une discussion sur l'opportunité d'avertir Jaufré. Émilien était d'avis que si on ne le lui disait pas, il serait humilié, comme si on le soupçonnait.

— Mais s'il le sait, il manquera de naturel, un bon moyen d'alerter l'assassin, objecta son père. On s'en tient là, on lui expliquera après pourquoi on ne l'a pas averti.

Cette décision soulagea Gervais. Depuis l'aveu de Peirol, il avait beaucoup pensé au cadet de la famille sans arriver à se faire une opinion : son instinct lui disait que Jaufré n'avait rien à voir avec les meurtres, mais lorsqu'il raisonnait, il ne parvenait pas à désigner un autre coupable. Si Émilien avait réussi à convaincre son père d'avertir Jaufré, Gervais se serait trouvé face à un dilemme particulièrement difficile : rapporter les propos de Peirol ou les taire. Il mesura la chance qu'il avait de ne pas avoir à faire ce choix.

— Il faut absolument qu'on mette cet individu hors d'état de nuire, ajouta messire Dutech, il nous a déjà fait beaucoup trop de tort. Demain, j'informerai le prévôt de ce que nous avons découvert pour qu'il nous envoie des sergents qui l'arrêteront.

— Le prévôt ! se récria Émilien. Et si on ne parvient pas à le démasquer pour une raison ou une autre ? Nous serions dans une belle situation ! Je propose plutôt d'avertir tous les hommes qui travaillent ici pour nous aider à le maîtriser.

Là non plus, son père n'était pas d'accord.

— Aucun n'est habitué à se battre. Si c'est l'un des mercenaires, ce qui ne m'étonnerait pas, il n'aura aucun mal à avoir le dessus. Et en plus, je ne serais pas surpris que ses compagnons lui portent secours. Contre quatre soldats, des drapiers n'ont aucune chance.

L'argument était empreint de bon sens, mais Émilien n'était pas satisfait.

— Il faudrait au moins qu'ils attendent dans la rue pour ne pas être visibles de la cour. Pensez-vous pouvoir obtenir cela du prévôt ?

— Je vais essayer, mais tu sais qu'il fera bien ce qu'il voudra.

L'impatience ne cessa de grandir les jours qui précédèrent l'arrivée des Gardouchois. Dans la maison Dutech, tous étaient au courant à l'exception de Ramone qui n'en serait instruite qu'au dernier moment. Si elle n'avait pas été murée dans son univers de terreur, elle aurait compris qu'il se tramait quelque chose, mais elle ne semblait voir ni entendre personne, accomplissant ses tâches avec les gestes raides d'une marotte actionnée par un maladroit.

Les gens de la maison n'étaient pas les seuls à savoir qu'un piège serait tendu au meurtrier : la prévôté en avait été informée par messire Dutech et le prévôt avait accepté de placer ses soldats discrètement pour ne pas éveiller la méfiance de l'homme. Lui-même voulait assister à sa capture et il fut convenu qu'il se posterait dans un endroit stratégique accompagné d'un sergent dont le rôle serait d'aller chercher les renforts. Lors de sa visite destinée à repérer les lieux, il parut évident que le mieux serait de s'accroupir derrière le tonneau qui recueillait l'eau de pluie du toit, une position dont sa dignité ne pouvait s'accommoder. Finalement, il choisit d'attendre à l'intérieur de l'échoppe le sergent qui, dissimulé à la place adéquate, quitterait sa cachette pour l'avertir dès que l'assassin serait identifié.

Outre la maisonnée et la prévôté, Sénarens avait obtenu l'information de Fréchou, et la bande de garçons, encore furieuse de l'avoir laissé échapper, comptait bien assister à sa capture. Gervais espérait que Sénarens n'en avait pas parlé à sa sœur, qui ne manquerait pas de le confier à ses amies sous le sceau du secret parce que, de fil en aiguille, tout le quartier finirait par être au courant, ce qui n'était guère indiqué pour réussir une embuscade. D'habitude, les arrivants de Gardouch venaient directement à l'échoppe. Pourvu que cette fois ils ne passent pas avant à la Trilhe !

Les vendanges en cours étaient le prétexte tout trouvé pour offrir une collation dans la cour. La table dressée sur les tréteaux était encore chargée des victuailles proposées aux hommes avant qu'ils partent cueillir le raisin et les Gardouchois seraient invités à entrer se servir. Chacun était à son poste : les sergents dans la rue, le prévôt dans l'échoppe, le guetteur de la prévôté derrière le tonneau, messire Dutech et les employés de la maison dans la cour, les femmes, qui n'avaient pas été acceptées dehors où il pourrait y avoir du danger, à la fenêtre du galetas, et Gervais avec elles, prêt à dévaler l'échelle pour donner à Émilien le nom du coupable que Ramone aurait dénoncé et le désigner ensuite au sergent guetteur. Il y avait même, mais à peu près tout le monde l'ignorait, de curieux oiseaux perchés dans les pommiers du verger : Sénarens et ses comparses, placés au mieux pour voir toute la scène.

La façon de procéder de Jaufré lorsqu'il venait à Toulouse était toujours la même : avec ses hommes, il parvenait aux abords de la ville en fin de journée, logeait à une auberge voisine des remparts et n'entrait qu'au matin. Le gros attelage de bœufs ne pénétrait pas dans la cité : la marchandise était transférée sur des charretons qui étaient utilisés pour faire les livraisons depuis l'échoppe où tous se réunissaient avant que le travail ne soit réparti. Des portefaix engagés par messire Dutech les aidaient.

Afin de ne pas risquer d'être pris au dépourvu par une arrivée rapide des Gardouchois, ils avaient mis en place le guet-apens dès la fin du couvre-feu, ce qui rendit l'attente assez longue pour que tous fussent à cran. De la fenêtre du galetas, Gervais voyait les hommes piétiner nerveusement, se rapprocher les uns des autres, prononcer quelques mots, se séparer de nouveau. Un échange entre messire Dutech et Émilien dura davantage. À la vivacité des gestes, l'observateur supposa que le fils aîné essayait une dernière fois de convaincre son père de mettre le cadet dans la confidence pour ménager sa susceptibilité. Gervais espérait qu'il n'y parviendrait pas et fut exaucé : l'attitude d'Émilien, qui s'éloigna de son père d'un pas rageur, était facile à interpréter. Depuis l'aveu de Peirol, Gervais ne savait que penser : tout ce qu'il connaissait du tempérament de Jaufré plaidait en faveur de son innocence, mais c'était tout de même lui le plus apte à faire croire à Ramone qu'il avait pour elle un présent de Firmin. De plus, son statut de maître de Gardouch lui conférait l'autorité nécessaire pour lui ordonner de le rejoindre en secret dehors pendant la nuit. Une fois de plus, il examina le cas des autres : les deux bouviers logés à l'écurie donnant sur la cour étaient sur place, et Ferdinand, celui auquel il avait parlé était amoureux de la jeune servante. Si à Gardouch ils étaient plus familiers qu'il le lui avait dit, elle ne se serait pas méfiée de lui. Quant au second, Gervais ne l'avait jamais pris en considération, mais il avait peut-être eu tort. L'homme était plus âgé, sans doute contemporain du père de Ramone. Pourquoi ne serait-il pas un ami de sa famille en qui elle avait toute confiance ? Les soldats dormaient ailleurs, mais l'un d'eux aurait pu s'introduire sans difficulté dans le verger par la brèche. Les connaissait-elle bien ? Le bouvier avait bien dit qu'ils traînaient à Gardouch depuis des mois. Et puis, Gervais avait tendance à l'oublier, l'assassin s'était enfui et il avait perdu du sang, ce qui semblait exclure ceux qui résidaient à l'hôtel Dutech. Ces pensées, qui l'avaient tourmenté les deux dernières nuits en faisant résonner dans sa tête une litanie infernale, ne lui présentaient aucune hypothèse plausible.

Ramone, avertie le matin même, s'était mise à trembler comme aux pires jours qui avaient suivi son agression, et les femmes s'épuisaient à la rassurer. Dans son entourage, personne n'avait la certitude qu'elle aurait le courage de regarder en bas et de désigner le coupable.

Le bruit de ferraille qui accompagnait chaque pas des mercenaires annonça leur arrivée. Tout le monde se figea, dans la cour et au galetas. Ramone, encadrée de dame Robine à qui elle n'osait pas désobéir et de la douce dame Marie qui lui caressait la main pour l'apaiser, était placée devant le fenestron, le visage crispé et les yeux fermés très fort.

De toute son autorité, dame Robine ordonna :

— Ouvre les yeux, Ramone !

Tétanisée, la jeune fille obtempéra.

Les premiers que l'on vit furent les gardes qui entrèrent un à un. Pour chacun, dame Robine demanda :

— C'est lui ?

Elle faisait signe que non. Les bouviers suivirent. D'abord le plus vieux, qui ne lui inspira aucun mouvement de frayeur. Le second arriva avec un léger temps de retard pendant lequel la tension au galetas atteignit son maximum, du moins le croyait-on. Ainsi donc, se dit Gervais avant qu'il apparaisse, le coupable était ce jeune bouvier qui lui avait paru inoffensif. « Il ne manque qu'un bouvier », entendit-il quelqu'un prononcer. Non, pensa-t-il soudainement, il manquait un autre homme. Quand survint le conducteur de l'attelage que tout le monde attendait, Ramone fit signe que ce n'était pas lui.

— On a dû mal interpréter ce qu'elle voulait dire, en conclut dame Robine. Ils sont tous arrivés.

Il y eut une gêne, si palpable qu'elle finit par réaliser qu'il y avait un problème, et elle comprit : Jaufré, arrêté sans doute dans la rue par un voisin avec qui il échangeait quelques mots, n'était pas dans la cour.

Furieuse elle les admonesta :

— Je vous interdis de même le penser !

Mais il était trop tard : tout le monde avait à l'esprit que seul Jaufré n'était pas encore entré dans la cour. Quand il y pénétra, annoncé par une joyeuse salutation lancée à la ronde, le silence l'accueillit. En haut, Ramone était le centre de toute l'attention. Au soulagement général, elle fit signe que ce n'était pas lui non plus.

Dame Robine voulut s'assurer qu'elles l'avaient bien comprise.

— L'homme qui t'a fait mal n'est pas dans la cour ?

La jeune servante, dont la fébrilité s'était un peu apaisée, le confirma.

— Mais c'est quelqu'un de Gardouch ?

Elle acquiesça.

— Ils sont tous là, pourtant.

Ramone fit signe que non et se lança dans une pantomime pathétique destinée à illustrer de qui elle parlait, et à laquelle personne n'entendait goutte : elle bougeait ses mains dans un mouvement circulaire répétitif, qui pour elle était explicite, mais n'évoquait rien aux autres.

Gervais descendit l'échelle qui donnait dans la cour. Les regards de tous les hommes de la maisonnée se posèrent sur lui et il leur dit qu'elle n'avait désigné personne. Les nouveaux arrivants, intrigués, voulurent savoir de quoi il s'agissait. On le leur expliqua.

— Mais comme vous êtes tous là…, conclut messire Dutech dans un geste d'impuissance.

— Davezac est resté à l'auberge, lança l'un des gardes.

— Davezac, enfin, vous n'y pensez pas ! protesta Jaufré. Il a toute ma confiance. Un homme pieux et fiable.

— Qui avait des traces de coups sur la figure le lendemain de l'agression, précisa le même garde.

— Des mauvais sujets l'ont attaqué sur le chemin qui mène chez son cousin. Il l'a expliqué, souviens-t'en.

— Tu le connais son cousin ? intervint Émilien.

— Non, mais il y va chaque fois.

— Pourquoi l'homme dont vous parlez n'est-il pas avec vous ? demanda le prévôt qui avait à son tour pénétré dans la cour et avait entendu les dernières répliques.

— Ce matin, il ne se sentait pas bien. Il est à l'auberge, hors les murs.

— Quelle auberge ?

— La Moure.

— Restez tous ici. J'y vais avec mes sergents. Attendez qu'on le ramène.

Il repartit dans un cliquetis d'épée laissant les assistants sidérés.

— Se pourrait-il ... ? murmura Jaufré. Mais non, c'est impossible, pas Davezac. Est-ce que Ramone a recommencé de parler ?

— Elle ne peut plus, répondit son père. Quand elle essaie, on entend juste des sons, et ses gestes, on ne les comprend pas non plus.

— Alors, s'emporta Jaufré, vous vous êtes monté la tête avec je ne sais quoi et vous n'avez aucune preuve. Davezac est honnête. Il est à l'église tous les dimanches. Et il est fidèle à sa femme, même si les servantes d'auberge lui tournent autour. Le prévôt va le ramener comme un criminel. Il sera déshonoré. J'ai honte pour vous.

— Calme-toi, le tempéra messire Dutech. Ici il n'est pas connu et cela ne pourra pas lui porter tort. Si ce n'est pas lui, on s'excusera.

— Comment, si ce n'est pas lui ? Ce n'est pas lui !

Qui, alors ? La conviction de Jaufré les avait ébranlés, et eux aussi se demandaient maintenant s'ils n'avaient pas accordé trop de crédit à une jeune fille choquée et privée de parole dont les signes auraient été mal interprétés.

Ils n'auraient vraisemblablement pas trop longtemps à attendre, les sergents, et à plus forte raison le prévôt, ayant coutume de traverser la cité au trot, voire au galop, sans souci des passants qui n'avaient d'autre recours que s'effacer précipitamment de leur chemin s'ils ne voulaient pas se faire écraser. Cela laissait toutefois le loisir de se restaurer et messire Dutech les y invita. Il apparut au fil des conversations que le contremaître de Gardouch n'était pas aimé. Sévère jusqu'à l'intransigeance, il ne tolérait aucun manquement aux règles qu'il avait édictées. Ils avaient eu tous à s'en plaindre, mais nul ne l'aurait imaginé capable d'assassiner, et d'ailleurs, à part les mercenaires que rien ne pouvait étonner, ils n'y croyaient pas. Quant à Jaufré, il refusait d'en démordre: Davezac était un homme intègre qui avait toujours une attitude aimable et déférente.

— Forcément, répliqua son père en haussant les épaules, tu es son patron.

Contrairement à ce à quoi ils s'étaient attendus, le temps passait et le prévôt et ses sergents ne revenaient pas. Messire Dutech finit par décider le retour au travail et les employés de l'échoppe le suivirent tandis que Jaufré organisait la livraison des cocagnes. Les gardes, que l'âcreté du dernier fond de tonneau de l'année précédente n'avait pas rebutés, s'en furent à la Trilhe continuer leurs libations.

Les officiers de la prévôté revinrent bredouilles. Le bayle avait quitté l'auberge aussitôt après ses compagnons. Il était parti à pied, laissant sa mule à l'écurie. Selon la servante qui l'avait vu s'en aller, il paraissait en parfaite santé. Les sergents avaient patrouillé aux alentours, mais Davezac n'avait attiré l'attention de personne et ils n'avaient obtenu aucun témoignage qui puisse les mettre sur sa piste. Le garde de la porte ne l'avait pas remarqué non plus.

— S'il se montre, conclut le prévôt, avertissez-nous. On ne peut rien faire de plus.

Messire Dutech demanda à Jaufré s'il était enfin convaincu. Celui-ci dut admettre que c'était troublant, mais il n'arrivait pas à accepter l'idée que l'homme pour lequel il avait tant d'estime puisse être un ignoble assassin.

— Il doit y avoir une explication.

— Au fait qu'il ait guéri de sa maladie dès que tu as eu le dos tourné? Tu sais ce que je crois, moi? Il ne voulait pas venir ici pour éviter que Ramone l'accuse. Tu vas le retrouver à la Trilhe où il te servira une quelconque excuse, et ce soir, il en inventera une autre pour refuser de manger avec nous. Tu as bien rendez-vous à la taverne avec maître Boyer?

— Oui, comme d'habitude.

— Emmène Gervais et Fréchou. Ils te seront utiles pour alerter la prévôté.

Jaufré ne voulut pas davantage contredire son père, mais en chemin, il dit aux garçons que dans l'éventualité où Davezac serait à la Trilhe, il n'appellerait pas les sergents.

— Tu as déjà eu affaire à lui, Fréchou?

— Non.

— Mais tu le connais?

— Bien sûr.

— Parfait. Tu iras vérifier s'il est à l'intérieur pendant que j'attendrai dans la rue.

Fréchou pénétra dans la taverne et revint aussitôt: comme messire Dutech l'avait prédit, le bayle était assis à la table du fond. Il conversait avec messire Boyer. Le visage de Jaufré afficha sa contrariété, mais il persista à prétendre que cela ne prouvait rien.

— Je vais quand même prendre des précautions pour qu'on ne puisse rien me reprocher. Voilà ce que nous allons faire: moi, j'entre les rejoindre. Toi, Fréchou, tu dis au premier garde que tu vois qu'il fasse semblant de sortir pisser, et toi, Gervais, tu l'attends dehors pour lui donner les consignes.

L'idée de Jaufré était que les soudards se placent de manière à pouvoir encadrer le bayle quand ils partiraient pour l'obliger à les accompagner à l'hôtel Dutech, si toutefois il ne voulait pas les suivre et tentait de s'enfuir, ce dont il doutait.

— Je tiens à ce qu'il ait une confrontation avec Ramone: c'est la seule chose qui me convaincra. On appellera la prévôté à ce moment-là si c'est nécessaire.

Les instructions transmises au garde, Gervais pénétra discrètement dans la taverne afin d'assister à la suite. Fréchou avait disparu. Il supposa qu'il était allé avertir Sénarens des derniers développements.

Simone lui apporta une chopine de claret et lui chuchota:

— Ramone a montré le coupable?

— Non. Ce n'était pas quelqu'un de Gardouch.

Sa réponse était vraisemblablement fausse, mais il ne voulait pas que la servante attire l'attention du bayle en le dévisageant, ce qu'elle n'aurait pas manqué de faire s'il lui avait confié que les soupçons portaient sur lui.

— Alors, c'est pas un des mercenaires?

— Non.

— Ils sont pas pour autant inoffensifs, commenta-t-elle, mais au moins c'est pas des étrangleurs. Je suis moins inquiète pour Berthe.

— Où est-elle?

— Dès qu'elle a vu les gardes, cette sotte s'est mise à faire des mines. Le patron s'en est aperçu et lui a interdit de quitter la cuisine.

Elle haussa les épaules.

— C'est bien beau, mais il pourra pas la surveiller tout le temps.

— Son frère va s'en charger.

— Il peut pas entrer dans l'auberge et il y a bien des recoins pour être tranquille.

Gervais n'essaya pas de nier l'évidence. Elle ajouta, fataliste:

— Comment veux-tu faire le bien des gens malgré eux?

Gervais n'avait rien perdu des mouvements de la salle. Avec un parfait naturel, les gardes, obéissant à la consigne, s'étaient déplacés de sorte qu'aucun des hommes de la table du fond n'ait la possibilité de sortir s'ils lui refusaient le passage. Leur migration vers le lieu où ils discutaient n'avait attiré l'attention ni du teinturier ni du bayle. L'échange entre les négociants semblait être de pure forme et ils ne tardèrent pas à sceller leur accord en faisant tinter leurs chopes en étain l'une contre l'autre. Lorsqu'il eut vidé la sienne, maître Boyer s'en alla. Les gardes s'écartèrent pour le laisser passer sans interrompre leur conversation, laquelle portait, comme de coutume, sur leurs exploits militaires d'antan.

Gervais tendit l'oreille afin de percevoir ce que Jaufré et Davezac se disaient. Le cadet des Dutech feignit de s'étonner que son bayle, qu'il avait quitté malade à l'auberge, soit arrivé à la taverne avant lui.

— Je me suis reposé un moment, expliqua celui-ci, et le malaise a disparu. Comme du temps avait passé, j'ai pensé que j'avais plus de chance de vous retrouver ici qu'à l'hôtel Dutech.

Voici un premier mensonge, se dit Gervais.

— Vous pourrez saluer mon père maintenant, répondit Jaufré en se levant, j'ai oublié quelque chose et nous allons nous y arrêter avant de nous rendre dans le quartier Saint-Cyprien.

Alors qu'il sortait de l'église après avoir quitté le scriptorium, Gervais trouva frère Janin qui l'attendait avec son livre d'heures. Il se doutait que le moine attaché à l'inquisiteur était quelqu'un à qui il pouvait se fier, mais il fut néanmoins soulagé de voir réapparaître son cher manuscrit.

— Mettez-y vos lunettes, conseilla le moine, que nous soyons sûrs qu'elles y vont bien.

Elles s'y emboîtaient à merveille et Gervais le remercia avec effusion.

XXVII

Le récit des crimes toulousains touchait à sa fin, mais Gervais n'avait pas réussi à le terminer bien qu'il y ait consacré tout son temps les derniers jours. Pour conclure, il suffirait d'une ultime séance de travail qu'il pourrait peut-être effectuer en route si le père Joseph avait besoin de prolonger la première étape du retour. Il y pensait en se dirigeant vers le réfectoire, mais cela ne tarda pas à quitter son esprit : on était à la veille de la fête, il était midi et le moment crucial approchait.

La nouvelle qu'il avait apprise de Paulin en primeur deux jours plus tôt s'était répandue, comme toujours, et l'ensemble des commensaux de Saint-Évroult était en attente du drame qui était sur le point de se jouer en ingurgitant sans y prêter attention la langue de bœuf à la cameline* de frère Lucas à laquelle le cuisinier avait pourtant apporté tous ses soins. À la table d'honneur figuraient le père Crispin et ses invités : l'abbé Giraud, les deux inquisiteurs et le père Frémont. Le père Côme, toujours souffrant, n'avait pas quitté l'infirmerie. Ils arboraient tous un visage serein, mais certains devaient être nerveux. Frère Jérôme ne parvenait pas à cacher sa fébrilité. Gervais se demandait quel avantage il avait à gagner à ce qu'il imaginait devoir être la déconfiture du supérieur et du bibliothécaire. Car c'était lui qui était allé récupérer la besace.

Dans le courant de la matinée, Paulin, qui n'était plus censé s'occuper du bois, était venu approvisionner le foyer du scriptorium.

En quittant la salle, il était passé à côté de Gervais pour être bien sûr que celui-ci l'avait remarqué et il lui avait fait un léger signe du menton vers l'extérieur. Gervais n'avait pas tardé à le suivre en laissant tout en place sur son pupitre comme s'il se rendait aux latrines. Le garçon n'avait pas perdu de temps en circonvolutions.

— Frère Jérôme est entré dans l'appentis et en est ressorti avec une besace.

Il avait ajouté, brûlant de curiosité :

— Vous croyez qu'elle contient le manuscrit ?

Gervais avait posé son index sur sa bouche :

— Mystère ! On le saura bientôt. Tu n'en parles à personne, n'est-ce pas ? Sinon, on n'apprendra jamais la vérité.

— Promis. Même si frère Lucas ne me le pardonnera pas.

— Ne t'en fais pas pour cela. Il n'ignore pas qu'un assistant est tenu à certaines exigences.

Au terme d'assistant, Paulin s'était rengorgé : il se tairait.

À la fin du repas, après la prière d'Action de grâce, le père Léonce se tourna vers l'abbé Crispin et lui adressa, d'une voix plus forte que la normale, la requête attendue de tous.

— Père abbé, avant de quitter Saint-Évroult, je souhaiterais voir le manuscrit des *Annales* d'Orderic Vital.

L'assemblée retint son souffle.

D'un ton serein, l'abbé Crispin lui répondit :

— Très volontiers. Nous pouvons y aller maintenant, le père Frémont se fera un plaisir de vous le montrer. La bibliothèque de Saint-Évroult est très fière de le posséder.

Stupéfait, le père Frémont voulut parler, mais l'abbé, ne lui en laissant pas le loisir, invita le prieur de Nocé à se joindre à eux.

— Avec joie, accepta l'abbé Giraud. Je serais heureux de le revoir.

Ignorait-il la disparition ou, curieux du dénouement, jouait-il le même jeu que les autres ?

Les cinq religieux qui avaient mangé à la table d'honneur se levèrent et traversèrent le réfectoire figé dans un silence stupéfié. Les scribes qui avaient leur place au scriptorium s'empressèrent de leur emboîter le pas, et Gervais parmi eux. Frère Jérôme fit un rapide détour par son bureau, en ressortit avec une besace à l'épaule et rejoignit les copistes. Gervais qui le surveillait fut le seul à y prêter attention. Les autres moines du monastère n'avaient pas tardé à recouvrer la voix et spéculaient à qui mieux mieux, plongés dans la perplexité par l'attitude de l'abbé qui se comportait comme si le manuscrit n'avait pas disparu. Ils se gardèrent de s'éloigner. Leur travail attendrait la conclusion de l'affaire. Entrer dans le scriptorium ne leur serait pas possible, mais ils se massèrent dans la salle du chapitre.

Les abbés et les inquisiteurs suivirent le père Frémont jusqu'à son estrade. Le bibliothécaire s'y jucha et, dominant personnalités et scribes, il interpella son supérieur.

— J'ignore quel bénéfice vous escomptez tirer de votre mensonge, mais tout le monde sait que le manuscrit a été volé.

— Et il n'a pas été retrouvé ? s'enquit le père Crispin d'une voix doucereuse.

Le bibliothécaire fut un instant désarçonné, mais reprit vite son aplomb.

— Si, il a été retrouvé.

— Dans ce cas, vous pouvez nous le montrer. Je ne vois pas où est le problème.

— Le voici, le problème. Frère Jérôme !

Le secrétaire s'avança et tendit la besace au père Frémont qui demanda à son supérieur :

— Reconnaissez-vous cette besace ?

— Bien sûr ! Elle m'appartient.

— Comment expliquez-vous que le manuscrit s'y trouve ?

— Il s'y trouve ?

— Ne faites pas l'innocent.

Avec un geste large de bateleur et une expression triomphante, il ouvrit la besace, y plongea la main et en ressortit le paquet de papier vierge, provoquant un « Oh » de surprise de l'assistance.

— Je ne sais pas à quoi rime cette farce, dit sèchement l'abbé Crispin. Vous me semblez avoir l'esprit troublé, père Frémont, vous avez besoin de repos.

Puis il s'adressa à ses invités :

— Le père Damien, qui connaît parfaitement la bibliothèque, va aller quérir le livre. Oblat d'Anceny, accompagnez-le, s'il vous plaît.

Dans le scriptorium, la sidération était sans bornes, mais tous continuèrent de se taire en attendant la suite, y compris le bibliothécaire. Si le contenu de la besace l'avait surpris autant que les autres, et sans doute fâché, il n'avait en revanche aucun doute quant à l'absence du manuscrit de la bibliothèque.

Dans l'escalier, le père Damien maugréait pour lui-même :

— Pourquoi nous envoie-t-il là-haut ? Comme s'il ignorait que la reliure est vide. Dieu sait où est le livre…

Il se dirigea vers le fond de la salle et se saisit du volume dont le poids l'étonna. Il l'ouvrit et découvrit, bien à leur place, les folios anciens où courait une écriture d'autrefois.

— Alors là, je n'en reviens pas. C'est bien le manuscrit d'Orderic Vital. Il avait pourtant disparu.

Il le regarda de plus près.

— D'ailleurs, c'est visible : les nerfs sont endommagés. Je n'y comprends rien.

— Mon père, dit Gervais, ils nous attendent. Il faut descendre.

— Oui, bien sûr, mais quand même… J'ai eu la reliure entre mes mains… Je sais qu'il n'y était pas…

— Venez, mon père.

— Je viens, je viens.

Il déboucha de l'escalier en transportant le manuscrit avec la dévotion qui lui était due, ce qui fit ricaner le bibliothécaire :

— Que de soins pour une reliure vide !

Tous avaient les yeux rivés sur le porteur du livre qui l'ouvrit et le tint droit devant lui, haut levé, afin qu'il soit visible de tous. L'abbé lui demanda de le déposer sur le pupitre le plus proche de sorte que ses invités puissent le consulter.

Le père Frémont s'était décomposé. Gervais vit évoluer ses sentiments de la consternation à la colère. Lorsqu'elle eut pris le dessus, il s'empara d'une bûche et se jeta sur frère Jérôme qu'il frappa de toutes ses forces en criant:

— Tu l'avais, hein, le manuscrit? Et on allait faire accuser l'abbé? Du beau travail! Je te félicite!

Les scribes agitaient les bras, affolés, n'osant intervenir. Ils étaient vieux pour la plupart et leur fonction ne les avait pas préparés à arbitrer un pugilat. Gervais hésitait à s'en mêler, craignant d'attraper un mauvais coup. Dans sa jeunesse, il s'était battu, mais ce temps était loin et il n'était pas sûr d'avoir le dessus. L'abbé Crispin ne tarda pas à réagir. Il sortit à grands pas, désigna deux solides convers parmi les gens qui attendaient dans la salle capitulaire et leur ordonna de s'emparer du fou furieux. Ils parvinrent à le neutraliser, non sans difficulté, et l'abbé commanda qu'on le conduisît dans une cellule qui se fermait de l'extérieur. Frère Jérôme subit le même sort.

— Votre monastère n'est guère paisible, conclut l'abbé Giraud, mais je vois que vous maîtrisez la situation. Le nom du père Frémont avait été avancé pour occuper votre fonction. Ce qui vient de se produire me prouve que j'ai été avisé de porter mon choix sur vous.

Lorsque Gervais fit le récit du coup de théâtre aux infirmiers qui n'avaient pas fait partie des badauds, l'attitude du père Frémont fut longuement commentée.

— L'aviez-vous soupçonné? lui demanda le père Joseph.

— Pas un instant. J'avais pensé au père Damien, me disant qu'il voulait devenir bibliothécaire et que son ami de toujours, le père Côme, prenne la place de l'abbé. Mon informateur ne m'a jamais rapporté une connivence entre frère Jérôme et le père Frémont. Avec le père Damien non plus, il est vrai.

— Votre informateur ? essaya de savoir le père Jude.

— Le nom d'un informateur doit rester secret, sans quoi il sera empêché de jouer son rôle.

— Je comprends, admit-il à regret.

En revanche, lorsque l'abbé Crispin le reçut avant son départ pour le remercier d'avoir sauvé le monastère et lui-même, Gervais lui glissa un mot au sujet de Paulin.

— À ce garçon, qui est extrêmement malhabile, on ne confie que des travaux manuels alors qu'il possède de précieuses qualités.

— De quel ordre ?

— L'art de passer inaperçu, de deviner quelles sont les conversations qui seront intéressantes à entendre… De plus, il est d'une parfaite discrétion.

— Paulin, me dites-vous ?

— Oui. L'aide-cuisinier qui se coupe en épluchant les légumes.

— Nous verrons à l'employer en fonction de ses talents.

Frère Lucas ne serait pas content de perdre une source de ragots aussi efficiente, mais le garçon méritait mieux que subalterne à la cuisine.

XXVIII

Engagés depuis l'aube sur le chemin du retour, les deux habitants de Neubourg revenaient sur les événements qui s'étaient déroulés à Saint-Évroult. La conversation aidait le père Joseph à oublier que le dos de Musarde n'était pas son siège de prédilection. La première journée ne serait pas facile, mais les prochaines promettaient d'être pires. Heureusement qu'ils ne s'étaient guère éloignés de leur monastère ! Gervais racontait à son compagnon de route sa visite au cuisinier à qui il était allé faire ses adieux. Selon frère Lucas, il y avait eu des indices de l'ambition du père Frémont. Il parlait d'un ton entendu, mais ne précisa pas quels étaient ces indices. Cela persuada Gervais que le cuisinier, quoi qu'il en dise maintenant, avait pensé comme tout le monde que le père Frémont était satisfait d'être bibliothécaire. Lui-même ne l'avait jamais soupçonné d'être impliqué dans le vol, et s'il avait déconseillé au père Crispin de le mettre dans la confidence lorsqu'ils avaient retrouvé le manuscrit, c'était parce qu'il croyait le père Frémont incapable de dissimuler ses sentiments ! La suite avait prouvé qu'au contraire, il jouait très bien la comédie. Cette erreur de jugement avait au moins permis de conclure l'affaire. La récupération du livre n'aurait pas suffi à Gervais qui aurait été frustré de partir sans connaître les coupables. Il restait cependant une chose qu'il continuerait d'ignorer : comment frère Augustin avait-il découvert la machination ? Parce qu'il savait qui étaient les voleurs. Lors du dénouement son regard avait croisé celui de Gervais et il lui avait fait un très léger signe approbateur. Mais il ne dirait rien. Il fallait accepter que certaines zones demeurent dans l'ombre.

L'oblat s'apprêtait à quitter la cuisine lorsque surgit Paulin. Ayant appris que les inquisiteurs procéderaient à l'interrogatoire du père Frémont – ils étaient spécialistes du procédé –, il s'était muni de quelques bûches qu'il avait apportées dans la salle dévolue à l'audition. Grâce à son talent de passer inaperçu, il avait réussi à rester sur place assez longtemps pour découvrir la nature de l'élément qui avait incité le père Frémont à monter la machination avec son complice. Un jour, avait-il avoué, il avait surpris une conversation du père Côme avec le père Damien en faisant sa promenade méditative dans le déambulatoire du cloître. Le père Côme annonçait à son ami qu'il avait l'intention de rejoindre un monastère où les religieux se vouaient à la prière et au silence. Il en parlerait à leur supérieur lorsqu'il aurait reçu la confirmation qu'on l'y accueillerait. Comme le père Léonce s'étonnait de cet heureux hasard, le bibliothécaire avait dû admettre qu'il avait l'habitude de suivre de près les moines qui allaient par deux : cela lui permettait de savoir bien des choses.

— Ils ne se méfient pas ? demanda l'inquisiteur.

— Parfois ils sont surpris de me découvrir sur leurs talons. Dans ce cas, je prétends avoir été tellement plongé dans la prière que je ne m'en étais pas aperçu.

— Pourquoi la connaissance du projet du père Côme vous a-t-elle poussé à monter cette manigance ?

— Puisqu'il ne souhaitait pas remplacer l'abbé, je me trouvais en bonne place pour le faire.

— Et frère Jérôme ?

— Il serait devenu mon adjoint.

— Malgré sa jeunesse ?

— L'abbé a toute latitude sur ce point.

Paulin dûment félicité pour ses informations, Gervais prit congé du cuisinier. Celui-ci ne put s'empêcher d'écraser une larme.

— Qui sait combien de temps va passer avant que j'aie de nouveau quelqu'un qui parle ma langue dans la cuisine ?

Ils s'étaient serré les mains avec émotion et Gervais était parti. Aussitôt dehors, Paulin s'était matérialisé à ses côtés.

— À moi aussi vous allez me manquer, soupira-t-il. J'aimais être votre assistant.

— Console-toi, tu auras bientôt une bonne surprise.

Les voyageurs s'entretinrent ensuite du père Côme pour lequel Gervais éprouvait de la compassion.

— C'est malheureux qu'il soit retombé malade après avoir si bien guéri. S'il survit, sans doute sera-t-il trop faible pour se rendre au monastère qu'il a choisi.

Le père Joseph le rassura :

— Ne vous inquiétez pas pour le père Côme : j'ai dans l'idée qu'il va beaucoup mieux puisque les inquisiteurs sont partis.

Les deux religieux avaient quitté Saint-Évroult en même temps qu'eux, accompagnés du père Frémont et de frère Jérôme qu'ils emmenaient à Nocé où le prieur déciderait de leur châtiment. La pénitence avait déjà commencé pour les comploteurs avec la honte d'être démasqués et d'avoir encouru le mépris de tous.

— Le fait d'échapper au sort de bienheureux sera pour le père Côme le plus puissant des remèdes, ajouta le père Joseph.

— Ce qui prouve s'il en était besoin qu'il n'a aucune ambition.

— Aucun des habitants du monastère n'en a douté un instant. Dites-moi, faut-il que j'attende qu'elle soit rédigée pour entendre la conclusion de votre enquête toulousaine ?

— Non. Ce que je vais écrire, je l'ai en tête jusqu'au dernier mot.

— À la bonne heure ! Pouvez-vous rafraîchir ma mémoire et me rappeler où en est l'histoire ?

— Quand nous les avons laissés, nos protagonistes quittaient la taverne de la Trilhe pour l'hôtel Dutech où Jaufré avait prétendu devoir réparer un oubli.

Gervais, qui l'observait, ne vit aucun changement d'expression sur le visage du Gardouchois qui emboîta le pas de son patron. Nous serions-nous tous trompés? se demanda-t-il. Leur cible n'ayant montré aucune velléité de leur fausser compagnie, les gardes s'écartèrent pour qu'ils puissent passer, mais une fois dehors, ils les encadrèrent: l'un d'eux ouvrait le chemin, un deuxième les suivait et les deux derniers étaient l'un à leur gauche, l'autre à leur droite. La manœuvre était flagrante, mais le bayle ne dit mot. Le trajet était court de la taverne à l'échoppe, et Jaufré, que l'attitude paisible de son homme de confiance avait convaincu de son innocence, l'entretenait sans arrière-pensées de la livraison à venir. Les gardes eux aussi s'étaient détendus: manifestement, rien ne se produirait et le coupable était toujours à découvrir.

Sans qu'aucun signe ne le laisse prévoir, au moment où ils allaient tourner à gauche pour s'engager dans la rue Malcosinat, Davezac bouscula le garde le plus proche, se jeta à droite et détala dans la rue Fustière. La surprise provoquée par sa fuite les figea un instant et il en profita pour prendre de l'avance. Tous enfin lancés derrière lui, Fréchou en tête, Gervais pas très loin derrière, ensuite Jaufré et, à la traîne, les soudards alourdis par les épées et le vin, ils voyaient sa silhouette s'éloigner. Zigzagant dans le lacis de ruelles qu'il semblait bien connaître, Davezac gagnait toujours plus de terrain et ne tarderait pas à leur échapper. Soudain, il disparut. Malgré tout, même si la probabilité de mettre la main sur lui était désormais minime, ses poursuivants continuèrent leur course. À leur grande surprise, ils tombèrent sur une scène aussi inattendue qu'inespérée: le bayle était au sol, maintenu par un groupe de gamins qui l'empêchait de bouger. Ils ne le lâchèrent que lorsque les gardes, arrivés bon derniers et à bout de souffle, s'emparèrent du prisonnier et lui entravèrent les poignets. Jaufré voulut remercier les garçons, mais ils avaient disparu.

Davezac était désormais debout entre les deux gardes qui l'avaient relevé.

— Peux-tu t'expliquer ? lui demanda Jaufré.

Il ne répondit pas et garda les yeux fixés au sol.

— Dis quelque chose ! Pourquoi es-tu parti en courant ? Pourquoi n'es-tu pas venu à l'échoppe ce matin ?

L'autre restait muet, mais Jaufré insista :

— Tout le monde croit que tu es l'étrangleur. C'est vrai ? C'est toi ?

N'obtenant toujours pas de réaction, Jaufré donna le signal du départ.

— À la prévôté ? demanda l'un des gardes.

— Non. À l'hôtel.

Messire Dutech montra sa satisfaction d'avoir vu juste, mais s'étonna de l'absence des sergents.

— Je veux être sûr. Il faut le confronter à Ramone.

— Mais alors, pourquoi est-il attaché ?

— Il a essayé de nous fausser compagnie.

— Cela ne te suffit pas ?

— Non. Il y a peut-être une autre raison.

— Pourquoi ne la donne-t-il pas ?

— Père, s'il vous plaît…

— D'accord. Gervais, va chercher Ramone.

Gervais avertit d'abord dame Robine qui se rendit à la cuisine où il la suivit. La nouvelle de la capture du bayle affola la jeune servante que la maîtresse et Hervise tentèrent de rassurer en lui répétant, comme plus tôt le matin, qu'elle serait protégée. Tremblante, claquant des dents, elle faisait peine à voir, mais dame Robine, dont la patience s'était usée, la prit par la main et l'entraîna dans l'escalier. Quand elles pénétrèrent dans l'échoppe, toute l'attention convergea vers Ramone, mais elle, elle ne regardait que Davezac fermement maintenu par les gardes et les poignets liés. Alors, sous les yeux ébahis de l'assistance, la jeune fille apeurée se transforma en furie. Elle se jeta sur l'homme désormais impuissant et le frappa de toute la force de ses poings serrés. Les coups tombaient sur le visage du bayle qui tentait de reculer, mais n'y parvenait pas, puis elle lui arracha sa cotte, et là, horrifiés, ils découvrirent le fichu bleu pastel qu'il dissimulait sur sa poitrine : le monstre était prêt à s'attaquer à une nouvelle victime. Personne n'empêcha Ramone de se rendre jusqu'au bout de sa colère, et quand les sergents que Fréchou était allé quérir vinrent le chercher, l'individu qu'ils emmenèrent était débraillé et avait la figure en sang.

— Il a été pendu, je suppose ? demanda le père Joseph.

— Oui, mais il était déjà mort.

— Comment cela ?

— Quand il est apparu sur le seuil de l'échoppe encadré par les sergents, la bande de Sénarens l'attendait avec des pierres. Ils ont crié : « C'est l'étrangleur ! » et ils ont commencé de le lapider. Les passants se répétaient : « C'est l'étrangleur ! C'est l'étrangleur ! » Les gens sortaient des boutiques et s'attroupaient. La rue était bloquée. Entraînés par le mouvement des garçons, les nouveaux venus lancèrent eux aussi des pierres. Pour ne pas être touchés, les gardes lâchèrent le prisonnier qui se retrouva au milieu d'un espace vide, exposé à la colère de ces gens qu'il avait effrayés pendant des mois. Il a tenu debout un moment, essayant d'esquiver les projectiles, puis il s'est affaissé. Les pierres ont continué de le frapper jusqu'à ce qu'il ne frémisse plus. À la fin, c'était une loque sanglante que les sergents ont dû emporter sur une civière.

— Ramone a-t-elle recouvré la voix ?

— Non, mais elle est rentrée à Gardouch auprès de ses parents.

— Et elle a épousé son cousin ?

— Ni son cousin ni personne d'autre, hélas. Elle faisait peur et personne n'osait la fréquenter. Au moins, elle a quitté Toulouse et a retrouvé ses parents et son chien.

— Et vous ? Vous êtes demeuré longtemps chez les Dutech ?

— Quatre ans. Lorsque je suis arrivé à Paris après ce laps de temps, je m'en souviens bien, tout le monde parlait de la bataille qui avait eu lieu à Crécy*. Le roi d'Angleterre avait battu le nôtre. On ne le savait pas encore, mais les grands malheurs du pays commençaient.

— Vous êtes reparti parce que votre éducation était terminée ?

— Pas seulement.

En réalité, il aurait pu y rester un an ou deux de plus, mais il avait été renvoyé chez lui pour interrompre un commencement d'idylle avec Mélie pour qui il éprouvait une forte attirance partagée par la jeune fille. Le père d'icelle l'avait découvert et avait coupé court à la romance. Mélie était promise à l'apprenti qu'il avait formé dans le but de lui succéder. C'était décidé de longue date et il n'était pas question d'y revenir. Après avoir surpris les jeunes gens dans une attitude qui lui avait paru équivoque, il était allé demander à son ami Dutech de le débarrasser du Parisien. Gervais, dont l'éviction de la capitale avait été destinée à l'éloigner de Margaux, fut banni de la cité languedocienne afin de le séparer de Mélie.

— Pour un garçon destiné à l'origine à devenir moine, remarqua le père infirmier, les femmes ont eu une grande importance dans votre vie.

— Certes...

La nostalgie de son épouse, disparue des années auparavant, lui serra le cœur.

Il était allé jusqu'à Provins avec Émilien puis avait terminé la route en compagnie d'un facteur de la maison d'Anceny. À mesure qu'il s'éloignait de Toulouse, sa tristesse se diluait. Au fond de lui, il avait toujours su qu'il n'avait pas d'avenir avec Mélie, et s'il en ressentait quelque peine, il n'était pas déçu. À l'approche de Paris lui vint la hâte de retrouver les lieux et les gens de son enfance. D'abord, la draperie, dont il ne se souvenait pas avec précision, car celle des Dutech, devenue si familière, s'imposait à lui quand il essayait de se la représenter. Les images de la rue et du quartier, en revanche, étaient bien nettes dans son esprit. Et puis sa famille. Son père, qui vraisemblablement l'enverrait au loin comme facteur, serait-il devenu très vieux ? Et son frère ? Il devait être prêt à succéder au patriarche. Et Margaux. Aurait-elle beaucoup changé en quatre ans ? Ses traits étaient un peu flous dans sa mémoire, mais il avait gardé vivace le souvenir de son aura lumineuse. Margaux. Il avait tant rêvé d'elle. Tant regretté qu'elle soit inaccessible.

Ce fut la première personne de la maisonnée qu'il rencontra comme si la force de son impatience l'avait attirée sur le seuil. Elle partait au marché à l'instant où il arrivait et se figea en le découvrant. Ils se dévisagèrent un instant. La jeune femme était encore plus belle que dans ses souvenirs et le cœur de Gervais battit aussi fort que la première fois où elle lui était apparue.

Elle lui prit les mains pour lui souhaiter la bienvenue et prononça une curieuse phrase à laquelle il ne prêta pas vraiment attention :

— Tu es déjà là ! On ne t'attendait pas si vite.

Son père l'accueillit avec les mêmes mots et il se demanda enfin ce que cela signifiait. Il ne tarda pas à l'apprendre : son frère, parti en Flandre régler un différend avec un fournisseur, avait succombé à une épidémie qui avait ravagé la province. Raoul lui avait envoyé un messager à Toulouse, mais ils avaient dû se croiser en chemin.

La nouvelle l'accabla de tristesse. Il avait aimé François comme il avait aimé Gildas, et avec sa mort, c'était toute son enfance qui disparaissait. Des trois frères d'Anceny, il ne restait que lui, Gervais, qui ne deviendrait ni moine ni facteur. Ce serait à son tour d'être formé pour prendre la relève, et au chagrin, s'ajouta le poids écrasant de la responsabilité qui devenait la sienne d'avoir à porter l'avenir de la maison d'Anceny.

— Tu dois également assurer la continuité de la famille. Il te faut des enfants.

Des enfants ? Cela signifiait le mariage. Avant qu'il ait le temps de protester qu'il n'en voulait pas, son père poursuivit :

— Tu épouseras la veuve de ton frère.

Interprétant la sidération de son fils comme un désaccord, Raoul d'Anceny développa une série d'arguments d'où il ressortait qu'il faudrait rembourser la dot de Margaux s'il ne l'épousait pas et que cela nuirait très fort à leur commerce.

Lorsque le sens du discours eut pénétré son entendement, Gervais l'interrompit :

— Fort bien, Père. J'épouserai Margaux.

GLOSSAIRE

Ais : planchette de bois utilisée pour les plats des reliures ; les ais protègent le manuscrit et l'empêchent de se déformer.
Anglais : premières années de la guerre dite de Cent ans, qui a débuté en 1337. Elle oppose le roi d'Angleterre et le roi de France. Édouard III revendique le trône de France en tant que plus proche parent de feu Philippe le Bel dont il est le petit-fils alors que le souverain français, Philippe VI, n'est que son neveu. Cet interminable conflit sera coupé de nombreuses trêves dont certaines dureront plusieurs décennies.
Autan : vent provenant du sud-est dont on dit qu'il rend fou.
Barbier : le rôle du barbier n'est pas seulement de raser les hommes : il fait aussi office de chirurgien.
Ban (droit de), banal : les gens d'une seigneurie sont obligés d'utiliser le four ou le moulin qui appartient au seigneur, laïc ou ecclésiastique, en payant
une redevance.
Barrette : toque à cornes des ecclésiastiques.
Barcajaire : qui parle à tort et à travers.
1. Basacle : gué qui permet la traversée de la Garonne. Un seuil construit au XIIe siècle sur ce haut fond a permis l'installation de nombreux moulins.
2. Basacle : la graphie choisie pour les rues de Toulouse qui existent encore de nos jours est la forme occitane ; en français, par exemple, « Basacle » s'écrit « Bazacle », « Roaix » s'écrit « Rouaix », « Malcosinat » s'écrit « Malcousinat », etc.
Bayle : intendant.
Béjaune : en fauconnerie, jeune oiseau non dressé qui a encore sur le bec une membrane jaune. Figuré : jeune homme sot et inexpérimenté.
Belin : nom du mouton dans le Roman de Renart.
Bren : excrément.
Brouet : bouillon, potage.
Burèle : couleur grise, brune ou noire de certaines laines qui servent à fabriquer la bure, un tissu grossier utilisé pour confectionner les habits des moines.
Cagarèl : avorton. Vient de « cagar », « déféquer », et signifie donc au sens propre « petite merde ».
Cameline : sorte de sauce.
Clerc : celui qui est entré dans l'état ecclésiastique par réception de la tonsure.
Cocagne : boule de feuilles de pastel séchées et broyées qui servent à obtenir la teinture bleue. La culture du pastel a fait la richesse de Toulouse et de sa région à la fin du Moyen Âge et au XVIe siècle, d'où l'expression « pays de cocagne » qui désigne un pays imaginaire où l'on a tout en abondance.
Confiteor : prière de la liturgie catholique dont le début est généralement traduit en français par « Je confesse à Dieu ». C'est une préparation à la communion.

Convers : personne qui se consacre aux travaux manuels dans un établissement religieux.
Couart : nom du lièvre dans le Roman de Renart.
Couvrure : cuir, métal ou tissu précieux qui recouvre les ais de la reliure d'un manuscrit.
Crécy (bataille de) : 26 août 1346.
Cuculle : vêtement de laine grossière, à capuchon, portée par les religieux.
Ébrultien : de Saint-Évroult.
Escanar : égorger, étrangler.
Essarter : défricher un terrain boisé.
Fabliau : conte en vers destiné à amuser ou à édifier.
Facteur : personne qui fait du commerce pour le compte d'une autre.
Femnassièr : homme à femmes.
Foire : rassemblement de marchands qui se rencontrent dans des lieux précis et à des dates fixes pour vendre et acheter.
En Champagne, il y a les foires chaudes qui se tiennent en été et les froides qui ont lieu en hiver.
Gonelle : robe.
Haubert : chemise de mailles de fer.
Hostellerie : partie d'un monastère où sont logés les laïcs de passage, principalement des pèlerins.
Libraria Magna : bibliothèque des papes d'Avignon. Au XIVe siècle, elle est réputée pour être la plus importante de la chrétienté avec ses deux mille pièces, alors que le roi de France lui-même n'en possède pas plus de neuf cents. Elle regroupe des ouvrages de théologie, de droit canon et civil, des traités scientifiques, les écrits des Pères de l'Église et des textes d'auteurs antiques.
Lieue : environ quatre kilomètres.
Livre d'heures : livre liturgique réunissant les prières, chants et lectures nécessaires à la célébration des offices.
Liturgie des heures : huit fois par jour, la communauté se rassemble pour prier en commun à partir des Psaumes et de la Bible. Il y a trois grands offices : matines ou vigiles (entre minuit et le lever du jour), laudes (à l'aurore) et vêpres (le soir) et les « petites heures », offices plus courts : prime (vers 6 h), tierce (vers 9 h), sexte (vers 12 h), none (vers 15 h) et complies (dernière prière après le repas et une lecture en commun).
Macarèl : maquereau.
Maroquin : couvrure de chèvre.
Marotte : poupée ou marionnette.
None : voir **Liturgie des heures**.
Oc (langues d') : langues romanes qui se sont développées dans le sud de la France. Ce qui figure en langue d'oc dans le texte obéit à la graphie de l'occitan référentiel qui se base sur le dialecte languedocien considéré comme dialecte intermédiaire.
Oïl (langues d') : langues romanes qui se sont développées dans le nord de la France.
Orant : personnage qui prie.
Pèc : idiot, innocent.
Pecia : fragment d'un texte sous forme d'un cahier numéroté destiné à être loué aux maîtres ou aux étudiants le temps d'en faire une copie. Lorsqu'elle est terminée, ils louent le suivant.
Pied poudreux : marchand ambulant (dont les pieds sont salis par la poussière des chemins).

Pignon : couronnement triangulaire d'un mur dont le sommet porte le bout du faîtage de l'espace compris entre le dernier étage et le toit. Chaque maison est pourvue d'un seul pignon. Les bourgeois qui veulent augmenter leur espace habitable achètent une ou deux maisons voisines et possèdent ainsi une demeure à deux ou trois pignons. Le nombre de pignons possédés est un signe reconnaissable de richesse, d'où l'expression « avoir pignon sur rue ».
Porterie : loge du portier.
Potonejar : embrasser.
Prime : voir **Liturgie des heures**.
Putanassa : grosse putain.
Question : torture.
Robe : garçons et filles portent une longue robe jusqu'à sept ans.
Rouleau des morts : parchemin transmis de monastère en monastère pour annoncer la mort d'un membre de la communauté.
Rouste : volée de coups.
Routiers : bandes de soldats mercenaires qui ne reçoivent aucune solde lorsqu'il n'y a pas de guerre. Ils se paient sur les voyageurs et les paysans. Ils volent, pillent, incendient, tuent, violent...
Salade : casque.
Salle capitulaire : salle où se réunit le chapitre. Le chapitre est l'assemblée des religieux réunis pour écouter un chapitre de la règle et délibérer de leurs affaires.
Siècle : vie civile par opposition à la vie religieuse.
Tierce : voir **Liturgie des heures**.
Tire-laine : voleur.
Tonsure : petit cercle rasé au sommet de la tête des clercs.
Tranchoir : tranche de pain sur laquelle on pose la viande et qui sert d'assiette.
Verjus : jus acide extrait de raisin blanc cueilli vert.
Vietdason : imbécile. Vient de « viet d'ase » : pénis d'âne.

MARYSE ROUY

À côtoyer Gervais pendant trois enquêtes menées par celui-ci aux alentours de la cinquantaine – un âge vénérable pour l'époque [si j'étais en train d'écrire un courriel à un(e) de mes contemporains(nes), j'ajouterais une émoticône ironique] –, il m'est venu l'envie de le doter d'une jeunesse. Et pour cela, de le conduire à Toulouse, la ville de ma propre jeunesse, que cela me donnerait l'occasion de revisiter à l'aune du passé. Le cœur de la cité a non seulement gardé le tracé de ses rues médiévales, mais également leur nom, et j'ai eu beaucoup de plaisir à y flâner en me projetant dans son histoire. Toulouse au Moyen Âge, ville drapière, ville pastellière, toute de briques et de tuiles, était déjà la « fleur de corail que le soleil arrose » de Claude Nougaro. Toulouse que j'aime et que j'ai voulu faire aimer à Gervais, avec ses odeurs d'ail et de girolles, ses grandes gueules, sa rage de vivre, son vent d'autan qui rend fou. Viennent en contrepoids la Normandie et ses monastères que l'oblat parisien affectionne également. J'ai souhaité alterner les deux mondes, celui du sud et celui du nord, celui du siècle et celui du cloître, avec des méchants des deux bords tant la vilenie des hommes est universelle.